Français • 3e cycle du primaire

mordicus

MANUEL DE L'ÉLÈVE, VOL. 4

France Le Petitcorps
Directrice de collection

Louise Côté

Avec la participation de
Roger Lazure

TABLE DES MATIÈRES, p. IX

8101, boul. Métropolitain Est, Anjou, Qc, Canada H1J 1J9
Téléphone : (514) 351-6010 Télécopieur : (514) 351-3534

Directrice de l'édition
Carole Lortie

Directrice de la production
Danielle Latendresse

Directrice de la coordination éditoriale
Isabel Rusin

Chargée de projet
Sophie Aubin

Réviseurs linguistiques
Denys Lessard, Stéphanie Bourassa

Correctrice d'épreuves
Jacinthe Caron

Rédacteur des activités TIC
Luc Séguin

Recherchiste (textes)
Renée Leblanc

Recherchiste (photos)
Monique Rosevear

Consultantes pédagogiques
Louise Choquette, enseignante au 3e cycle, école de l'Envolée, commission scolaire de la Seigneurie-des-Mille-Îles

Danièle Legault, enseignante au 3e cycle, école Lajoie, commission scolaire Marguerite-Bourgeoys

Ginette Vincent, conseillère pédagogique au primaire, commission scolaire Marie-Victorin

Conception et réalisation graphique 

Illustrateurs
Stéphan Archambault, Christine Battuz, Sophie Casson, Christine Delezenne, Philippe Germain, Martin Goneau, Bertrand Lachance, Ninon, Pierre-Paul Pariseau, Paul Rossini, Meng Siow

Les Éditions CEC inc. remercient le gouvernement du Québec de l'aide financière accordée à l'édition de cet ouvrage par l'entremise du Programme de crédit d'impôt pour l'édition de livres, administré par la SODEC.

8101, boul. Métropolitain Est, Anjou (Québec) H1J 1J9

Dépôt légal : 3e trimestre 2003
Bibliothèque nationale du Québec
Bibliothèque nationale du Canada

ISBN 2-7617-1907-7

Imprimé au Canada
1 2 3 4 5 07 06 05 04 03

Abréviations

Adj. = adjectif

Adv. = adverbe

Attr. = attribut

Dét. = déterminant

N = nom

P = pronom

Prép. = préposition

V = verbe

Compl. = complément

m. = masculin

f. = féminin

s. = singulier

pl. = pluriel

pers. = personne

GN = groupe du nom

GV = groupe du verbe

GPrép = groupe prépositionnel

CD = complément direct

CI = complément indirect

Le mot ou le groupe de mots surlignés en bleu exercent la fonction de sujet.

Le mot ou le groupe de mots surlignés en jaune exercent la fonction de prédicat.

Le mot ou le groupe de mots surlignés en rose exercent la fonction de complément de phrase.

Pictogrammes

 = Réflexion sur les apprentissages en cours

 = Document à conserver dans le portfolio

 = Définition d'un mot

 = Document à placer dans la trousse à outils

= Truc pour se dépanner en cours d'activité

fiche x = Renvoi à une fiche reproductible

EN PRIME = Activité complémentaire pour consolider les apprentissages

p. xx = Renvoi à un tableau synthèse (*Retenir sa langue*) de la section grammaticale

Niveau de difficulté des textes :

= Facile

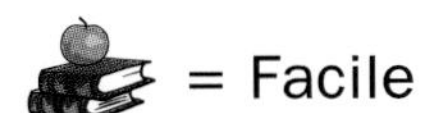 = Moyen

= Difficile

L = Lecture

É = Écriture

O = Communication orale

A = Appréciation d'œuvres littéraires

C = Gestion et communication de l'information (projet)

Structure d'un numéro

Toutes les activités proposées dans *Mordicus* visent le développement de compétences en français et de compétences transversales. Chaque numéro de *Mordicus* est organisé autour d'une grande thématique en lien avec les domaines généraux de formation.

Sommaire
Pour se faire une bonne idée des activités à réaliser dans un numéro.

Boîte aux lettres
Pour connaître les réactions des élèves sur le numéro précédent et faire le point sur les apprentissages.

Sommaire
Volume 4, numéro 10

Boîte aux lettres

Réel ou imaginaire ?
Après la lecture du texte *L'homme qui plantait des arbres*, nous avons eu un débat autour de la question « Elzéard Bouffier a-t-il réellement existé ? » Je croyais que ce personnage était réel. Tout est devenu clair en lisant la lettre de Jean Giono. L'autre lettre, celle des…

Chacun son style
En lisant les commentaires des pros sur leur manière d'écrire leurs textes…

Félicitations pour…

220

Éditorial

Les uns et les autres

L'un aime lire des contes, l'autre préfère qu'on les lui raconte.
Mais les deux adorent voyager en compagnie des mots.

L'une se plaît à écrire des histoires, l'autre préfère les dessiner.
Mais tous deux savent rêver, imaginer, créer.

L'un aime jouer les porte-parole… l'autre aussi.
Tour à tour, ils jouent tous les rôles.

L'une n'est pas toujours d'accord avec l'autre.
Mais les deux gagnent à écouter, à discuter, à communiquer.

Au contact des uns et des autres,
tous se nourrissent, s'enrichissent et grandissent.

La rédactrice en chef, au nom de toute l'équipe

VOLUME 4, numéro 10 — 5

Éditorial
Pour en savoir plus sur la thématique du numéro.

Lettre ouverte
Pour s'amuser avec les mots,
des jeux littéraires et
des jeux de mots.

Lettre ouverte

POINT DE RENCONTRE

La virgule, le point et le point-virgule se sont donné rendez-vous au milieu d'une page. La discussion va bon train. Chacun se vante d'être le signe de ponctuation indispensable. Lis leur mémorable rencontre racontée par le poète Maurice Carême.

MAURICE CARÊME (1899-1978)
Cet instituteur belge de langue française est surtout connu comme poète. Il a beaucoup écrit pour les enfants, qui continuent à lire et à apprécier ses poèmes.

Ponctuation

— Ce n'est pas pour me vanter,
Disait la virgule,
Mais, sans mon jeu de pendule,
Les mots, tels des somnambules,
Ne feraient que se heurter.

— C'est possible, dit le point.
Mais je règne, moi,
Et les grandes majuscules
Se moquent de toi
Et de ta queue minuscule.

— Ne soyez pas ridicules,
Dit le point-virgule,
On vous voit moins que la trace
De fourmis sur une glace.
Cessez vos conciliabules

Ou, tous deux, je vous remplace!

Maurice Carême

Maurice Carême : *Ponctuation*, extrait de *Au clair de la lune*
© Fondation Maurice Carême. Tous droits réservés.

6 VOLUME 4, numéro 10

Brin de causette
Pour discuter, échanger
des idées et apprendre
à mieux coopérer.

Brin de causette

MATIÈRE À DISCUSSION

STRATÉGIE
Pour animer une réunion du cercle de lecture :
• demande aux participants d'exprimer leurs réactions sur le sujet ;
• varie les formules donnant le droit de parole ;
• invite les participants à ne pas s'éloigner du sujet.

Discuter avec ses camarades d'un livre qu'on aime permet de mieux apprécier ce livre... et ses camarades. Allez, prends part à la discussion en participant à nouveau à un cercle de lecture !

1. Fais le point sur ton dernier cercle.
   • Comment les échanges se sont-ils déroulés ? Les membres étaient-ils bien préparés ?
   • Comment pourrait-on stimuler davantage la discussion ?
2. Écoute les consignes expliquant le choix des livres et la formation des équipes.
3. En équipe, choisissez un membre pour **animer** chaque réunion du cercle. Rappelez-vous les tâches liées à ce rôle.
4. Pour stimuler la discussion, nous vous proposons une liste de sujets pour chaque réunion. Inscrivez les sujets que vous retenez dans la fiche 42.
5. Comment donneras-tu ton opinion sur le choix des sujets de discussion ? Que feras-tu si tes cod... sont pas d...

120 VOLU...

Tac Tic

Projets d'avenir

Passer les belles journées d'été devant son ordi, ça donne un teint gris ! Par contre, se servir de l'ordi les jours de pluie pourrait bien ensoleiller ces journées ! Voici donc l'occasion de faire le plein d'activités à réaliser !

1. Fais équipe avec deux de tes camarades.
2. Dressez l'inventaire de tout ce que vous savez faire avec les outils informatiques.
3. À partir de votre inventaire, imaginez trois activités à faire cet été. Au besoin, inspirez-vous des suggestions ci-dessous.
   • Créer une base de données pour répertorier les objets de sa collection préférée.
   • Faire des recherches dans Internet pour réaliser l'arbre généalogique de sa famille.
   • Fabriquer des diplômes, à remettre lors d'une fête, à l'aide d'un logiciel de dessins vectoriels.
   • Produire des dessins, pour agrémenter son carnet de poésie, à l'aide d'un éditeur d'images.
4. Faites un compte rendu à la classe en prenant soin de préciser :
   • les outils utiles pour réaliser ces activités ;
   • les principales fonctions des logiciels utilisés ;
   • des conseils de sécurité à respecter.
5. Prends en note les activités que tu aimerais réaliser cet été.
6. Quelles activités de la rubrique *Tac Tic* as-tu le plus aimées ?

EN PRIME
• Pour tester quelques-unes de tes connaissances, demande la fiche 79.

226 VOLUME 4, numéro 12

Tac Tic
Pour tirer parti des
technologies de l'information
et de la communication (TIC)
dans diverses activités
en français.

Sous-thématique
Pour approfondir la thématique du numéro. Pour réaliser un ensemble d'activités liées les unes aux autres.

Un numéro contient habituellement deux sous-thématiques.

SOUS-THÉMATIQUE 2

SOUS-THÉMATIQUE 1

Le tour du monde en couleurs

À l'écoute des pros

Les pros te disent ce qu'ils préfèrent : écrire à la main ou à l'ordinateur.

Que ce soit comme journaliste, recherchiste ou scénariste, Sarah Perreault aime rendre l'information scientifique plus accessible aux jeunes dans des domaines aussi variés que la biologie, la physique et les nouvelles technologies.

134

PROJET

DOSSIER

Le français en fête

Elle est partout dans ta vie : dans tes pensées, dans tes paroles, dans tes écrits, dans les mots que tu entends à la télé ou que tu lis dans les romans. Oui, la langue française fait partie de toi.

Sais-tu que le 20 mars de chaque année, sur les cinq continents, on rend hommage à la langue française ? La célébration de cette journée donne lieu durant tout le mois de mars à de nombreuses manifestations. Que dirais-tu de te joindre à la fête ?

Dans ce dossier, tu auras l'occasion d'élaborer un projet et d'explorer ainsi les ressources de la langue française, de constater la diversité du lexique de la francophonie et de reconnaître l'apport des diverses cultures à ta langue.

Pour t'aider à mener ton projet à terme, tu utiliseras de nouveau le contrat de projet (fiche 5).

Tour de piste
- Partager ses connaissances ou discuter sur le sujet.
- Lire des textes pour s'informer.
- Ébaucher des idées de projets.
- Former une équipe.

Chacun son rôle
- Préciser le but du projet.
- Répartir les tâches entre les membres de l'équipe.
- Chercher et choisir l'information utile à la réalisation du projet.

Mise en scène
- Organiser l'information retenue.
- Déterminer une façon originale de présenter la production.
- Préparer sa présentation.

Le lever du rideau
- Présenter la production et la démarche suivie.
- Évaluer sa participation au projet.

VOLUME 4, numéro 10 25

À l'écoute des pros
Des écrivains d'ici partagent la passion de leur métier et leurs meilleurs trucs.

Projet
Pour mettre en œuvre un **PROJET** et réinvestir les apprentissages en français, un dossier contenant des textes déclencheurs, des idées de projets et une démarche pour les mener à terme.

Moi et les autres
Pour trouver des réponses à des questions qui préoccupent les jeunes d'aujourd'hui.

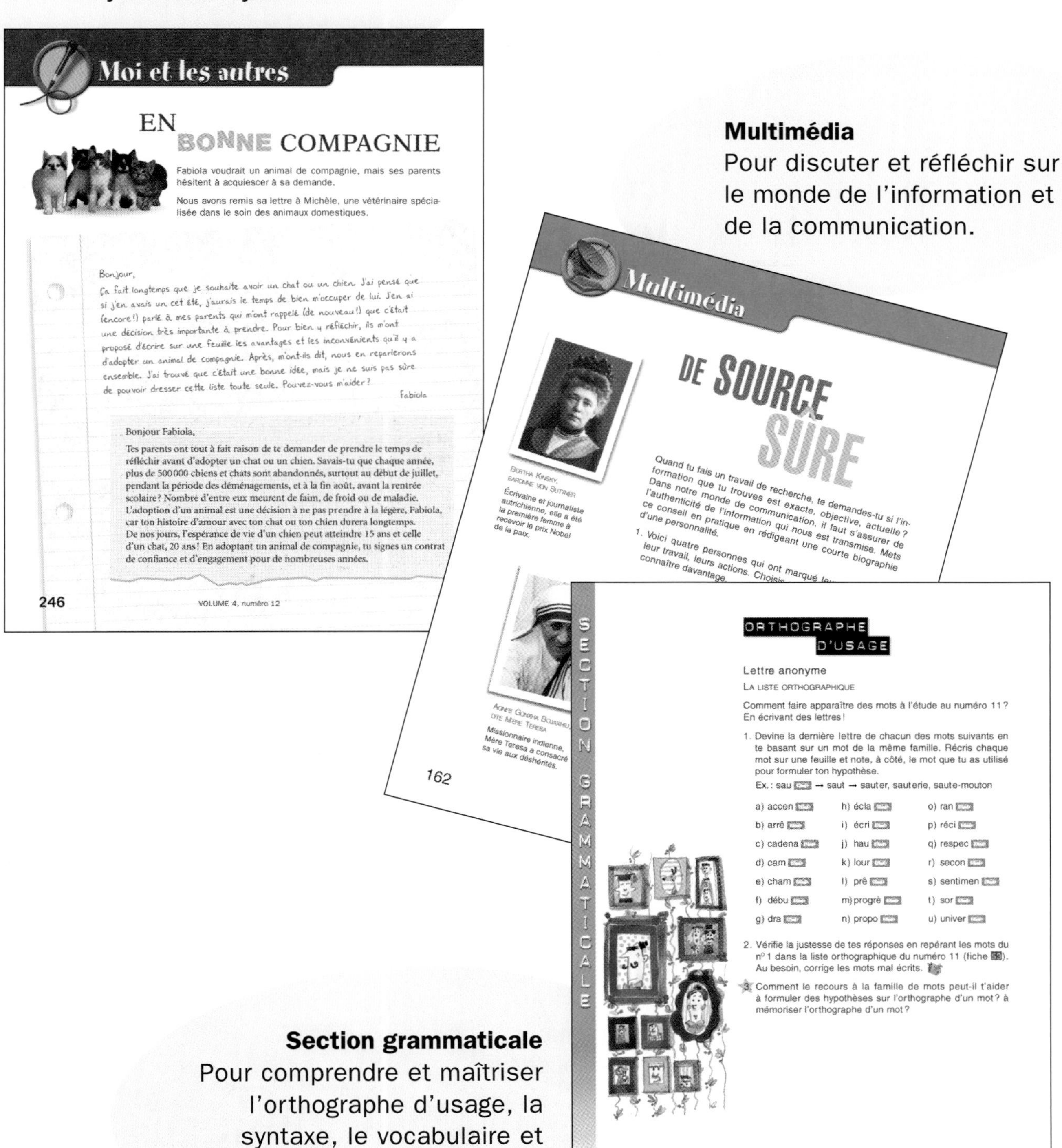

Moi et les autres

EN BONNE COMPAGNIE

Fabiola voudrait un animal de compagnie, mais ses parents hésitent à acquiescer à sa demande.

Nous avons remis sa lettre à Michèle, une vétérinaire spécialisée dans le soin des animaux domestiques.

Bonjour,
Ça fait longtemps que je souhaite avoir un chat ou un chien. J'ai pensé que si j'en avais un cet été, j'aurais le temps de bien m'occuper de lui. J'en ai (encore!) parlé à mes parents qui m'ont rappelé (de nouveau!) que c'était une décision très importante à prendre. Pour bien y réfléchir, ils m'ont proposé d'écrire sur une feuille les avantages et les inconvénients qu'il y a d'adopter un animal de compagnie. Après, m'ont-ils dit, nous en reparlerons ensemble. J'ai trouvé que c'était une bonne idée, mais je ne suis pas sûre de pouvoir dresser cette liste toute seule. Pouvez-vous m'aider?
Fabiola

Bonjour Fabiola,

Tes parents ont tout à fait raison de te demander de prendre le temps de réfléchir avant d'adopter un chat ou un chien. Savais-tu que chaque année, plus de 500 000 chiens et chats sont abandonnés, surtout au début de juillet, pendant la période des déménagements, et à la fin août, avant la rentrée scolaire? Nombre d'entre eux meurent de faim, de froid ou de maladie. L'adoption d'un animal est une décision à ne pas prendre à la légère, Fabiola, car ton histoire d'amour avec ton chat ou ton chien durera longtemps. De nos jours, l'espérance de vie d'un chien peut atteindre 15 ans et celle d'un chat, 20 ans! En adoptant un animal de compagnie, tu signes un contrat de confiance et d'engagement pour de nombreuses années.

246 VOLUME 4, numéro 12

Multimédia

DE SOURCE SÛRE

Bertha Kinsky, baronne von Suttner
Écrivaine et journaliste autrichienne, elle a été la première femme à recevoir le prix Nobel de la paix.

Quand tu fais un travail de recherche, te demandes-tu si l'information que tu trouves est exacte, objective, actuelle? Dans notre monde de communication, il faut s'assurer de l'authenticité de l'information qui nous est transmise. Mets ce conseil en pratique en rédigeant une courte biographie d'une personnalité.

1. Voici quatre personnes qui ont marqué le... leur travail, leurs actions. Choisis... connaître davantage.

Agnes Gonxha Bojaxhiu, dite Mère Teresa
Missionnaire indienne, Mère Teresa a consacré sa vie aux déshérités.

162

SECTION GRAMMATICALE

ORTHOGRAPHE D'USAGE

Lettre anonyme
LA LISTE ORTHOGRAPHIQUE

Comment faire apparaître des mots à l'étude au numéro 11? En écrivant des lettres!

1. Devine la dernière lettre de chacun des mots suivants en te basant sur un mot de la même famille. Récris chaque mot sur une feuille et note, à côté, le mot que tu as utilisé pour formuler ton hypothèse.
Ex.: sau ▭ → saut → sauter, sauterie, saute-mouton

a) accen ▭	h) écla ▭	o) ran ▭
b) arrê ▭	i) écri ▭	p) réci ▭
c) cadena ▭	j) hau ▭	q) respec ▭
d) cam ▭	k) lour ▭	r) secon ▭
e) cham ▭	l) prê ▭	s) sentimen ▭
f) débu ▭	m) progrè ▭	t) sor ▭
g) dra ▭	n) propo ▭	u) univer ▭

2. Vérifie la justesse de tes réponses en repérant les mots du nº 1 dans la liste orthographique du numéro 11 (fiche ▭). Au besoin, corrige les mots mal écrits.

3. Comment le recours à la famille de mots peut-il t'aider à formuler des hypothèses sur l'orthographe d'un mot? à mémoriser l'orthographe d'un mot?

164 VOLUME 4, numéro 11

Multimédia
Pour discuter et réfléchir sur le monde de l'information et de la communication.

Section grammaticale
Pour comprendre et maîtriser l'orthographe d'usage, la syntaxe, le vocabulaire et l'orthographe grammaticale.

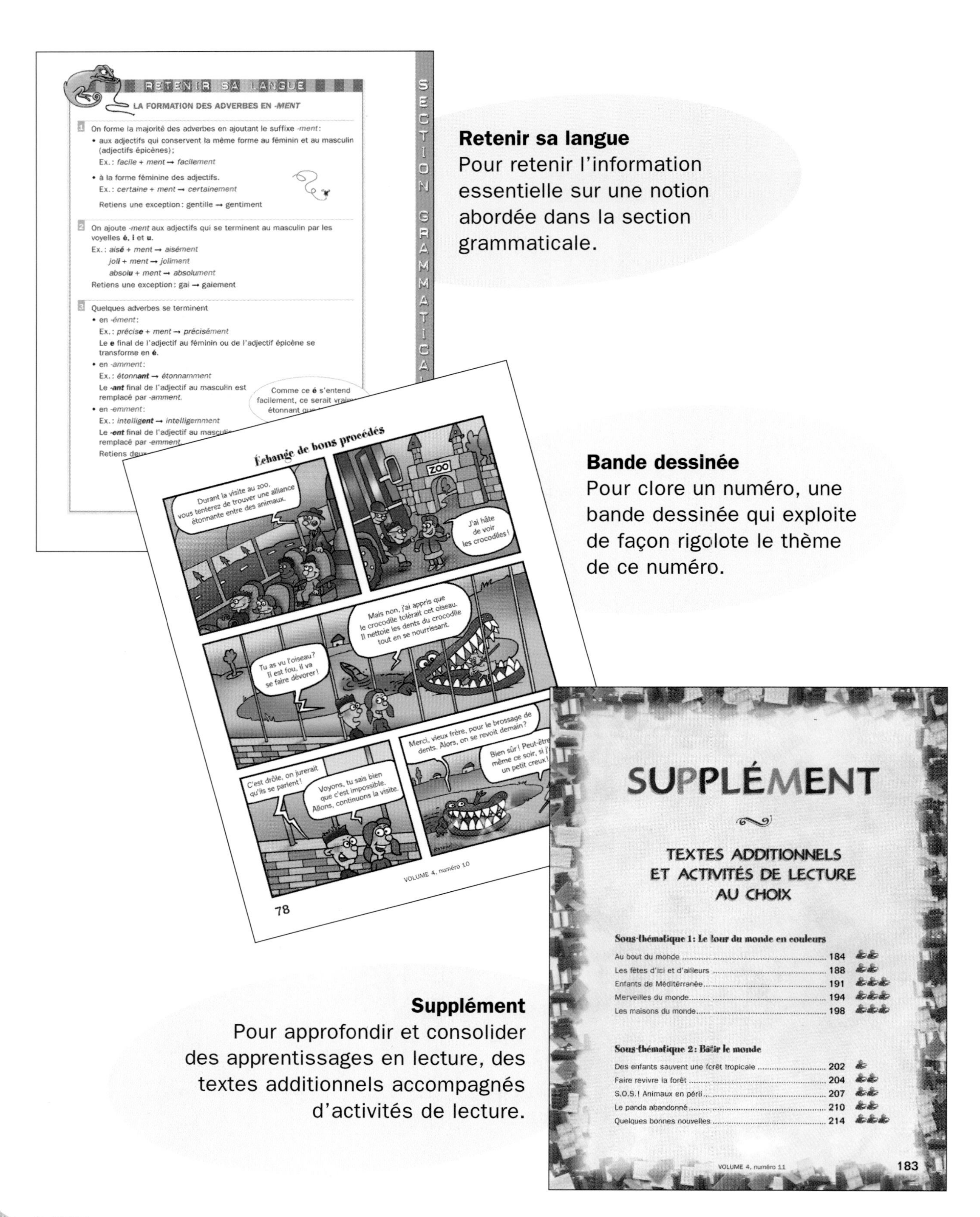

RETENIR SA LANGUE

LA FORMATION DES ADVERBES EN *-MENT*

1 On forme la majorité des adverbes en ajoutant le suffixe *-ment*:
- aux adjectifs qui conservent la même forme au féminin et au masculin (adjectifs épicènes);
  Ex.: *facile + ment → facilement*
- à la forme féminine des adjectifs.
  Ex.: *certaine + ment → certainement*

Retiens une exception: gentille → gentiment

2 On ajoute *-ment* aux adjectifs qui se terminent au masculin par les voyelles **é**, **i** et **u**.
Ex.: ***aisé** + ment → aisément*
joli + ment → joliment
absolu + ment → absolument
Retiens une exception: gai → gaiement

3 Quelques adverbes se terminent
- en *-ément*:
  Ex.: *précise + ment → précisément*
  Le **e** final de l'adjectif au féminin ou de l'adjectif épicène se transforme en **é**.
- en *-amment*:
  Ex.: ***étonnant** → étonnamment*
  Le **-ant** final de l'adjectif au masculin est remplacé par *-amment*.
- en *-emment*:
  Ex.: ***intelligent** → intelligemment*
  Le **-ent** final de l'adjectif au masculin est remplacé par *-emment*.
  Retiens deux

Échange de bons procédés

VOLUME 4, numéro 10

78

SUPPLÉMENT

TEXTES ADDITIONNELS ET ACTIVITÉS DE LECTURE AU CHOIX

VOLUME 4, numéro 11

183

Retenir sa langue
Pour retenir l'information essentielle sur une notion abordée dans la section grammaticale.

Bande dessinée
Pour clore un numéro, une bande dessinée qui exploite de façon rigolote le thème de ce numéro.

Supplément
Pour approfondir et consolider des apprentissages en lecture, des textes additionnels accompagnés d'activités de lecture.

TABLE DES MATIÈRES

mordicus

Volume 4, numéro 10

DOSSIER
Le français en fête

L'union fait la force
Des alliances touchantes, étonnantes, renversantes

L'effet secondaire
Demain, le secondaire

Brin de causette
Discuter rondement

Section grammaticale
Faire le point sur la ponctuation

Sommaire

Volume 4, numéro 10

Boîte aux lettres

Comme on a ri !

Notre enseignante Jocelyne nous a suggéré une nouvelle activité pour jouer avec les comparaisons. Comme nous nous sommes beaucoup amusés à ce jeu, j'ai pensé le partager avec vous pour que d'autres élèves en profitent.

La moitié de la classe écrit sur des bouts de papier des phrases du type : « *Je suis* + adjectif ». L'autre moitié compose des groupes du nom sur le modèle « *dét.* + nom + adj. » ou « *dét.* + adj. + nom ». Les papiers sont déposés dans deux boîtes différentes. À tour de rôle, on tire un bout de papier dans chaque boîte. On réunit les deux groupes de mots à l'aide du mot *comme*.

Moi, mon tirage a donné : « Je suis calme *comme* un pétard mouillé. » Hum !

Yue Ying,
au nom de la classe de Jocelyne

Merci pour l'idée ! Et continuez de jouer avec les mots.

Des pros de la radio

Le mois dernier, notre classe a réalisé une émission de radio qui a été diffusée en direct dans l'école. Ça n'a pas toujours été facile, mais nous avons réussi une bonne émission et nous en sommes très fiers. Maintenant, nous réalisons une émission sur l'amitié. Tout comme la dernière fois, il y aura sûrement de bonnes discussions. Mais avec l'expérience que nous avons acquise, nous sommes confiants d'y arriver.

Guillaume,
au nom de la classe de Christian

Toutes nos félicitations à votre classe! Vous avez de bonnes raisons d'être fiers de vous. La réalisation de votre deuxième émission vous demandera encore de faire preuve de persévérance et d'entraide. Nous ne doutons pas que vous relèverez ce défi avec succès. Donnez-nous de vos nouvelles.

Et toi, que retiens-tu du numéro 9 ? Quels sujets ou quelles activités t'ont plu particulièrement ? Quels défis as-tu relevés ? Qu'as-tu appris de nouveau ?

Avant d'entreprendre le numéro 10, fais le point sur tes apprentissages.

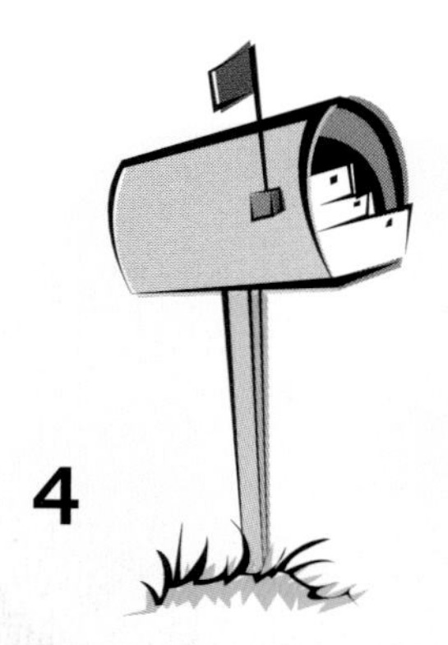

Éditorial

Les uns et les autres

L'un aime lire des contes, l'autre préfère qu'on les lui raconte.

Mais les deux adorent voyager en compagnie des mots.

L'une se plaît à écrire des histoires, l'autre préfère les dessiner.

Mais tous deux savent rêver, imaginer, créer.

L'un aime jouer les porte-parole... l'autre aussi.

Tour à tour, ils jouent tous les rôles.

L'une n'est pas toujours d'accord avec l'autre.

Mais les deux gagnent à écouter, à discuter, à communiquer.

Au contact des uns et des autres,

tous se nourrissent, s'enrichissent et grandissent.

La rédactrice en chef, au nom de toute l'équipe

POINT DE RENCONTRE

Maurice Carême (1899-1978)

Cet instituteur belge de langue française est surtout connu comme poète. Il a beaucoup écrit pour les enfants, qui continuent à lire et à apprécier ses poèmes.

La virgule, le point et le point-virgule se sont donné rendez-vous au milieu d'une page. La discussion va bon train. Chacun se vante d'être le signe de ponctuation indispensable. Lis leur mémorable rencontre racontée par le poète Maurice Carême.

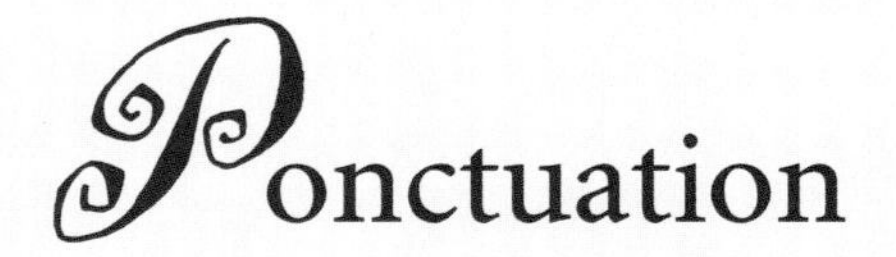

Ponctuation

— Ce n'est pas pour me vanter,
Disait la virgule,
Mais, sans mon jeu de pendule,
Les mots, tels des somnambules,
Ne feraient que se heurter.

— C'est possible, dit le point.
Mais je règne, moi,
Et les grandes majuscules
Se moquent de toi
Et de ta queue minuscule.

— Ne soyez pas ridicules,
Dit le point-virgule,
On vous voit moins que la trace
De fourmis sur une glace.
Cessez vos conciliabules

Ou, tous deux, je vous remplace !

Maurice Carême

Maurice Carême : *Ponctuation*, extrait de *Au clair de la lune*

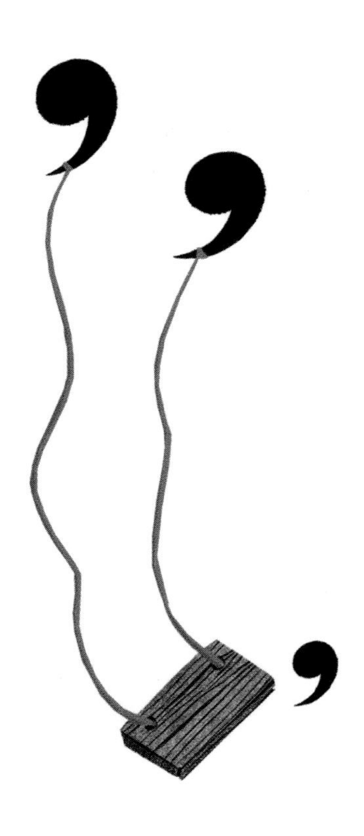

1. Que penses-tu de cette drôle de rencontre ?

   a) Qui a les meilleurs arguments, selon toi ?

   b) Quels mots ou expressions t'ont fait sourire ?

2. Examine la structure du poème.

   a) Comment le texte est-il organisé ?

   b) Relève les marques du dialogue dans chaque strophe.

   c) Comment les rimes sont-elles présentées ?

   d) Quelle rime revient dans toutes les strophes ? Quel effet cela crée-t-il ?

3. Que dirais-tu d'imaginer à ton tour une discussion fantaisiste entre trois éléments de la langue ?

   a) Choisis trois éléments que tu aimerais mettre en scène.

   b) Planifie ton texte à l'aide de la fiche **1**.

   c) Après l'avoir rédigé, relis-le. Peux-tu l'améliorer en retranchant des mots ? En remplaçant un mot par un autre, plus évocateur ? En trouvant des rimes plus riches ?

4. Propose cette surprenante rencontre à tes camarades.

5. Place ton texte dans ton ana.

Voici des suggestions d'éléments à mettre en scène.

- Des signes de ponctuation comme le point d'exclamation, le point d'interrogation et les points de suspension.
- Des lettres comme le **e**, le **è** et le **ê**.
- Des marques du dialogue comme le deux-points, le trait d'union et les guillemets.
- Des verbes modèles comme *aimer*, *finir* et *rendre*.
- Des classes de mots comme le nom, l'adjectif et le déterminant.
- Des groupes comme le groupe du nom, le groupe du verbe et le groupe prépositionnel.
- Des fonctions comme le sujet, le prédicat et le complément de phrase.

Tour de table

De la discussion jaillit la lumière, dit le proverbe. Il est vrai qu'un échange de points de vue jette souvent un éclairage nouveau sur une question. Que dirais-tu de développer ton habileté à discuter en participant à une **table ronde** ?

TABLE RONDE n. f. – Réunion tenue par plusieurs personnes pour discuter, sur un pied d'égalité, des questions d'intérêt commun.

Le Petit Larousse Illustré 2003
© Larousse/VUEF 2002.

1. Parmi les sujets suivants, choisis celui dont tu aimerais discuter.

1	On devrait imposer le port de l'uniforme à l'école.
2	On devrait abolir les écoles mixtes.
3	L'école devrait être obligatoire jusqu'à l'âge de 25 ans.
4	Pour favoriser la réussite scolaire, il faudrait allonger les heures de classe.
5	L'école actuelle convient davantage aux filles qu'aux garçons.

STRATÉGIE

É O

Les arguments sont les raisons, les preuves qui justifient ton raisonnement. Pour préparer ton argumentation, tu peux :

- te référer à une expérience que tu as vécue ou à des faits que tu as pu constater ;
- faire appel à tes valeurs personnelles ;
- utiliser des exemples, raconter une anecdote, recourir à une description, t'appuyer sur une citation.

2. Rassemble tes idées et étoffe tes arguments dans la fiche 2.

3. Forme une table ronde avec trois élèves qui ont choisi le même sujet que toi. Pour accomplir votre tâche efficacement, attribuez-vous chacun ou chacune un rôle.

Porte-parole

Responsable du temps et du matériel

Secrétaire

Animateur ou animatrice

4. Lis les règles à respecter durant la table ronde.
   - La discussion dure environ vingt minutes.
   - Chaque membre de l'équipe dispose de six jetons.
   - Pour intervenir dans la discussion, il faut déposer un jeton au centre de la table.
   - Quand une personne n'a plus de jetons, elle ne peut plus prendre la parole.
   - On peut répondre à une question par *oui* ou par *non* sans utiliser de jeton.
5. Faites un premier tour de table pour donner votre point de vue sur la question. Par la suite, utilisez vos jetons pour faire avancer la discussion.
6. De quelle façon ta position initiale a-t-elle évolué ?
7. D'après toi, les jetons permettent-ils à chaque membre de l'équipe de s'exprimer ? Pourquoi ?
8. Rendez compte à la classe de votre discussion.
9. À l'aide de la fiche 3, donne ton appréciation de ta participation à la discussion.

Pour faire avancer la discussion :

- apporte un nouvel argument ;

  Ex. : *J'aimerais ajouter que… Il ne faudrait pas oublier que…*

- montre par tes propos que tu tiens compte des arguments apportés par tes camarades ;

  Ex. : *Comme l'a dit Mélanie… Contrairement à Jérémie… Je suis d'accord avec ce qui vient d'être dit, mais…*

SUR LA PLACE PUBLIQUE

L'être humain a toujours éprouvé le besoin de communiquer avec ses semblables, d'émettre son opinion sur des sujets variés. Déjà, dans l'Antiquité grecque, les habitants de la cité se réunissaient sur une place publique, l'Agora, pour débattre de questions politiques et sociales.

L'univers fascinant d'Internet compte d'innombrables places publiques où l'on peut discuter avec d'autres internautes. Ces places publiques virtuelles s'appellent les forums de discussion, les groupes de discussion ou de nouvelles (en anglais *newsgroups*). On peut y avoir accès en y adhérant comme membres ou en y participant comme simples visiteurs.

Il existe des forums de discussion sur presque tous les sujets : le sport, la musique, la lecture, le cinéma, la télévision... Dans ces forums, les participants échangent leurs opinions ou des informations sur le sujet de leur choix au moyen de messages transmis par courrier électronique. Les participants peuvent également répondre à des questions ou interroger les autres pour connaître leur point de vue.

1. Cela te dirait de vivre l'expérience d'un forum de discussion ? Suis les consignes de la fiche 4.
2. Quels forums as-tu visités ? Lequel était le plus intéressant ? Pourquoi ?
3. Les règles de bienséance (la *nétiquette*) étaient-elles clairement énoncées ?
4. Que peux-tu dire de la qualité des interventions des participants ? de leur écriture ?

SOUS-THÉMATIQUE 1

L'union fait la force

Il y a des alliances qui vont de soi, comme celles qui t'unissent à tes meilleurs amis. D'autres, moins fréquentes mais aussi touchantes, rassemblent des jeunes et des personnes âgées.

Il y a aussi des alliances étonnantes entre des humains et des animaux. Et il y en a d'autres qui rapprochent des animaux qui n'ont apparemment aucune affinité.

Mais que ces alliances soient recherchées, improvisées, imposées ou intéressées, elles donnent toutes raison au proverbe « L'union fait la force ».

TRAIT D'UNION 1

Reconnaître les motivations des personnages. L A

TRAIT D'UNION 2

Reconnaître les pensées, les émotions et les réactions d'un personnage. L A O

Reconnaître ce qui appartient au monde du réel dans un récit. A

TRAIT D'UNION 3

Découvrir des alliances insolites. L

TRAIT D'UNION 4

Participer à la réalisation d'une murale. É

TRAIT D'UNION 1

Le meilleur ami de Manuel a déménagé. Avec qui Manuel partagera-t-il dorénavant sa passion des fourmis ? Avec Madame Vigne, la voisine du quatrième ? À première vue, ces deux-là n'ont vraiment rien en commun. Quoique...

1. Retrouve Manuel et Madame Vigne à l'entrée de leur immeuble (p. 13-15).
2. Pour mieux apprécier la relation qui se tisse entre eux, réponds aux questions de la fiche 5.
3. Compare tes réponses avec celles d'un ou d'une camarade. D'après vous, qu'est-ce qui contribue à rapprocher Manuel et Madame Vigne ?
4. Qu'est-ce qui t'aide à comprendre les raisons qui poussent Manuel et Madame Vigne à nouer cette relation ?
5. Note tes réactions dans ton carnet de lecture.
   - Qu'aimes-tu chez Madame Vigne ? chez Manuel ?
   - Si tu avais été à la place de Manuel, aurais-tu accepté de jouer aux dominos avec Madame Vigne ? Pourquoi ?

EN PRIME

- Qui est donc cette fille du deuxième que Manuel trouve bizarre mais qui plaît pourtant à Madame Vigne ? Pour le savoir, emprunte le livre ou propose-le à ton prochain cercle de lecture.

STRATÉGIE

L A

Dans ton carnet de lecture, tu peux :

- écrire des mots ou des phrases que tu aimes ;
- représenter les pensées d'un personnage par des dessins et des mots ;
- schématiser les relations entre des personnages ;
- noter les questions que tu te poses sur un personnage ;
- établir des liens entre un personnage et toi ;
- faire un croquis de l'histoire ;
- formuler des hypothèses sur la suite de l'histoire ;
- rédiger une critique du livre.

Madame Vigne et moi

Aujourd'hui, j'ai hâte de rentrer à la maison m'occuper de mes fourmis. Quand la cloche sonne, je suis le premier à quitter la classe. Devant mon immeuble, je rencontre Madame Vigne, la vieille dame du quatrième. Elle revient des courses et semble très fatiguée.

— Bonjour, Manuel ! Dis donc, mon p'tit, tu serais gentil si tu me portais mes deux sacs à provisions.

J'accepte avec un sourire et nous grimpons ensemble l'escalier. Au premier étage, nous faisons une pause car, pour Madame Vigne, chaque marche est une victoire.

— J'aimerais bien avoir ton âge, mon p'tit ! Si tu m'avais connue lorsque j'étais jeune… Moi aussi j'avalais les escaliers quatre à quatre !

Malgré moi, je souris en l'entendant. Avec son chignon blanc et sa silhouette toute voûtée, j'ai du mal à imaginer que Madame Vigne a eu un jour mon âge…

Au moment de se quitter, elle me demande à brûle-pourpoint :

— Dis-moi, Manuel, est-ce que tu aimes jouer ?

Quelle question ! Naturellement je réponds oui.

— Alors tous les deux, nous allons jouer aux dominos ! m'annonce-t-elle avec entrain.

Là, je me suis fait piéger. Car, à première vue, je ne vois pas ce qui la passionne autant dans les dominos. Mais elle a l'air ravi et je n'ose pas refuser. Tant pis pour mes fourmis…

Dans la salle à manger, elle m'indique, près de la fenêtre, deux chaises et une table recouverte d'un tapis vert. Au centre de celui-ci, une boîte en acajou semble nous attendre.

Madame Vigne m'explique que ses amis s'en vont les uns après les autres. Son partenaire aux dominos l'a quittée la semaine dernière.

— Moi aussi, Madame ! Mon meilleur ami est parti. Vous savez, Jonathan, celui qui habitait au deuxième… Il a déménagé.

Elle sourit tristement en me regardant.

— C'est vrai que vous étiez des amis inséparables. Mais tu peux lui écrire à ton Jonathan. Et puis, tu le reverras sûrement. Tandis que moi, mon p'tit, quand mes amis s'en vont, c'est pour toujours…

D'un geste vif, elle essuie une larme qui coule sur sa joue et s'écrie d'une voix claire :

— Et pourquoi ne joues-tu pas avec la jeune fille du deuxième ? Elle semble très gentille.

— Je la trouve bizarre…

— Ah bon ! Je n'ai pas encore eu l'occasion de lui parler, mais son visage m'a plu. Et un visage, mon garçon, raconte beaucoup de choses à qui sait le lire…

Elle me regarde d'une curieuse façon puis ajoute :

— Allez, maintenant nous allons nous amuser !

Les pièces du domino semblent très anciennes. Elles sont lourdes et d'un blanc un peu jauni. La vieille dame m'explique que ce jeu lui vient de son père, qui a été champion de dominos dans le Poitou en 1932.

La partie démarre. Les yeux de Madame Vigne pétillent. Je commence à entrevoir quelle petite fille elle a pu être… Elle s'amuse beaucoup et je

ne m'ennuie pas trop grâce aux souvenirs qu'elle me raconte.

Elle a commencé sa carrière comme « petite main » [...], à ramasser les épingles et à s'user les yeux. Elle a cousu des robes pour les princesses du monde entier !

Pendant ce temps, sur la table, les dominos composent peu à peu un étrange dessin. Comme la pièce s'assombrit, Madame Vigne se lève pour donner de la lumière. Puis elle me propose un chocolat chaud que j'accepte aussitôt.

J'observe la pièce autour de moi. Les meubles sont anciens. Sur le buffet, une pendule bat la mesure. Elle n'est pas très régulière et je m'amuse à suivre son rythme en tapant des doigts sur la table.

Un peu plus tard, une tasse à la main, nous reprenons notre partie. Nous sommes bien tous les deux. Elle me ferait presque oublier Jonathan...

Soudain, la pendule sonne cinq heures. La vieille dame pousse un petit cri.

— Oh ! Je vais te mettre en retard... Tu as sûrement des devoirs à faire, s'inquiète-t-elle en se levant. Je finirai la partie toute seule, j'ai l'habitude.

— Comme ça, vous êtes sûre de gagner !

Elle éclate de rire et me lance :

— Alors, c'est promis mon p'tit Manuel. Tu reviendras, n'est-ce pas ? !

Je promets.

Didier Jean et Zad, *Deux mains pour le dire*

TRAIT D'UNION 2

Dès leur première rencontre, Andréanne a eu le coup de foudre pour Pénélope, un futur chien-guide accueilli par la famille de sa meilleure amie. Jamais un chien ne lui a manifesté autant d'attention. Alors, pourquoi veut-on les séparer?

1. Retrouve Andréanne au moment où la séparation approche (p. 17- 19).
2. Pour faire ressortir les pensées, les émotions et les réactions d'Andréanne à trois moments clés du récit, réponds aux questions de la fiche 6.
3. Compare tes réponses avec celles de quelques élèves. Au besoin, prends note des éléments qui t'avaient échappé.
4. Discutez ensemble des questions suivantes.
   a) Trouvez-vous qu'Andréanne a raison de laisser partir Pénélope? Pourquoi? Qu'auriez-vous fait à sa place?
   b) Qu'est-ce que ce texte vous a appris sur les chiens-guides? Notez dans la première colonne de la fiche 7 les éléments que vous relevez.
5. De quelle façon la discussion avec les autres a-t-elle jeté un éclairage nouveau sur ta lecture?
6. Pour en apprendre davantage sur l'éducation des chiens-guides, lis le texte *La vie d'un chien-guide* (p. 20). Ajoute dans la fiche 7 les renseignements trouvés dans ce texte.
7. En quoi les références à la réalité dans un récit rendent-elles l'histoire plus crédible, plus intéressante?

EN PRIME

• Dans les deux récits que tu as lus, *Madame Vigne et moi* et *Les yeux de Pénélope*, quel est ton personnage préféré? Qu'est-ce qui rend ce personnage particulier à tes yeux? Note tes réflexions dans ton carnet de lecture.

Les yeux de Pénélope

La famille de Fanie, la meilleure amie d'Andréanne, joue le rôle de famille d'accueil pour un chiot dont la mission sera de servir d'yeux à une personne aveugle. Andréanne s'est éprise de ce chien, qui devra partir bientôt pour commencer son entraînement.

Assise à son bureau de travail dans sa chambre, Andréanne n'a pas ouvert son sac d'école. Elle devrait être en train de faire ses devoirs mais elle n'y arrive pas. La photo de Pénélope qu'elle a enfin réussi à prendre est posée devant elle. Andréanne est bouleversée.

— Comment les adultes peuvent-ils être aussi méchants ? pense-t-elle. Ils vont obliger Pénélope à travailler alors qu'elle ne pense qu'à jouer. Les chiens ne sont pas faits pour travailler.

Elle prend une feuille de papier et se met à écrire.

« Papa, maman, je ne sais pas ce que je vais faire mais je ne vous laisserai pas m'enlever mon chien. Pénélope est heureuse ici et je ne veux pas qu'elle parte. J'ai toujours voulu un chien et maintenant que j'en ai un qui m'aime, je vais… »

Andréanne roule la feuille en boule et la jette dans la corbeille. Elle ne sait pas quoi écrire, elle ne sait pas ce qu'elle va faire. […]

*

Quelques jours plus tard, Patrice, dresseur de chiens-guides, invite Andréanne et Fanie au centre d'entraînement.

— Là, c'est l'endroit où nous gardons les mères et leurs petits. Vous voyez, c'est ici que Pénélope a passé quelque temps avec sa mère avant de se retrouver en famille d'accueil. Vous pouvez vous imaginer Pénélope petit bébé, jouant avec ses frères et ses sœurs ? demande Patrice.

— Pénélope a grandi ici ?

Andréanne est songeuse.

— Et ce beau bouvier bernois que vous voyez là, poursuit Patrice, c'est une femelle. Elle a quatre ans, c'est la mère de Pénélope, Ariane. Elle est belle, non ?

Andréanne passe la main à travers les barreaux. Ariane s'approche doucement, hume la petite main offerte et la lèche posément. Finalement, elle lève la tête et regarde Andréanne droit dans les yeux.

— Elle a les mêmes yeux que Pénélope. J'en reviens pas, tu vois ça Fanie, c'est la mère de Pénélope.

Fanie n'est pas étonnée le moins du monde.

— Tu pensais quand même pas que Pénélope était née dans un chou? se moque-t-elle.

Andréanne ne répond pas.

Patrice et les deux filles quittent la mère de Pénélope pour aller visiter les chambres qui accueillent habituellement des aveugles.

— C'est pratique, s'ils ont besoin d'un chien, il y en a juste à côté, dit Andréanne.

— Quand le dressage des chiens est terminé, dit Patrice, les aveugles viennent vivre un mois parmi nous, pour faire connaissance avec leur futur guide. Ils passent ici des moments qui vont changer leur vie. C'est presque comme si nous leur donnions des yeux.

— Je voudrais bien voir comment on dresse un chien, dit Fanie.

— Pour ça, je vais avoir besoin de mon bon vieux Max, dit Patrice.

Max bondit en entendant son nom; il frémit d'excitation en comprenant qu'on va le faire travailler. Après être allé chercher le harnais de Max, semblable à celui que portent tous les chiens-guides quand ils travaillent, Patrice dit à Max:

— Mets ton harnais.

Au grand étonnement des filles, le beau Max saute dans son harnais et, du coup, devient le chien le plus calme qu'elles aient jamais vu.

— On dirait qu'il comprend ce que tu lui demandes! s'exclame Andréanne qui n'en revient pas.

— Bien sûr qu'il comprend, répond Patrice. Il sait qu'en mettant son harnais, il doit devenir sérieux, concentré. C'est la vie d'un aveugle qui est entre ses mains. Mais travailler peut être très amusant. En fait, les chiens adorent ça.

— J'ai déjà vu un chien-guide au coin d'une rue, il attendait que le feu devienne vert, dit Fanie.

— En fait, corrige Patrice, le chien ne distingue pas les couleurs. Il s'arrête à la vue de ce qui pourrait faire trébucher son maître ou le mettre en danger. Quand son chien s'arrête, l'aveugle utilise les moyens dont il dispose pour identifier l'obstacle. C'est lui qui décide de ce qu'il convient de faire. Le chien avertit son maître du danger. Regardez.

Pour mieux illustrer ses explications, Patrice fait circuler Max dans un parcours parsemé d'obstacles: il y a un trottoir, des marches, une borne-fontaine, des courbes et même une bicyclette au beau milieu du chemin. Patrice marche comme s'il était aveugle et Max, sérieux comme un pape, s'immobilise chaque fois qu'il y a un obstacle et attend les ordres du maître. Quand le parcours est terminé, Patrice félicite chaleureusement son chien.

— Max, c'est vraiment un très bon chien et quand il va partir, je vais m'ennuyer. Mais ce n'est pas pour mon plaisir que Max est ici. Il a été élevé pour devenir les yeux d'un aveugle. C'est pour ça que je vais passer par-dessus ma peine et le laisser partir.

— Tu dois les aimer beaucoup, les chiens que tu dresses, hein, Patrice ? dit Fanie.

Patrice caresse Max.

— Oui, beaucoup.

Andréanne ne dit rien mais elle est très attentive à ce qui se passe.

*

Au retour, Andréanne et Fanie sont transformées. Chacune à sa façon. Fanie n'arrête pas de jacasser ; elle vient de décider que, plus tard, elle fera le dressage des chiens-guides. Andréanne, silencieuse contrairement à son habitude, a elle aussi pris une décision. Elle n'empêchera pas Pénélope de partir. Oui, ça lui fera beaucoup de peine, mais elle sera toujours heureuse de savoir que Pénélope fait un travail utile, très utile.

Pendant que Fanie placote, ricane et raconte à ses parents la visite de la journée, Andréanne se rend au salon et va retrouver Pénélope qui se met aussitôt à battre de la queue.

Ceux qui ne croient pas qu'un chien et une petite fille peuvent se comprendre, seraient bien étonnés de voir ce qui se passe dans le salon des Briard. Une petite fille y tient serré dans ses bras un chien qui commence à faire un bon poids. Entre cette petite fille et ce gros petit chien, coule un murmure qui ne s'arrête pas.

La mère de Fanie, qui vient justement mettre son nez dans la porte du salon, interdit à tout le monde d'y entrer et improvise une promenade familiale obligatoire pour laisser seules Andréanne et Pénélope. Elle sait qu'il se passe là quelque chose de très important et que personne ne doit s'en mêler.

Dans la grande maison vide, voici ce qu'Andréanne murmure à Pénélope.

— Aujourd'hui, j'ai vu ta maman. Je sais pas si tu te rappelles de ta maman. Elle a des yeux comme les tiens, des beaux yeux noisette très doux. Tu sais ce que j'ai compris, c'est que tes beaux yeux noisette, ils vont redonner la vue à un aveugle. Quelque part, quelqu'un ne voit pas et t'attend pour que tu regardes à sa place où il doit mettre les pieds. Tu comprends que tu ne peux pas rester ici à me regarder avec amour. Il faut qu'ils servent à quelque chose, ces beaux yeux-là.

Et comme ça, très longtemps, la petite fille murmure à l'oreille de la chienne qui l'écoute sagement. Ni l'une ni l'autre ne bouge un orteil, une griffe, une patte, une jambe. Elles restent serrées l'une contre l'autre. Puis le murmure cesse, Andréanne se lève, prend son manteau et sort de la maison sans un regard pour Pénélope qui, pour la première fois, ne gémit pas.

Josée Plourde, *Les yeux de Pénélope*,
Éditions Michel Quintin, 1991.

LA VIE D'UN CHIEN-GUIDE

UNE FAMILLE D'ACCUEIL

La famille qui accueille le chiot reçoit au préalable l'information sur le travail du chien-guide et sur le comportement canin. On lui montre comment apprendre au chiot la propreté et l'obéissance, et rendre les sorties agréables.

Les six premiers mois, les éducateurs visitent et conseillent la famille d'accueil. Entre sept mois et un an, le chiot passe plusieurs jours à l'école et entame son travail de prééducation.

L'ENTRAÎNEMENT

À un an, le chien est prêt à être entraîné. L'entraînement nécessite beaucoup de patience et exige de l'animal une attention et une concentration maximales. Le chien apprend à éviter tout ce qui représente un danger ou un désagrément pour la personne handicapée : obstacles au sol (bordures de trottoir, trous), obstacles verticaux (poteaux, mobilier, piétons), obstacles en hauteur (branches, rétroviseurs, volets).

Il apprend à marquer un arrêt, à exécuter une traversée en ligne droite, à se déplacer dans une foule en mouvement, à entrer et à sortir d'un bâtiment, etc. En bref, le chien apprend à assurer la sécurité de son maître ou de sa maîtresse en tout temps. C'est pourquoi il apprendra aussi à refuser d'obéir à un ordre mettant en péril cette sécurité.

LA PARTICIPATION DU FUTUR MAÎTRE OU DE LA FUTURE MAÎTRESSE

Une fois l'entraînement du chien terminé, son futur maître ou sa future maîtresse est invité à participer à une classe spéciale. Celle-ci se déroule sur une période de 30 jours s'il s'agit d'une première expérience avec un chien-guide ou de 14 à 21 jours dans le cas d'un nouveau chien.

Immédiatement après la classe, un éducateur ou une éducatrice accompagne le maître ou la maîtresse à son domicile afin de personnaliser les parcours quotidiens. Il est important de sensibiliser les amis, la famille et les collègues à la formation de la nouvelle équipe.

TRAIT D'UNION 3

Pourquoi un oiseau s'associerait-il à un crocodile? Et un petit poisson à un requin? Voici l'occasion de découvrir quelques alliances hors du commun entre des animaux... dépareillés!

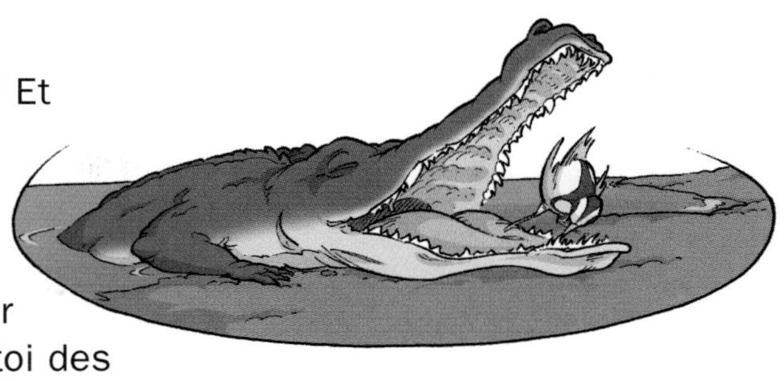

1. Lis le texte *Des alliances insolites* (p. 22-23) pour comprendre ces associations étonnantes. Sers-toi des questions en marge pour trouver les éléments importants du texte.

> **STRATÉGIE**
>
> L
>
> Pour répondre aux questions en marge du texte:
> - reviens sur une partie du texte que tu as déjà lue: relis un mot, une phrase ou même un paragraphe;
> - répète-toi ce que tu viens de lire;
> - trouve le sens des mots nouveaux en examinant les mots ou les phrases qui l'expliquent ou qui le définissent.

2. Comment as-tu procédé pour répondre aux questions? Comment cette manière de faire t'a-t-elle permis de mieux comprendre le texte?
3. Pour faire comprendre certains types d'alliances, l'auteure a établi des **analogies** avec le monde des humains. Fais part à la classe des analogies que tu as relevées.
4. Qu'est-ce que ces correspondances avec le monde des humains apportent au texte? En quoi aident-elles à mieux comprendre des alliances entre les animaux?
5. En quoi les alliances entre des animaux se distinguent-elles de celles entre un animal et une personne, comme dans *Les yeux de Pénélope*, ou entre deux personnes, comme dans *Madame Vigne et moi*?

> **ANALOGIE** n. f. – Rapport de ressemblance établi par l'intelligence ou l'imagination entre deux ou plusieurs objets. *On peut faire de nombreuses analogies entre le comportement des humains et celui des animaux.* SYN. Similitude. ANT. Différence.
>
> *Dictionnaire CEC intermédiaire*, Les Éditions CEC inc., 1999.

DES ALLIANCES INSOLITES

N'allez pas croire que c'est par pure amitié que le colossal crocodile du Nil laisse impunément un pluvian se promener dans son énorme gueule à la recherche de restes de repas ! Il s'agit d'une simple relation de travail.

A. Quels avantages les animaux qui s'associent peuvent-ils retirer ?

DE SIMPLES RELATIONS DE TRAVAIL

Les alliances de ce type entre deux espèces sont fréquentes dans la nature. Certains animaux s'unissent à des espèces qui les aident à trouver de la nourriture ou leur assurent gîte et protection ; d'autres se lient à des animaux chargés de les nettoyer et de veiller à leur hygiène. Les collaborations peuvent être courtes, les partenaires se séparant dans ce cas après une brève rencontre, ou au contraire durer toute la vie. [...]

B. Quels avantages le héron retire-t-il de son association avec le zèbre ou l'éléphant ? Et quels avantages le zèbre ou l'éléphant retire-t-il de son association avec le héron ?

LE HÉRON GARDE-BŒUF, PETIT OISEAU D'AFRIQUE

Le héron garde-bœuf affectionne tout particulièrement les sauterelles, difficiles pourtant à apercevoir dans l'herbe verte. Lorsque les troupeaux de zèbres ou d'éléphants foulent la prairie, les insectes sont nombreux à voleter autour des animaux ; ils deviennent alors des proies faciles pour les oiseaux affamés.

En contrepartie du « gîte et du couvert », le héron fait office de système d'alarme. Dès qu'il aperçoit un prédateur, léopard ou autre, il bat des ailes et pousse des cris perçants qui signalent un danger au troupeau. [...]

LES POISSONS NETTOYEURS

Que feriez-vous si une partie de votre corps vous démangeait et que vous ne puissiez pas l'atteindre pour faire cesser le picotement? Les animaux dépourvus de pieds, de mains ou d'une longue queue qui bat l'air ou l'eau sont incapables de chasser les insectes ou de se débarrasser des parasites qui s'insinuent sous les écailles ou sous la peau. Ne pouvant pas s'entretenir eux-mêmes, ils ont appris à faire appel à des « nettoyeurs ».

C. Comment les animaux qui n'ont ni pieds, ni mains, ni queue font-ils pour se débarrasser des parasites qui s'incrustent sous leur peau ?

Les requins, les barracudas et les murènes sont des habitants des mers, voraces et terrifiants. Ils ne laissent aucune chance à tous ceux qui ont l'imprudence de passer trop près et n'en font qu'une bouchée. Pas étonnant donc que la plupart des petits poissons gardent leurs distances avec ces redoutables prédateurs ! Comment font-ils donc pour prévenir les autres poissons qu'ils sont prêts à une trêve et à établir un partenariat ?

Les poissons nettoyeurs font, eux, la publicité de leurs services. Tête en bas, le labre, un poisson nettoyeur des coraux dont le corps a la forme d'un cigare, exécute une nage balancée, caractéristique destinée à signaler aux gros poissons que la station de nettoyage est ouverte. En voyant la danse du nettoyeur, le gros poisson « client » ralentit ou s'immobilise et ouvre grand sa bouche. Patiemment, il attend que le petit poisson pénètre pour venir ôter les parasites et les morceaux de nourriture coincés entre les dents ou dans les branchies.

D. Qu'est-ce que le labre ?

E. Qu'est-ce que le labre offre aux gros poissons ?

F. Quels avantages les gros et les petits poissons retirent-ils de leur association ?

Il n'est pas rare qu'une file d'attente se constitue devant la station de nettoyage.

ÉCHANGE DE BONS PROCÉDÉS

On appelle mutualisme une alliance ou une association qui profite à deux parties. L'alliance entre le crocodile et le pluvian est un exemple de mutualisme. Chaque associé tire un avantage de cette union.

Une alliance dont bénéficie un seul des deux partenaires, mais qui ne nuit pas à l'autre s'appelle commensalisme. C'est le cas du rémora, un poisson des mers chaudes qui se fixe au dos ou au ventre du requin pour être transporté, nourri et protégé par lui gratuitement. Le requin n'en retire aucun avantage.

TRAIT D'UNION 4

Que dirais-tu de participer à la création d'une murale ayant pour thème « L'union fait la force » ? C'est une invitation à jouer avec les mots pour exprimer ce que tu penses de toutes ces formes d'alliances entre humains et animaux.

1. Que signifie pour toi le proverbe « L'union fait la force » ? Fais part de tes idées à la classe.
2. Donne des exemples de situations où l'entente, la collaboration et l'action commune ont engendré la force. Puise tes exemples dans tes expériences personnelles, dans la vie courante ou dans les romans que tu as lus.
3. Fais équipe avec un ou une autre élève.
4. Prenez connaissance des éléments dont vous devez tenir compte.
   - Chaque équipe dispose d'une section d'environ 28 cm x 43 cm.
   - Chaque équipe représente à sa manière le proverbe « L'union fait la force ».
   - En plus de comporter des dessins ou des collages, chaque section doit comprendre des mots, des expressions ou des phrases.
5. Après avoir déterminé la forme qu'elle prendra, faites un brouillon de votre section.
6. Avant de mettre votre travail au propre, vérifiez l'orthographe de tous les mots.
7. Comment mettras-tu en valeur les différents éléments de ta partie de la murale ?
8. Au moment convenu, collez votre œuvre sur la murale et admirez le travail.
9. Votre œuvre collective confirme-t-elle le proverbe « L'union fait la force » ?

Pour rendre vos propos avec brio, jouez avec les mots. Utilisez l'acrostiche, le rébus, la comparaison ou l'hyperbole, ou transformez des proverbes.

EN PRIME

- Pour apprendre à créer un dessin à l'ordinateur, demande la fiche 8.

DOSSIER

Le français en fête

Elle est partout dans ta vie : dans tes pensées, dans tes paroles, dans tes écrits, dans les mots que tu entends à la télé ou que tu lis dans les romans. Oui, la langue française fait partie de toi.

Sais-tu que le 20 mars de chaque année, sur les cinq continents, on rend hommage à la langue française ? La célébration de cette journée donne lieu durant tout le mois de mars à de nombreuses manifestations. Que dirais-tu de te joindre à la fête ?

Dans ce dossier, tu auras l'occasion d'élaborer un projet et d'explorer ainsi les ressources de la langue française, de constater la diversité du lexique de la francophonie et de reconnaître l'apport des diverses cultures à ta langue.

Pour t'aider à mener ton projet à terme, tu utiliseras de nouveau le contrat de projet (fiche 9).

Tour de piste

- Partager ses connaissances ou discuter sur le sujet.
- Lire des textes pour s'informer.
- Ébaucher des idées de projets.
- Former une équipe.

Chacun son rôle

- Préciser le but du projet.
- Répartir les tâches entre les membres de l'équipe.
- Chercher et choisir l'information utile à la réalisation du projet.

Mise en scène

- Organiser l'information retenue.
- Déterminer une façon originale de présenter la production.
- Préparer sa présentation.

Le lever du rideau

- Présenter la production et la démarche suivie.
- Évaluer sa participation au projet.

PROJET

Tour de piste

Remue-méninges

1. Que sais-tu de la francophonie ? Fais le point en répondant aux questions de la fiche **10**. Note tes réponses dans la colonne *Avant la lecture*.

2. Pour en savoir plus sur la francophonie, lis les textes du dossier (p. 28-35).

3. Quelles stratégies utiliseras-tu pour trouver la signification des mots que tu ne connais pas ?

4. Qu'as-tu appris au terme de tes lectures ? Refais le point en remplissant la colonne *Après la lecture* de la fiche 10.

5. Participe à la mise en commun en faisant part des données que tu as trouvées surprenantes. Illustre tes propos en citant des passages du texte.

6. Pour célébrer la langue française, quel aspect de la francophonie aurais-tu le goût d'explorer ? Aimerais-tu en savoir plus sur un pays de la francophonie ? sur l'origine des mots ? sur les néologismes ?

7. Fais part de tes idées de projets à la classe. Au besoin, inspire-toi de celles de l'encadré (p. 27).

8. Comment la lecture des textes a-t-elle suscité des idées de projets ?

IDÉES DE PROJETS

- Présenter un pays de la francophonie : sa situation géographique, ses chansons, sa littérature ou ses expressions.
- Constituer un lexique, visuel ou non, de mots ou d'expressions employés par des jeunes de pays francophones.
- Constituer un recueil de jeux de langue à partir d'expressions d'ici ou d'ailleurs.
- Inventer un jeu à partir de mots rares, rigolos ou savants.
- Créer un jeu-questionnaire (avec un choix de réponses) sur l'origine de certains mots.
- Rédiger un court répertoire alphabétique de personnalités francophones dans les domaines de la littérature, de la musique, des arts visuels, du théâtre, du cinéma, etc.

Choix du sujet et formation des équipes

9 Parmi les projets proposés, choisis-en trois qui te plaisent davantage.

10 De quoi as-tu tenu compte pour choisir tes projets préférés ?

11 Joins-toi à trois élèves qui ont aussi retenu ton premier choix. Si vous êtes trop nombreux, joins-toi à des élèves qui ont choisi ton deuxième ou ton troisième choix.

12 Revoyez les défis personnels que vous vous êtes fixés dans le dernier contrat de projet. Trouvez ensemble des moyens pour les relever dans ce projet-ci.

13 Remplissez la section Tour de piste du contrat de projet (fiche 9).

LA FRANCOPHONIE, QU'EST-CE QUE C'EST ?

MOLIÈRE (1622-1673)

Auteur dramatique français, Jean-Baptiste Poquelin, dit Molière, n'a vécu que pour le théâtre. Il y jouait tous les rôles : comédien, metteur en scène, directeur de troupe et auteur. Aujourd'hui, lorsqu'on veut évoquer la langue française, on parle spontanément de la *langue de Molière*.

La francophonie désigne l'ensemble des pays et des locuteurs francophones. Par francophones, on entend soit les personnes dont le français est la langue maternelle, soit celles qui utilisent le français comme moyen de communication internationale.

À l'aube du 21e siècle, le français n'a plus la notoriété qu'il a déjà connue. C'était à une époque la langue universelle et tous les grands hommes s'enorgueillissaient de parler la langue de Molière. Aujourd'hui, le français est utilisé couramment par plus de 200 millions de personnes réparties sur l'ensemble de la planète. À ce titre, il fait partie, comme l'anglais, des onze grandes langues du monde.

Des États et des gouvernements des cinq continents sont membres de l'Agence intergouvernementale de la francophonie. Mis à part l'Europe, qui groupe la Communauté française de Belgique, la France, le Luxembourg, Monaco, la Suisse, la Roumanie, la Bulgarie et la Moldavie, le continent le plus représenté est l'Afrique : le Bénin, le Burkina-Faso, le Burundi, le Cameroun, la Centrafrique, le Congo, la République démocratique du Congo, la Côte-d'Ivoire, Djibouti, l'Égypte, le Gabon, la Guinée, la Guinée Équatoriale, la Guinée-Bissau, le Mali, le Maroc, la Mauritanie, le Niger, le Rwanda, le Sénégal, le Tchad, le Togo et la Tunisie.

Viennent ensuite l'Amérique du Nord (Canada, Nouveau-Brunswick, Québec), l'Asie (Laos, Vietnam) et les Antilles (Dominique, Sainte-Lucie). Sont aussi membres : l'Albanie, le Cambodge, Cap-Vert, les Comores, Haïti, le Liban, la Macédoine, Madagascar, l'Île Maurice, Sao Tomé-et-Principe, les Seychelles et Vanuatu.

La charte de la francophonie

La francophonie, consciente des liens que crée entre ses membres l'utilisation de la langue française et souhaitant les utiliser au service de la paix, de la coopération et du développement, a pour objectifs d'aider :

- à l'instauration et au développement de la démocratie, à la prévention des conflits et au soutien à l'État de droit et aux droits de l'homme ;
- à l'intensification du dialogue des cultures et des civilisations ;
- au rapprochement des peuples par leur connaissance mutuelle ;
- au renforcement de leur solidarité par des actions de coopération multilatérale en vue de favoriser l'essor de leurs économies.

Par ailleurs, le Royaume de Belgique est membre du Sommet de la francophonie, auquel participent à titre d'observateurs la Lituanie, la Pologne, la République tchèque et la Slovénie.

La notion de francophonie n'est pas si vieille que cela. Il faut remonter à la fin du 19e siècle pour voir apparaître le mot. En effet, en 1880, le géographe français Onésime Reclus (1837-1916) invente le terme francophonie pour désigner l'ensemble des personnes et des pays qui utilisent la langue française. Il faudra attendre le milieu du 20e siècle pour que la définition s'affine et que l'on établisse une différence entre les personnes qui ont le français comme langue maternelle et celles qui l'utilisent comme moyen de communication.

Depuis 1986, date à laquelle s'est tenu le premier Sommet de la francophonie, les chefs d'États et de gouvernements francophones se réunissent tous les deux ans. Le Sommet permet d'entretenir un dialogue sur toutes les grandes questions internationales et de définir les orientations et les objectifs de la francophonie de manière à assurer son rayonnement dans le monde.

LES AVENTURES DE LA LANGUE FRANÇAISE

Qu'ont en commun le Liban, l'Algérie, Haïti, la France, le Sénégal et le Canada ? On y trouve des gens qui, comme toi, parlent le français.

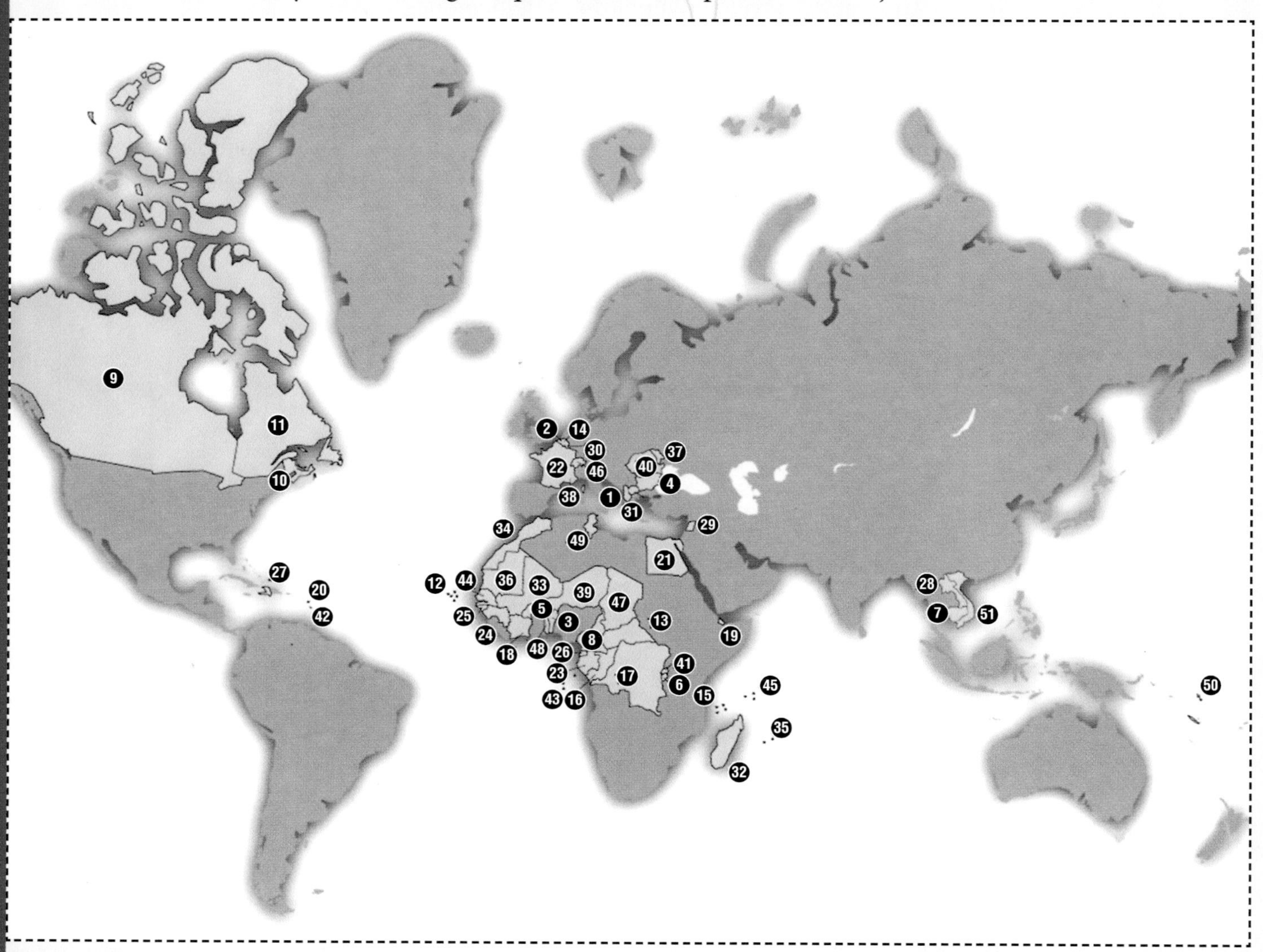

1. Albanie
2. Belgique
3. Bénin
4. Bulgarie
5. Burkina-Faso
6. Burundi
7. Cambodge
8. Cameroun
9. Canada
10. Nouveau-Brunswick
11. Québec
12. Cap-Vert
13. Centrafrique
14. Com. française de Belgique
15. Comores
16. Congo
17. Congo (République démocratique)
18. Côte-d'Ivoire
19. Djibouti
20. Dominique
21. Égypte
22. France
23. Gabon
24. Guinée
25. Guinée-Bissau
26. Guinée Équatoriale
27. Haïti
28. Laos
29. Liban
30. Luxembourg
31. Macédoine
32. Madagascar
33. Mali
34. Maroc
35. Île Maurice
36. Mauritanie
37. Moldavie
38. Monaco
39. Niger
40. Roumanie
41. Rwanda
42. Sainte-Lucie
43. Sao Tomé-et-Principe
44. Sénégal
45. Seychelles
46. Suisse
47. Tchad
48. Togo
49. Tunisie
50. Vanuatu
51. Vietnam

La francophonie

Il existe dans le monde entre 2500 et 3500 langues différentes. Environ deux pour cent de la population mondiale parle le français. Ce sont les francophones. Regarde la carte ci-contre. Tu pourrais trouver des correspondants francophones dans tous les pays coloriés.

Une langue, ça évolue

La langue française a beaucoup changé depuis ses origines qui datent du temps des Gaulois, les habitants de la Gaule, ancien nom de la France.

En Gaule, avant Jésus-Christ, on parlait la langue celtique. Lorsque Jules César et ses soldats ont conquis la Gaule, en 51 avant Jésus-Christ, les Gaulois ont dû adopter le latin, la langue des Romains.

De nombreuses guerres et invasions ont amené les Gaulois à transformer leur langue pour parler le roman, puis le francien et enfin le français.

Les emprunts

Bien d'autres guerres ont eu lieu. Certains pays se sont unis pour combattre un ennemi commun. D'autres ont fait du commerce ensemble. En se rencontrant, les habitants de ces pays ont échangé des mots.

Ainsi le français a emprunté plusieurs mots à l'allemand. Par exemple, **halte** (*halt*), **sable** (*sabel*) et **espiègle** (*eulenspiegel*). D'autres mots viennent de l'anglais : **chèque** (*check*), **club**, **snob**, etc. Des mots espagnols se sont ajoutés : **espadrille** (*espardillo*), **camarade** (*camarada*). L'italien a, à son tour, cédé certains termes au français : **banque** (*banca*), **duo**, **balcon** (*balcone*). L'arabe a fait don des mots **magasin** (*makhâzin*), **sirop** (*charâb*), **café** (*gahwa*), et bien d'autres.

Le français aussi a donné des mots à d'autres langues. L'anglais, par exemple, lui a emprunté des mots comme **rendez-vous**, **de rigueur**, **rouge** (pour rouge à lèvres).

Des mots à inventer

Par ailleurs, avec les progrès techniques, les inventions, les moyens de communication, on a dû inventer de nouveaux mots, les **néologismes**. Du temps des Gaulois, il n'y avait ni ordinateur, ni logiciel, ni supersonique !

Les mots techniques et scientifiques sont souvent formés à partir de mots latins ou grecs. Par exemple, le mot **écologie** vient des mots grecs **oikos** (qui signifie habitat) et **logos** (qui signifie connaissance, discours). L'écologie, c'est l'étude des êtres vivants et de leur habitat.

En 1968, le mot écologie a donné naissance au mot **écologiste** pour désigner l'expert en écologie. Dans la langue familière, l'écologiste est devenu un **écolo** !

Avec tous ces ajouts, il devient impossible de déterminer le nombre exact de mots français. Il en existe des dizaines de milliers.

La mort d'un mot

Des mots naissent et d'autres meurent. Sais-tu ce qu'est une émouchette ? C'est un grand filet qui sert à protéger les chevaux contre les mouches. Au début du siècle, il y en avait dans tous les catalogues. À présent, ce mot est inutile puisque le cheval a été remplacé par l'automobile.

Le dictionnaire, un terrain d'exploration !

Personne ne connaît tous les termes français et leur signification. Mais il existe de formidables outils pour les découvrir : les dictionnaires. Un jour où tu t'ennuieras, prends un dictionnaire et amuse-toi à le feuilleter. Tu y trouveras des tas de mots inconnus, rigolos ou très savants… comme ceux-ci : épiglotte, agrion, bobineur, cucurbitacée, paluche, pampéro, greluchon.

À chacun son français

Le français continue d'évoluer dans les pays de la francophonie. Le joual québécois, l'acadien des provinces maritimes, l'argot parisien et le créole antillais sont des variations régionales de la langue française.

Parfois, cela peut provoquer des quiproquos. Ainsi, en Haïti, on dit une dodine pour désigner ce que les Canadiens français appellent une chaise berçante et que les Français nomment un rocking chair !

Au Sénégal, une chaloupe peut transporter jusqu'à 300 personnes ! Au Mali, un sentimental, c'est une chaussure à bout pointu et un vélo poum-poum, un vélo-moteur !

La Côte-d'Ivoire a une expression pour dire à quelqu'un « Tu me plais », on dit « Tu me sciences » !

Sylvie Lucas, *Les aventures de la langue française*, tiré de *Les Débrouillards*, septembre 1990.

L'AMIRAL DES MOTS

Le conte L'amiral des mots *parle d'un jeune homme qui parcourt le monde en transportant dans ses bagages des milliers de mots de tous les coins de pays. Voici ce que ce conte a inspiré à Albert Jacquard, qui a préfacé ce livre.*

Sans le savoir, je parle arabe, chinois, turc et sanscrit. Et moi qui ne croyais parler que français, « la plus belle langue du monde » évidemment.

Mais si elle est « la plus belle », c'est qu'elle a su absorber les mots que d'autres langues lui ont proposés et, acceptant le mot, s'enrichir du concept évoqué par le mot.

Les Arabes m'ont apporté le mot *hasard* et du coup m'ont amené à réfléchir au mystère de l'imprévisibilité de demain, non contenu dans aujourd'hui ; les Hébreux m'ont apporté le mot *manne* et du coup m'ont conduit à considérer la richesse de ce que l'univers, autour de moi, produit.

Au total, ma langue n'est pas « la plus belle », ce qui ne veut rien dire, elle est belle parce qu'elle s'est enrichie de toutes les autres. Je suis français parce que mes parents étaient français ; mais si je remonte assez loin dans ma généalogie, je découvre des ancêtres d'un peu partout.

Je n'appartiens pas à une race, j'appartiens à l'espèce humaine et la richesse de cette espèce vient de ce que les hommes ont le pouvoir étrange de se faire cadeau les uns aux autres de toutes leurs interrogations à propos du monde qui les entoure et, surtout, à propos d'eux-mêmes.

Albert Jacquard

PROJET

BIENVENUE AUX PETITS ADOPTÉS

Les mots voyagent de pays en pays, de continent en continent, et chaque peuple se les approprie.

Au fil des siècles, les Français ont emprunté des mots à d'autres langues. Certains sont très anciens et pêchés sur son propre sol, comme les termes germaniques ou gaulois ; d'autres sont plus récents et viennent de très loin, comme « chocolat » : en 1519, quand le conquistador espagnol Hernan Cortés débarque au Mexique, il découvre l'empire aztèque et le « tchocolatl », boisson amère et épicée que bientôt l'Europe entière va adorer et adoucir de sucre et de cannelle. L'histoire des mots raconte celle de peuples qui se sont rencontrés, pacifiquement ou les armes à la main. Dans l'histoire que voici, devine qui sont les petits adoptés, et d'où ils nous viennent…

Je bois mon **chocolat** matinal, allongé sur ma couchette, quand un vacarme venu d'en haut, à **bâbord**, me fait sursauter. J'entends rugir la voix de Fred : « Va-t'en, espèce de **zéro**, ou je te montre mon **judo** ! » Quelqu'un menace mon **copain** ? Mais nous ne sommes que deux, lui et moi, sur ce bateau… J'enfile un **anorak** par-dessus mon **pyjama** et je me précipite sur le pont. J'ai à peine le temps d'apercevoir une sorte de **monstre** en **jogging** et **mocassins** armé d'une **hache**… Il saute dans le **canot** et s'éloigne en ramant. Encore tout **écarlate**, Fred m'explique : « Ce **brigand** voulait nous voler le bateau pour faire un **hold-up** sur un **yacht**… Tu te rends compte, quel culot il a, ce **bachi-bouzouk** ! Mais, avec moi, c'était aussi risqué que de se faire **hara-kiri** ! »

---

chocolat : *aztèque*, via *l'espagnol*

bâbord, **copain**, **hache** : *langue germanique*

zéro : *arabe*

judo, **hara-kiri** : *japonais*

anorak : *esquimau*

pyjama : *hindi*

monstre, **brigand** : *italien*

jogging, **hold-up**, **yacht** : *anglais*

mocassins : *algonquin (langue amérindienne)*

canot : *caraïbe*, via *l'espagnol*

écarlate : *arabo-persan*

bachi-bouzouk : *turc*

Sylvie Baussier, *Petite histoire des langues*

LE FRANÇAIS DES UNS ET DES AUTRES

Il fait froid. On gèle. Je meurs de froid! Il n'y a pas de chauffage dans cette voiture? Rentrons, je n'en peux plus! Pourriez-vous fermer la fenêtre, s'il vous plaît? Il y a toutes sortes de façons d'exprimer une idée. Le choix dépend de la personne qui parle ou qui écrit, du lieu, du moment, du rapport qu'elle a avec son interlocuteur ou son interlocutrice et même de leur humeur respective! Parler à sa sœur ou au directeur influence – ou devrait influencer – le langage utilisé. De la même façon, le choix des mots et la tournure des phrases varieront selon que tu t'adresses à ton ami Éric ou à un large auditoire. Chaque personne possède un répertoire de mots et d'expressions qu'elle utilise selon les circonstances. L'important est de bien les choisir!

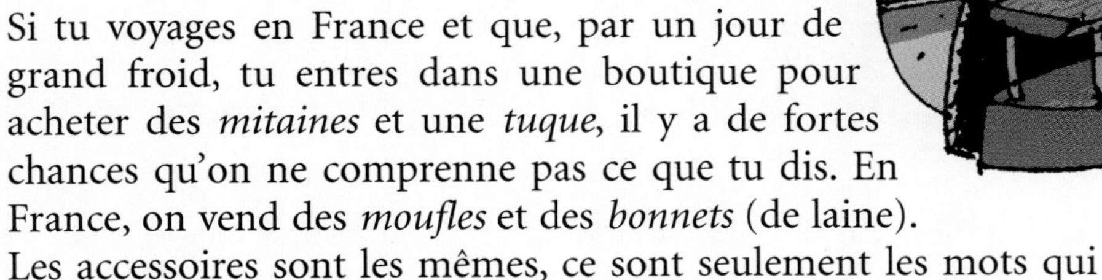

Si tu voyages en France et que, par un jour de grand froid, tu entres dans une boutique pour acheter des *mitaines* et une *tuque*, il y a de fortes chances qu'on ne comprenne pas ce que tu dis. En France, on vend des *moufles* et des *bonnets* (de laine). Les accessoires sont les mêmes, ce sont seulement les mots qui diffèrent. Chaque pays francophone, chaque région a ses propres expressions, ses propres mots. On appelle régionalismes les mots ou les expressions qui sont caractéristiques d'une région donnée, mais qui ne sont pas employés partout dans la francophonie.

Au Québec, on dit...	En France, on dit...
des bas	des chaussettes
des bas-culottes	des collants
un sac d'école	un cartable
un cartable	un classeur
un beigne	un beignet

EN PRIME

• Qu'est-ce qu'un «gros mot» au Congo? Et que signifie le proverbe français «À vieille mule, frein doré»? Amuse-toi sur la fiche **11** à deviner le sens d'expressions ou de proverbes venant de tous les coins de la francophonie.

Chacun son rôle

Formulation du but

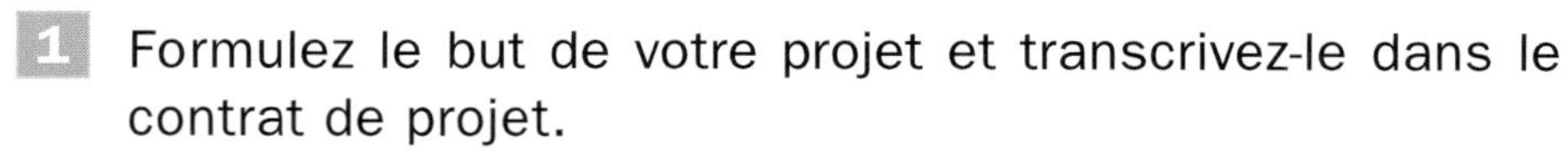

1. Formulez le but de votre projet et transcrivez-le dans le contrat de projet.

   Ex. : Créer pour nos correspondants belges un jeu-questionnaire qui leur fera connaître les expressions propres à notre région.

2. Remplissez le tableau *Répartition des tâches* du contrat de projet.

Recherche, collecte et choix de l'information

3. Lisez l'encadré ci-dessous pour connaître les dictionnaires qui pourraient vous être utiles.

Les dictionnaires

DICTIONNAIRE DE LANGUE	En plus de donner l'orthographe d'un mot et ses significations, ce dictionnaire donne de l'information sur ce mot : sa prononciation, sa classe grammaticale, son origine et son évolution, des régionalismes, des expressions figées, des citations, des synonymes, des antonymes et des mots appartenant au même champ lexical.
DICTIONNAIRE ENCYCLOPÉDIQUE	Ce dictionnaire donne bien sûr des renseignements sur l'orthographe du mot, sa classe grammaticale et ses différents sens. Mais on trouve, en plus, des données sur l'histoire d'un mot, des illustrations, des cartes et des planches.
DICTIONNAIRE ANALOGIQUE	Dans ce dictionnaire, on trouve des synonymes et des expressions appartenant au champ lexical de mots clés.
DICTIONNAIRE DE SYNONYMES	Ce type d'ouvrage s'avère utile pour éviter de répéter un mot ou pour trouver de nouvelles nuances de sens.
DICTIONNAIRE D'ANGLICISMES	On y répertorie les emprunts injustifiés de la langue française à la langue anglaise.
DICTIONNAIRE DE PROVERBES	Ce dictionnaire permet de trouver à partir d'un mot clé de nombreux proverbes ou expressions de la langue française.
DICTIONNAIRE VISUEL	Dans ce dictionnaire, c'est l'image qui sert de définition au mot. Les illustrations et les schémas sont groupés par thèmes ou par objets spécifiques.

CONNAISSANCE

É L

Le dictionnaire est l'instrument de recherche par excellence pour trouver de l'information sur les mots.

FUN [fœn] – n. m. • 1974; mot angl. « amusement »

◆ Anglic. Joie délirante et exubérante. Adj *Ils sont fun.*

Région. (Québec) FUN [fɔn] ou FONNE : amusement. *C'est le fun ! Avoir du fun,* du plaisir, de l'agrément. [...]

Extrait du *Petit Robert de la langue française*, version CD-ROM.

Prononciation : alphabet de l'Association phonétique internationale (API).

Date de l'apparition du mot

Origine du mot : anglais

Anglicisme : mot anglais, de quelque provenance qu'il soit, employé en français et critiqué comme emprunt abusif ou inutile.

Régionalisme : mot ou emploi particulier au français parlé dans une ou plusieurs régions (France, pays francophones), mais qui n'est pas d'usage général.

4 Consultez différentes sources d'information pour trouver les renseignements dont vous avez besoin. Remplissez le tableau dans la section appropriée de votre contrat de projet.

5 Au cours de votre recherche, choisissez l'information pertinente à votre sujet. Suivez les conseils donnés dans la section *Choix de l'information* de votre contrat.

6 Comment as-tu procédé pour retenir les éléments d'information utiles à ton projet ?

7 Présente à tes coéquipiers les résultats de ta recherche.

Durant tout le mois de mars, il y a des manifestations à travers le monde pour célébrer la francophonie. Pour trouver de l'information en vue d'étoffer ton projet, consulte des journaux et des sites Internet.

Mise en scène

Organisation de l'information et planification de la présentation

1. Comparez les éléments d'information recueillis et groupez-les.

2. Décidez de la forme de votre présentation.
3. Partagez les tâches en vue de la présentation de votre production.
4. Remplissez la section MISE EN SCÈNE du contrat de projet.
5. Comment as-tu fait pour regrouper et organiser les éléments d'information ?

Le lever du rideau

Présentation de la production

1. Remplissez la section LE LEVER DU RIDEAU de votre contrat de projet.
2. Avant la présentation, prévoyez une rencontre pour revoir le déroulement de la présentation et les rôles de chacun.

3. Après la présentation, réponds aux questions suivantes avec les membres de ton équipe.
   - Dans quelles situations tes nouvelles connaissances pourraient-elles te servir ?
   - Comment as-tu relevé le défi que tu t'étais fixé ?

4. Note dans ton contrat de projet le défi que tu comptes relever dans ton prochain projet.

SOUS-THÉMATIQUE 2

L'effet secondaire

Dans quelques mois, tu quitteras l'école primaire pour aller au secondaire. Quels souvenirs emporteras-tu avec toi ?

Passer de la petite à la grande école marque un tournant important dans ton parcours scolaire. Ce changement de décor t'inquiète-t-il ou te stimule-t-il ?

Voici l'occasion d'avoir un avant-goût du secondaire tout en préparant en beauté ta sortie de l'école primaire.

CYCLE 1

Faire le portrait du personnage d'un roman. **L**

Découvrir comment l'auteur suscite l'intérêt. **A**

CYCLE 2

Comprendre les différences entre le primaire et le secondaire. **L**

CYCLE 3

Faire le portrait d'une personne de la classe pour l'album souvenir. **É**

CYCLE 1

Pour se préparer à entrer au secondaire, Kamo et ses camarades demandent à leur professeur, M. Margerelle, d'imiter différents types d'enseignants du secondaire.

STRATÉGIE

L A

Pour faire le portrait des personnages :

- relis attentivement les phrases décrivant ces personnages ;
- relève les mots et les expressions employés par l'auteur pour les décrire.

1. Retrouve Kamo et ses camarades au moment où M. Margerelle leur fait part de sa réponse (p. 41-45).
2. Qu'as-tu aimé dans ce texte ? Note tes premières impressions dans ton carnet de lecture.
3. Pour mieux apprécier le talent de M. Margerelle, fais le portrait des personnages qu'il interprète dans la fiche **12**.
4. Comment as-tu procédé pour dresser le portrait des personnages joués par M. Margerelle ?
5. Compare tes réponses de la fiche 12 avec celles d'un ou d'une camarade. Si tes réponses diffèrent des siennes, justifie-les à l'aide du texte. Prends en note les éléments qui t'ont échappé.
6. Lequel de ces personnages t'est le plus sympathique ? Pourquoi ?
7. En quoi la description de ces personnages tient-elle de la caricature ?
8. Que penses-tu du **style** de l'auteur ?
   a) Relève dans le texte des mots, des phrases ou des passages que tu as particulièrement aimés.
   b) Quel effet l'auteur recherche-t-il quand il :
      - recourt aux parenthèses ?
      - déforme l'orthographe de certains mots ?
      - écrit certains mots en majuscules ?
9. Qu'est-ce qui t'a servi à juger du style de l'auteur ?
10. Aimerais-tu avoir une telle préparation pour le secondaire ? Réponds à cette question dans ton carnet de lecture.

STYLE n. m. – 1. Manière d'utiliser les moyens d'expression du langage, propre à un auteur, à un genre littéraire, etc.
2. Manière de s'exprimer agréable et originale.
3. Caractère d'une œuvre originale.

Dictionnaire CEC intermédiaire, Les Éditions CEC inc., 1999.

Kamo, l'idée du siècle

L'heure est grave, M. Margerelle a pris sa décision.

— Je suis venu vous faire mes adieux. C'est la dernière fois que vous voyez M. Margerelle. Je vais me retourner vers le tableau. Et quand je vous ferai de nouveau face, ce ne sera plus moi ; ce sera quelqu'un d'autre.

— On ne vous reverra plus jamais ?... demanda le petit Malaussène au bord des larmes.

C'est à lui que M. Margerelle envoya son dernier sourire :

— Vous me reverrez quand vous serez parfaitement adaptés à tous les types de professeurs imaginables.

Puis, à nous tous :

— Bien... On y va ?

Là j'ai senti que tout le monde aurait volontiers fait marche arrière, mais Kamo a dit, très clairement :

— Allons-y.

Et M. Margerelle s'est retourné vers le tableau.

IL A SAISI UNE CRAIE JAUNE DANS LA BOÎTE DE L'ÉPONGE ET A ÉCRIT UN NOM AU TABLEAU : *CRASTAING.*

Ce n'est pas le nom qui m'a frappé, c'est l'écriture: zigzags de craie jaune, une écriture aiguë, tranchante, qui n'était pas du tout celle de notre Instit' Bien Aimé... On aurait juré un brusque éclair sur le tableau noir!

Puis, il s'est retourné et a claqué des mains:

— Debout!

Une voix si différente de la sienne que nous en sommes tous restés cloués à nos chaises.

— Allons, debout! [...]

Nous nous sommes tous levés sans le quitter des yeux. Il a attendu la fin du dernier raclement de chaise, puis, dans un silence de frigo, il a dit:

— Je suis votre nouveau professeur de français; je viens d'écrire mon nom au tableau; vous veillerez à ne pas y faire de fautes!

Il y avait une telle menace dans ses paroles que, loin de rigoler, nous sommes restés à l'intérieur de nos têtes, à épeler muettement son nom, avec toutes ses lettres, sans oublier le «G» final.

— Maintenant, regardez-moi bien.

Pour le regarder, on le regardait!

Ses yeux semblaient avoir rétréci dans ses orbites et on aurait juré qu'il avait *maigri du nez.*

— Je suis petit, je suis vieux, je suis chauve, je suis fatigué, je suis malheureux, ça m'a rendu méchant et je suis extrêmement susceptible!

Un regard si fixe, une voix si rouillée, un nez si coupant, une telle sensation de fatigue... oui... comme si M. Margerelle était devenu, sous nos yeux, la momie de M. Margerelle.

— Au début de chaque cours, vous vous tiendrez debout derrière vos chaises. (Silence.) Vous ne vous assiérez que lorsque je vous le dirai. (Silence.) Et, quand la cloche sonnera, vous attendrez que je vous donne l'ordre de sortir. (Silence.) C'est la moindre des politesses.

Son regard fiévreux sautait comme une puce sur chacun d'entre nous.

— Vous m'avez compris?

Le reste de son visage restait parfaitement immobile, joues creusées, lèvres blanches.

— Asseyez-vous.

Il s'assit après nous, d'un seul coup, comme un bâton qui se casse.

— Prenez une feuille et écrivez *dictée.*

Il sortit de son cartable une règle de bois noir qu'il déposa à sa droite, sans le moindre bruit, puis une vieille montre qu'il posa à sa gauche, sans le moindre bruit, et un livre qu'il ouvrit exactement en face de lui et dont il lissa soigneusement les pages, sans le moindre bruit.

— Quatre points par faute de grammaire, deux par faute de vocabulaire, un demi-point pour les accents et la ponctuation. Tracez une marge de trois carreaux. Je vous rappelle que l'usage du stylo rouge est strictement réservé à vos professeurs.

Kamo passa toute la récré à rassurer le petit Malaussène.

— Arrête d'avoir la trouille, Le Petit! C'est un jeu, rien qu'un jeu! Mais quel mec, hein, le Margerelle! Quand il a annoncé qu'il était chauve, je vous jure que je *l'ai vu chauve*, plus un poil sur le caillou! Absolument génial!

— Peut-être, intervint le grand Lanthier, mais j'ai pas envie de me taper ce genre de génie toute l'année.

— On ne l'aura que cinq heures par semaine! s'exclama Kamo, c'est ça qu'il y a de formidable! [...] Le reste du temps on aura les autres! Tu n'es pas curieux de découvrir le suivant de ces messieurs, Lanthier? [...]

*

« Le suivant des ces messieurs » traversa la classe en trois enjambées:

— Hellow!

C'était un type tout en bras et jambes avec un grand sourire vissé au milieu de la figure. Debout derrière nos chaises, nous le regardions, raides comme des stalagmites.

— Maï nêïme iz Saïmone! s'exclama-t-il.

Sourire et regard écarquillés, il nous regardait tout ravi, exactement comme s'il nous voyait pour la première fois. C'était Margerelle, bien sûr... et pourtant, ce qui se tenait là, debout devant nous, avec ce sourire immobile et ces grands bras désarticulés, n'avait absolument rien à voir avec M. Margerelle. Ni avec M. Crastaing.

— Qu'est-ce qu'il dit? chuchota Lanthier.

— Saïmone! répéta le nouveau Margerelle en se frappant gaiement la poitrine de l'index.

Sur quoi, il écrivit une phrase au tableau (grande écriture désordonnée): « My name is Simon »... Et, se désignant de nouveau du bout de son index, il aboya joyeusement:

— Saïmone! Caul mi Saïmone! (Que j'orthographie ici à peu près comme je l'entendais.)

— Quoi?

— Je crois que c'est de l'anglais, murmura le petit Malaussène. Il dit qu'il s'appelle Simon, et qu'il faut l'appeler comme ça.

— Évidemment, s'il s'appelle Simon on va pas l'appeler Arthur! [...]

Et lui, tout doucement, avec le même sourire:

— Ouell (il écrivit « well » au tableau): Ouell, ouell, ouell...

Puis:

— Site daoune, plize.

Comme on le regardait s'asseoir, il répéta, en nous désignant nos chaises, toujours souriant:

— Plize, site daoune!

— Il a l'air de vouloir qu'on fasse comme lui, fit Kamo en s'asseyant.

À peine la classe eut-elle imité Kamo, que Misteur Saïmone se releva d'un bond, comme une marionnette hilare:

— Stêndœupp!...

(Quelque chose comme ça...)

— Il veut qu'on se relève, dit le petit Malaussène.

— Faudrait savoir... ronchonna le grand Lanthier. [...]

Nous commencions à comprendre son système. Il était en train de nous apprendre l'anglais. Il suffisait de mimer ce qu'il faisait, de retenir ce qu'il disait et de lire au tableau ce qu'il y écrivait: «naoh», par exemple, devenait «now», «plize» donnait «please», «stêndœupp» faisait «stand up»... et ainsi de suite. C'était pas mal, comme truc. Surtout avec ce grand sourire qui ne quittait jamais son visage. Logiquement, ça aurait dû marcher. Seulement, il n'était pas tout à fait au point, Misteur Saïmone, il laissait la machine s'emballer...

Au début, nous mimions tout, bien sagement, puis, le rythme s'accélérant peu à peu, l'excitation nous gagnait, Misteur Saïmone, sans le faire exprès, donnait les ordres de plus en plus vite, de plus en plus fort: «Assis! debout! marchez! courez! lisez! sautez! dormez! riez! rêvez! criez!» jusqu'à ce que nous soyons excités comme des puces. [...]

— Qu'est-ce que c'est que ce cirque?

Nous mîmes un certain temps à comprendre le changement de situation.

— Vous allez vous calmer, oui?

Et, tout à coup, nous comprîmes que ce n'était plus Mister Saïmone qui se trouvait là devant nous. [...]

Un autre Margerelle, aussi paisible que Saïmone était agité, avec une voix aussi chaude qu'était glaciale celle de Crastaing. [...]

Le nouveau Margerelle tourna la tête vers Kamo et demanda, en haussant les sourcils:

— Comment t'appelles-tu, toi?

Kamo hésita avant de répondre mais comprit à temps que l'autre ne blaguait pas:

— Kamo… je m'appelle Kamo…

Et, parce que, même intimidé, Kamo restait Kamo, il ajouta:

— Et vous?

Une ombre de sourire passa sur le visage du nouveau Margerelle.

— Arènes, je suis M. Arènes, votre professeur de mathématiques.

Puis, en se dirigeant tranquillement vers le bureau.

— Allez, rangez-moi ce foutoir, qu'on puisse passer aux choses sérieuses.

Il marchait pesamment. Le lent balancement de ses épaules donnait l'impression qu'il était plus petit que les autres Margerelle, plus lourd, aussi. À la façon dont il attendit sans impatience, appuyé au tableau, que nous ayons remis la classe à l'endroit, j'ai compris que ce serait lui mon professeur préféré. […]

*

— Ce type, on dirait une bille de mercure, disait Kamo.

— On dirait quoi?

— Tu n'as jamais cassé un thermomètre? Le mercure s'échappe en petites billes. Si tu appuies sur une de ces billes, elle se divise en dizaines d'autres. Et chaque autre bille en autant d'autres encore. Il est comme ça, Margerelle. Il pourrait se diviser en millions de Margerelle. Il pourrait imiter tous les profs de la Terre. Incroyable, non?

— Si. […]

Chacun de ces profs avait un caractère qui le distinguait de tous les autres… et c'était chaque fois Margerelle, pourtant, un Margerelle sans aucun rapport avec notre Margerelle à nous.

— Quel type, hein! Quel type et quelle aventure! Non? Non?

Oui, oui, situation très excitante, oui, tous les profs du monde servis sur un plateau avec leur mode d'emploi et leurs pièces de rechange… (Margerelle était allé jusqu'à imiter les remplaçants de nos profs quand ils tombaient malades, et même un jour, on a vu entrer dans notre classe un remplaçant de remplaçant!) oui… formidable, vraiment.

Kamo était plutôt fier de lui.

— Ça c'est ce que j'appelle une préparation au secondaire!

Daniel Pennac, *Kamo, l'idée du siècle*, Éditions Gallimard, Folio Junior, 1997.

CYCLE 2

Éprouver quelques craintes à l'idée de passer au secondaire est tout à fait normal, disent les experts en la matière. L'important, c'est d'en parler et de s'informer.

1. Toi, quelles sont tes craintes ou tes appréhensions avant d'entrer au secondaire ? Note-les sur une feuille.
2. Lis les conseils d'une spécialiste du secondaire (p. 47-48) pour t'aider à surmonter ces craintes.
3. Recopie les conseils qui répondent à tes inquiétudes. Pour repérer facilement l'information, sers-toi des intertitres. Conserve ta feuille dans ton portfolio.
4. Qu'est-ce qui t'a aidé ou aidée à trouver rapidement l'information que tu cherchais dans le texte ?
5. As-tu des questions qui restent sans réponse ? Où peux-tu trouver l'information ? Qui peut te renseigner ?
6. L'idée d'aller au secondaire, ça peut être terrifiant, mais aussi excitant. Toi, qu'est-ce qui t'enthousiasme à cette idée ? Discutes-en avec tes camarades.

STRATÉGIE

L'intertitre est un titre secondaire qui coiffe une partie d'un article. En survolant les intertitres :

- tu découvres comment l'information est organisée ;
- tu peux repérer rapidement les réponses à tes questions.

LES DIFFÉRENCES ENTRE LE PRIMAIRE ET LE SECONDAIRE

Par Sylvie Hébert

L'idée d'entrer à l'école secondaire te préoccupe ? Rien de plus normal. La plupart des jeunes qui franchissent comme toi cette étape éprouvent certaines craintes. Rassure-toi : la grande majorité s'en tire avec succès en quelques semaines, parfois même en quelques jours.

✓ Le statut de « plus jeune » de l'école

Au primaire, tu fais partie des plus vieux de ton école alors qu'en première secondaire tu te retrouveras parmi les plus jeunes. Cela risque de t'intimider au début, surtout si tu n'es pas très grand ou très grande. Il faut dire toutefois que dans la plupart des écoles secondaires, les élèves sont groupés selon leur âge.

✓ Une plus grande école

De nombreux élèves craignent de ne pas retrouver leur chemin dans l'école les premiers jours de classe, surtout s'ils doivent changer de local plusieurs fois par jour. Essaie de visiter ta future école avant la rentrée scolaire, cela te donnera plus d'assurance.

✓ Un plus grand nombre d'élèves

Plusieurs jeunes craignent de se sentir perdus parmi tant d'élèves et de ne pas pouvoir repérer leurs amis. Tu verras, tu adopteras rapidement tes propres habitudes ; vous vous retrouverez très vite, tes amis et toi, dans votre coin favori de l'école.

✓ Un plus grand nombre de professeurs

Au début, tu devras t'adapter aux exigences particulières des différents professeurs. Cependant, le temps moyen passé avec chacun d'eux sera plus court. Peut-être auras-tu la chance d'avoir un professeur-tuteur comme on en voit de plus en plus dans les écoles secondaires ? Il s'agit d'un professeur à qui tu peux te référer au besoin et qui assure le lien entre tes enseignants et tes parents.

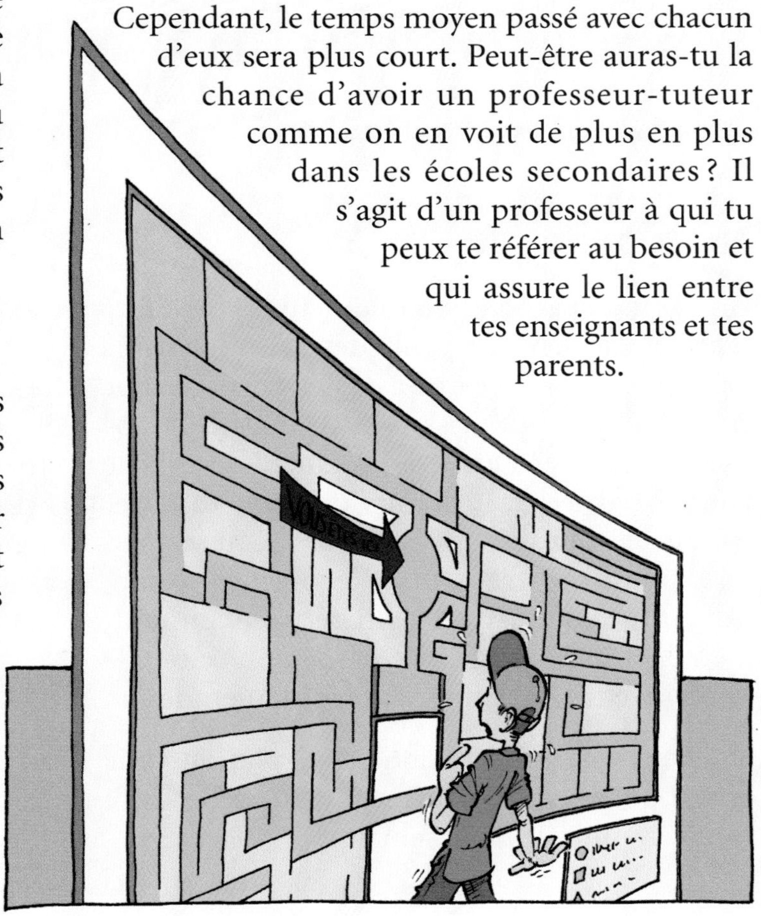

✓ Un horaire sur plusieurs jours

Tu suivras entre quatre et six cours différents par jour. Certains cours reviennent tous les jours ou tous les deux jours, alors que d'autres ne reviennent qu'aux trois ou quatre jours en moyenne. Cela exigera de toi un bon emploi du temps pour bien gérer tes périodes d'étude et de devoirs à la maison.

✓ Plus de temps passé à l'école

Le passage à l'école secondaire signifie pour certains le début du transport en autobus. Les questions sur le fonctionnement de la cafétéria et l'organisation des activités le midi peuvent par ailleurs t'inquiéter, mais tu auras tôt fait de savoir comment tout cela se déroule.

QUE FAIRE POUR BIEN T'ADAPTER AU SECONDAIRE ?

Une grande partie de tes inquiétudes peut être reliée à une série de petits détails. Auras-tu le temps de retourner à ton casier entre chaque cours ? Que se passe-t-il si tu oublies d'apporter un livre? Quelle est la durée de chaque cours ? Auras-tu le temps de faire tous tes travaux et tous tes devoirs? Alors, si tu connais quelqu'un qui fréquente l'école où tu iras, pose-lui les questions qui te préoccupent, même les plus banales. Ce garçon ou cette fille saura sûrement comprendre tes inquiétudes.

Souviens-toi que la période d'adaptation varie d'une personne à l'autre, mais qu'elle dure rarement plus de deux semaines.

QUE FAIRE EN CAS DE DIFFICULTÉ ?

Si tu as des difficultés en classe, communique d'abord avec l'enseignant ou l'enseignante avec qui tu te sens le plus à l'aise. C'est la personne la mieux placée pour t'aider à trouver des solutions.

Si tes difficultés persistent ou sont d'un autre ordre, tu peux t'adresser directement au directeur ou à la directrice de l'école, qui tentera de répondre à tes questions ou te dirigera vers d'autres personnes-ressources de l'école. L'école peut en effet faire appel aux services de divers professionnels : éducateurs spécialisés, orthopédagogues, psychoéducatrices, psychologues, orthophonistes, travailleurs sociaux ou infirmières. Tes questions les intéresseront et ils sauront t'aider.

Entrer au secondaire, c'est accéder à un monde nouveau. Cela signifie avoir la chance de vivre de nouvelles expériences, de relever de nouveaux défis et de se faire, dans bien des cas, de nouveaux amis !

CYCLE 3

Bientôt, tu quitteras l'école primaire. Que dirais-tu de rassembler tes meilleurs souvenirs dans un album? Pour l'inaugurer, nous te proposons d'y placer les portraits de tes camarades de classe. Ensuite, tu pourrais y insérer d'autres textes sur les moments heureux vécus cette année à l'école.

1. Pour faire un portrait juste et nuancé d'un ou d'une de tes camarades, tu dois disposer d'un nombre suffisant de données sur lui ou sur elle. Dans ce but:

   a) joins-toi à trois autres élèves;

   b) demandez à votre enseignant ou à votre enseignante le nom des élèves dont vous aurez à faire le portrait;

   c) écrivez le nom de chaque élève sur une feuille distincte.

2. Faites le point sur ce que vous savez de ces personnes. Pour chacune d'elles, demandez-vous:

   - quels sont ses goûts, ses intérêts? qu'est-ce qui la passionne?
   - quels sont ses talents, ses qualités?
   - quels ont été ses bons coups?
   - qu'est-ce qui la caractérise?
   - quelle anecdote pourrions-nous raconter à son sujet?

3. Répartissez-vous la rédaction des portraits.

4. Passe en revue les notes de ton équipe pour retenir ce que tu veux faire ressortir dans ton portrait.

5. Comment organiseras-tu tes données? Commenceras-tu par décrire l'élève physiquement ou moralement? Présenteras-tu d'abord une anecdote, une citation? Au besoin, discutes-en avec tes coéquipiers.

6. Rédige ton portrait.

7. En quoi la discussion en groupe a-t-elle facilité ta tâche de rédaction?

Pour en savoir plus sur une personne, interroge-la directement ou parle d'elle avec des gens qui la connaissent bien.

8. Relis ton texte et cherche à l'améliorer.
   - Peux-tu éviter certaines répétitions en employant des pronoms ou des synonymes ?
   - Peux-tu enrichir des groupes du nom en y ajoutant des compléments du nom ? SYNTAXE p. 63
   - Peux-tu remplacer certains mots par d'autres plus précis, plus imagés ?
9. Lis ton texte à une ou un de tes coéquipiers en lui demandant de te faire des suggestions.
10. Relis ton texte. Pour faire la chasse aux fautes, consulte tes outils de référence.
11. Transcris ton texte au propre. Si tu l'écris à l'ordinateur, utilise les ressources du traitement de texte pour le corriger.
12. Comment as-tu procédé pour éliminer toute trace de faute dans ton texte ? Quels outils de référence as-tu consultés ?

Tu es en panne ? Relis des descriptions de personnages que tu as aimées dans des textes. Inspire-toi de la manière de faire des auteurs pour susciter l'intérêt des lecteurs.

Au cours des prochaines semaines, tes camarades et toi pourrez compléter votre album en rédigeant des articles qui relatent les événements marquants de l'année (p. 54-55).

À l'écoute des pros

Même les spécialistes utilisent des outils de référence pour corriger leurs textes. Découvre les stratégies qu'ils utilisent.

Dieu merci, les correcteurs existent ! Le correcteur du traitement de texte et les réviseurs de la maison d'édition. Je fais encore des fautes, je l'avoue. J'ai mes petites bêtes noires, comme le pluriel des noms composés, ou la conjugaison de certains verbes comme *acquiescer*, par exemple. J'utilise parfois un anglicisme ou un mot inexact. D'où l'importance de la révision. On ne peut tout avoir dans la tête, des milliers d'idées et un dictionnaire ! Ceci dit, je connais bien ma langue ; il le faut pour pouvoir bien exprimer ses idées.

Sylvie Desrosiers

Un jour, Sylvie Desrosiers aimerait bien écrire le scénario d'un film pour allier ainsi deux passions : le cinéma et l'écriture.

Lorsque j'écris à l'ordinateur, je recours fréquemment aux dictionnaires de synonymes et au correcteur orthographique du traitement de texte. Cela me sécurise beaucoup parce que j'écris rapidement, d'une façon très instinctive. De plus, je ne me souviens jamais si le mot « miroir » prend un *r* ou deux ou si « trottoir » prend un *t* ou deux.

Gilles Tibo

Je vis entourée de dictionnaires et de grammaires. Quand on est écrivain au Québec, on est entouré de pièges. La langue populaire québécoise contient beaucoup d'anglicismes, de tournures de phrases inexactes, de termes impropres. Il faut toujours tout vérifier.

Henriette Major

J'ai deux compagnons d'écriture inséparables : le dictionnaire de langue, le plus complet possible, et le dictionnaire de synonymes et d'analogies. Si on me demandait quel livre j'aimerais emporter sur une île déserte, je n'hésiterais pas à dire un dictionnaire. J'ai des dictionnaires partout, et dans différentes langues. Il m'arrive, pour me reposer, d'en lire quelques pages.

Michel Noël

Antidote contre le stress

Plusieurs reconnaissent que la vie d'aujourd'hui est stressante. Les jeunes comme les adultes peuvent ressentir les effets du **stress**. C'est ce que montrent les lettres que nous ont adressées récemment Claudia, Asad, Hugo et Karine.

Nous avons demandé à Pascale Chalifoux, consultante en psychoéducation, d'expliquer à ces quatre jeunes ce qu'est le stress et de leur donner des moyens pour le maîtriser.

STRESS n. m. – État d'anxiété et de nervosité, qui est causé par l'agitation, le surmenage, etc. *Le stress de la vie dans les grandes villes.*

Dictionnaire Super Major – 9/12 ans

1. Toi, que sais-tu du stress ?
   a) À quoi reconnais-tu une personne stressée ?
   b) Donne des exemples de situations qui peuvent être à l'origine du stress.
   c) Quels moyens connais-tu pour contrôler le stress ?
2. Enrichis tes connaissances en lisant *SOS Stress* (p. 53).
3. Dans la fiche **13**, lis les lettres que nous avons reçues. Sers-toi de l'article *SOS Stress* pour trouver des moyens de réduire le stress de ces jeunes.
4. Comment t'y prendras-tu pour repérer dans le texte les éléments d'information pertinents ?
5. Participe à la mise en commun.
   a) Quelles causes de stress as-tu trouvées ?
   b) Quels moyens as-tu proposés pour contrôler le stress ?
6. Parmi les moyens que tu connais pour combattre un stress néfaste, note ceux que tu mettrais en pratique.

EN PRIME

- Vérifie les connaissances de ton entourage en rédigeant une série d'énoncés sur le stress.

Ex. : Vrai ou faux ?

Le stress touche uniquement les adultes.

SOS stress

Qu'est-ce que le stress ?

Le stress est un phénomène normal qui touche tout le monde, y compris les jeunes. C'est une réaction physique à une situation agréable ou désagréable. Un petit peu de stress ne fait pas de mal, au contraire. Il peut être utile s'il pousse une personne à l'action, s'il l'aide à surmonter des difficultés, s'il la motive à relever des défis, s'il lui permet de s'adapter au changement. Mais le stress peut devenir néfaste s'il nuit à sa santé, à sa concentration, à son rendement et à ses relations avec les autres.

Les causes du stress

On distingue quatre grandes catégories de situations stressantes : une surcharge de travail ou une surabondance d'activités ; un changement important ; un sentiment intense ou une passion extrême ; une relation interpersonnelle perturbée.

Les signaux d'alarme

Quand le stress devient intense, ton corps te le fait savoir. Il faut donc être attentif aux signaux physiques qu'il t'envoie : une boule dans la gorge, un nœud dans l'estomac, la perte ou l'augmentation de l'appétit, des problèmes de sommeil, un malaise général, une tristesse ou une fatigue inexpliquées, une irritabilité inhabituelle ; etc.

Pour mieux maîtriser le stress

Reconnaître les causes du stress et exprimer ses sentiments à leur égard sont probablement les deux outils les plus efficaces pour le contrer. Toutefois, chaque personne doit mettre au point ses propres stratégies. Voici différents moyens de contrôler le stress : faire de l'exercice physique ou des exercices de relaxation, accepter de ne pas être parfait dans tout, apprécier ce que l'on est, reconnaître ses qualités et ses forces, entretenir ses amitiés, prendre le temps de jouer avec ses amis, faire des activités qu'on aime, imaginer des façons personnelles de résoudre ses problèmes, etc.

Chacun de nous a de grandes ressources à sa disposition pour venir à bout d'un stress néfaste. Il s'agit de fouiller dans son sac à malice pour trouver le meilleur moyen de le maîtriser !

Pascale Chalifoux, psychoéducatrice

Faire l'article

Un bon article de journal ou de magazine répond aux bonnes questions tout en retenant l'attention des lecteurs. Mais comment les journalistes font-ils pour rédiger un bon **article** ?

ARTICLE n. m. – Chacun des textes, distincts par leurs auteurs, leurs titres ou leurs sujets, qui composent un journal, une publication, un dictionnaire.

Dictionnaire CEC intermédiaire, les Éditions CEC inc., 1999.

1. Lis l'encadré *Questions clés* pour découvrir les caractéristiques d'un bon article.

Questions clés

Un bon article livre l'essentiel de l'information dans le premier et parfois le deuxième paragraphe en répondant aux six questions suivantes.

Qui ? : le sujet de l'article

Quoi ? : un complément d'information sur le sujet

Où ? : le lieu

Quand ? : le moment

Comment ? : la façon, les moyens

Pourquoi ? : les raisons, les objectifs

Les paragraphes qui suivent développent le plus souvent les deux derniers points (comment, pourquoi).

2. La fiche **14** contient un article écrit par une jeune fille de ton âge. Analyse-le à la lumière des données du texte *Questions clés*.
3. Que dirais-tu de rédiger ton propre article ? Pour faire coup double, écris un article pour l'album souvenir de fin d'année (p. 49-50).

4. Quels sujets aimerais-tu aborder? Fais part de tes idées d'articles à la classe. Au besoin, inspire-toi de celles de l'encadré.

IDÉES D'ARTICLES

- Relater un fait remarquable qui s'est produit cette année.
- Faire le compte rendu d'une visite.
- Présenter l'artiste, le film, le sport le plus prisé par la classe.
- Faire connaître ton passe-temps favori.

5. Après avoir choisi ton sujet, planifie le contenu de ton article en te servant de la fiche **15**.
6. Rédige ton article.
7. Demande à un ou une élève de commenter ton texte à partir des points suivants.
   - Les deux premiers paragraphes répondent-ils aux six questions clés?
   - Les paragraphes suivants précisent-ils le comment et le pourquoi?
   - Les phrases sont-elles bien structurées?
   - Le vocabulaire choisi est-il précis?
   - Les mots sont-ils tous bien orthographiés?
8. Corrige ton texte en tenant compte des suggestions qu'on t'a faites.
9. Comment le fait d'avoir analysé un article t'a-t-il aidé ou aidée à écrire le tien?
10. Remets ton texte aux personnes responsables de la mise en page de l'album souvenir.

ORTHOGRAPHE D'USAGE

Euréka !

LA LISTE ORTHOGRAPHIQUE

Comment découvrir les mots à l'étude au numéro 10 ? En cuisinant tes camarades !

1. Pour jouer au jeu qui t'est proposé, joins-toi à deux ou trois élèves. Assurez-vous de bien comprendre les règles avant de commencer la partie.

JOUER LE JEU

But : deviner des mots choisis par ses camarades

Nombre de joueurs : 3 ou 4

Durée approximative : 30 min

Matériel : fiche **16** (liste orthographique) 

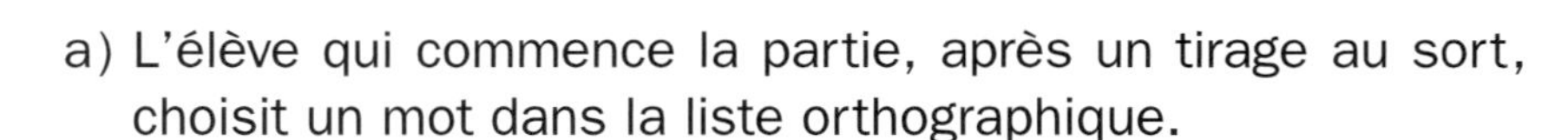

a) L'élève qui commence la partie, après un tirage au sort, choisit un mot dans la liste orthographique.

b) Il ou elle écrit ce mot sur un papier en gardant son choix secret.

c) À tour de rôle, les autres joueurs lui posent une question fermée pour deviner le mot. Il ou elle ne peut répondre que par *oui* ou par *non*.

   Ex. : Q. : Est-ce un nom ? R. : NON.
   Q. : Le mot est-il classé sous la lettre A ? R. : OUI.

d) Le joueur ou la joueuse qui trouve le mot marque un point.

e) Le jeu se poursuit jusqu'à ce que tous les joueurs aient eu l'occasion de choisir trois mots dans la liste. Puis, on compte les points.

2. As-tu trouvé beaucoup de mots ? Quelles questions t'ont permis de trouver rapidement des mots ?

3. Coche dans ta liste orthographique tous les mots utilisés au cours du jeu.

Faire concurrence

L'ACCENT GRAVE ET LE DOUBLEMENT DE LA CONSONNE

Coiffée d'un accent grave, elle refuse d'être suivie de consonnes jumelles ; flanquée de **consonnes doubles**, elle rejette tout accent. Vraiment, la voyelle *e* sait ce qu'elle veut !

> **CONSONNES DOUBLES** – Consonnes identiques qui se suivent dans un mot.
> Ex. : ***imm**ense, e**ll**e*. On dit aussi consonnes jumelles.

1. Observe les mots de l'encadré.

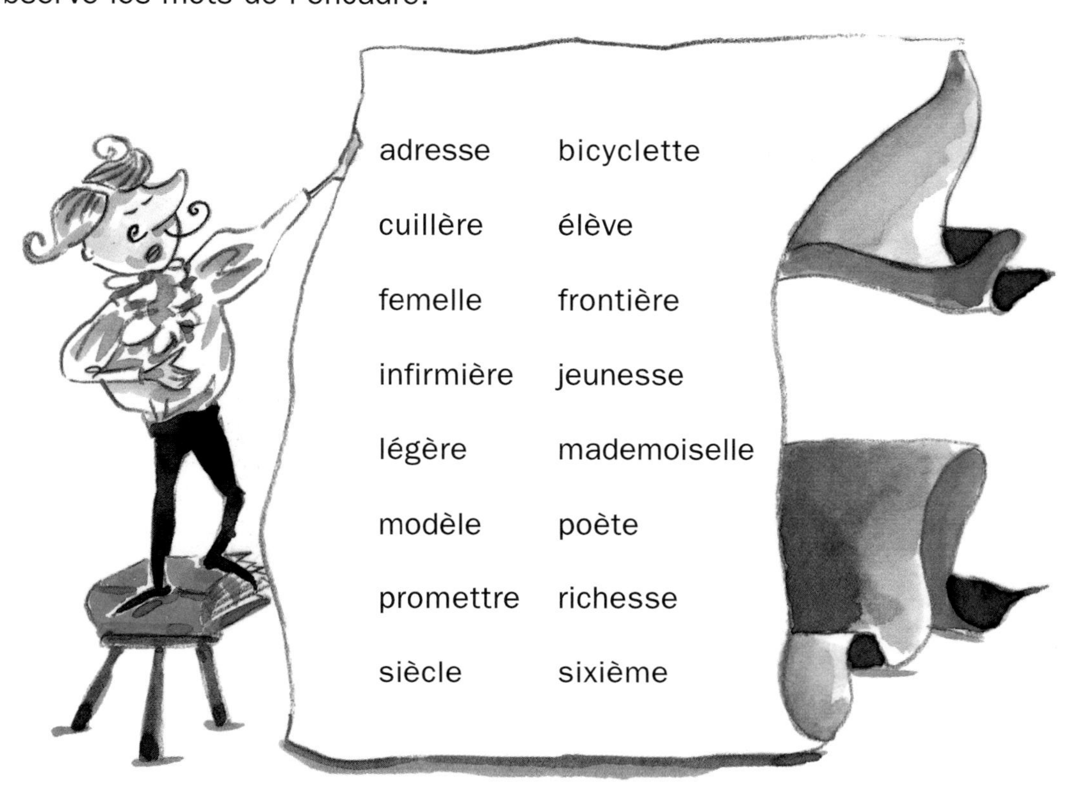

a) Classe-les dans un tableau comme celui-ci.

Ex. :

Accent grave sur le *e*	Consonnes doubles après le *e*
relève	pelle

b) Repère ces mots dans ta liste orthographique. Coche-les.

2. L'accent grave permet de distinguer des homophones.

a) Trouve l'homophone de chaque mot suivant.

a des la ou prêt

b) Compose une courte phrase avec chaque paire d'homophones pour faire ressortir le sens de ces mots.

EN PRIME

• Un *è* ou un *e* suivi de consonnes doubles ? À toi de le dire en résolvant les énigmes de la fiche **17**.

Chapeau !

L'ACCENT CIRCONFLEXE

Les petits enfants le comparent souvent à un chapeau. C'est vrai qu'il couvre bien la tête, l'accent circonflexe !

1. À quoi l'accent circonflexe sert-il ? Formule des hypothèses, puis vérifie-les à l'aide du *Retenir sa langue* (p. 59).

2. Autrefois, plusieurs mots s'écrivaient avec une voyelle suivie d'un *s* plutôt que coiffée d'un accent circonflexe. Trouve pour chacun des mots ci-dessous un ou deux mots de la même famille qui gardent la trace de cet ancien *s*.

   Ex. : fête → fe**s**tival, fe**s**tif

a) ancêtre	e) connaître	i) forêt	m) île
b) arrêt	f) côte	j) goût	n) impôt
c) bête	g) croûte	k) hôpital	o) intérêt
d) clôture	h) entrepôt	l) hôtel	p) vêtement

3. Explique d'une manière farfelue la présence de l'accent circonflexe dans deux mots de ton choix en t'inspirant de ce poème de Benoît Marchon.

Pattes et pâtes

Tous les oiseaux ont deux pattes,
Alors il faut mettre deux T
à leurs pattes.

Quand on fait cuire des pâtes,
On met un couvercle.
Alors il faut mettre un accent
Comme un couvercle sur le A.

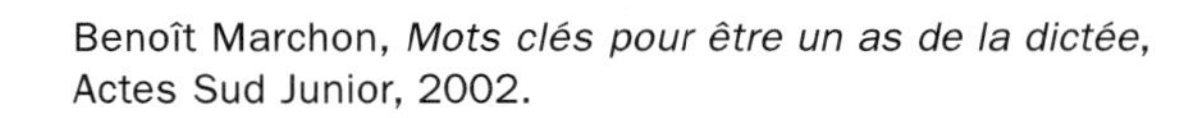

Benoît Marchon, *Mots clés pour être un as de la dictée*, Actes Sud Junior, 2002.

RETENIR SA LANGUE

L'ACCENT CIRCONFLEXE

1 L'accent circonflexe permet :

- de distinguer des homophones ;

  Ex. : *m**u**r* et *m**û**r*

- de signaler une différence de prononciation.

  Ex. : *t**a**che* et *t**â**che*

2 L'accent circonflexe a aussi une explication historique.

- Au 18e siècle, il a remplacé dans certains mots un *s* qui n'était plus prononcé.

  Ex. : *Le mot* île *s'écrivait autrefois* isle. *Cette manière d'écrire s'est maintenue dans certains noms de lieux comme* L'Isle-Verte *ou* L'Islet.

- Ce *s* se retrouve parfois dans différents mots de la même famille.

  Ex. : *Le mot* fête *s'écrivait autrefois* feste. *Le* s *disparu figure toujours dans* fe**s**tival, fe**s**tivité *et* fe**s**toyer.

SECTION GRAMMATICALE

EN PRIME

• Tu les attendais ? Réclame les mots croisés qui se trouvent dans la fiche **18**.

SYNTAXE

Chacun son type

Les types de phrases

« Quel est votre type préféré ? demande-t-on à la phrase.

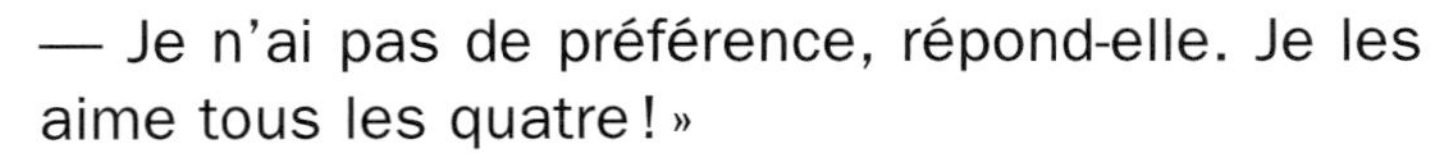

— Je n'ai pas de préférence, répond-elle. Je les aime tous les quatre ! »

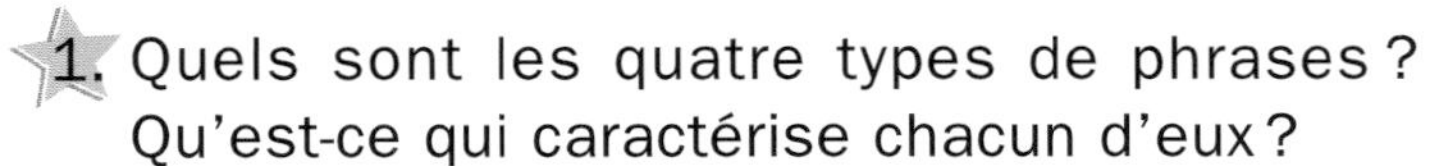

1. Quels sont les quatre types de phrases ? Qu'est-ce qui caractérise chacun d'eux ?

2. Pour être plus habile à utiliser les différents types de phrases, fais les exercices de la fiche **19**. Consulte au besoin la fiche **20**.

Instruments de précision

Le complément du nom

Voici l'occasion de te rappeler que tu en sais déjà pas mal long sur les compléments du nom.

1. Quelles caractéristiques parmi les suivantes s'appliquent au complément du nom ?

   a) Il précise le sens du nom.

   b) Il peut se présenter sous la forme d'un adjectif.

   c) Il peut exercer la fonction de sujet.

   d) Il peut se présenter sous la forme d'un groupe prépositionnel.

   e) C'est un mot ou un groupe de mots qui complète un nom.

2. Dans chaque GN, remplace le groupe prépositionnel (GPrép) par un adjectif complément du nom. Accorde l'adjectif avec le nom.

Ex. : une alliance **hors de l'ordinaire** → une alliance **extraordinaire**, **exceptionnelle**

a) un tissu à fleurs
b) des films pour se divertir
c) une crème pour le soleil
d) un chanteur de Montréal
e) des mets de l'Italie
f) le soleil du printemps
g) une journaliste de sport
h) des cris de joie
i) une idée de génie
j) une intervention de la police

3. Dans chacun des GN ci-dessous, remplace l'adjectif par un GPrép contenant un nom d'animal. Utilise pour cela les noms d'animaux de l'encadré (le même nom peut servir plus d'une fois).

Ex. : un froid **glacial** → un froid **de canard**

cheval	chien	crocodile	éléphant
fourmi	loup	oiseau	vipère

a) une mauvaise langue
b) une grande faim
c) un temps détestable
d) un petit appétit
e) une mémoire exceptionnelle
f) des larmes hypocrites
g) une vie misérable
h) une forte fièvre
i) un mauvais caractère
j) un travail énorme

CONNAISSANCE

É

Le groupe prépositionnel (GPrép) peut exercer la fonction de complément du nom.

Il peut être formé d'une préposition suivie :

- d'un GN ;
  Ex. : devant **cette magnifique maison**
- d'un pronom ;
  Ex. : avec **toi**
- d'un verbe à l'infinitif ;
  Ex. : pour **partir**
- d'un participe présent.
  Ex. : en **courant**

SECTION GRAMMATICALE

4. Remplace chaque complément du nom en caractère gras par un adjectif. Accorde cet adjectif avec le nom.

   Ex. : une idée **qui tient du génie** → une idée **géniale**

   une réaction **qu'on ne peut expliquer** → une réaction **inexplicable**

   a) des livres **qui instruisent**

   b) un argument **qui convainc**

   c) des progrès **qui se voient**

   d) une erreur **qu'on peut comprendre**

   e) une alliance **qui sort de l'ordinaire**

   f) des associations **qui étonnent**

   g) une personne **qui est difficile à supporter**

   h) un objet **qu'on peut remplacer** facilement

   i) des jeux **qui nous amusent**

   j) un défaut **qu'on ne peut corriger**

5. Pour mieux maîtriser les divers types de compléments du nom :

   a) Dessine un soleil avec six rayons. Le centre du soleil représentera le noyau du GN et les rayons seront les compléments du nom.

   b) Choisis un nom dans ta liste orthographique (fiche 16) et écris-le au centre du soleil.

   c) Inscris le plus de compléments du nom possible sur les rayons.

   d) Refais le même exercice avec cinq autres noms tirés de ta liste orthographique.

RETENIR SA LANGUE

LE COMPLÉMENT DU NOM

1 Tout ce qui précise le nom ou le qualifie exerce la fonction de **complément du nom**.

Ex. : *d'**étranges** associations*

*des associations **de divers types***

*des associations **qui étonnent***

2 Le complément du nom peut prendre la forme :

- d'un adjectif, accompagné ou non d'autres mots ;

N Adj.

Ex. : *des fourmilières **très organisées***

- d'un GPrép ;

N GPrép

Ex. : *un nid **de fourmis***

N GPrép

*des alliances **hors de l'ordinaire***

- d'autres éléments que tu verras en détail au secondaire.

N

Ex. : *des fourmis **qui protègent la colonie***

N

*une alliance **qui sort de l'ordinaire***

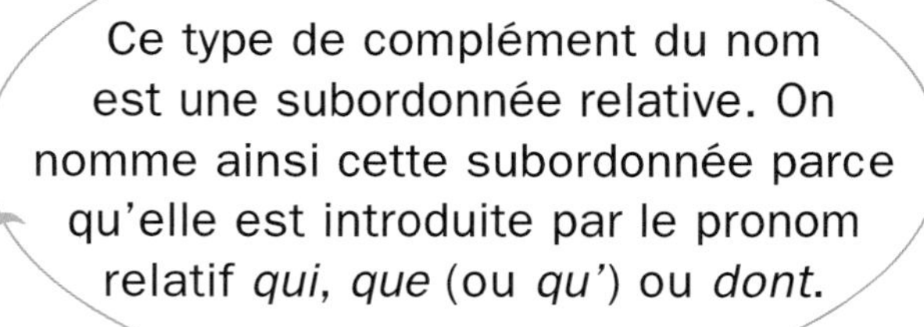

3 L'adjectif complément du nom prend le genre et le nombre du nom qu'il complète.

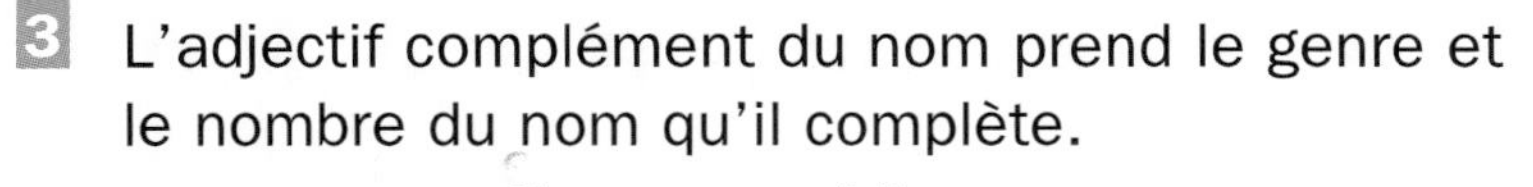

N → Adj.

Ex. : *des ouvrières spécialisées*

f. pl. f. pl.

4 Le complément du nom forme avec le nom qu'il complète un GN.

GN

N Compl. du N

Ex. : *une alliance **de courte durée***

5 On peut trouver plus d'un complément du nom dans un GN.

GN

Compl. du N N Compl. du N

Ex. : *une **impressionnante** colonie **de fourmis***

Faire le point

La ponctuation

Les signes de ponctuation, tu les emploies quotidiennement. Le fais-tu toujours à bon escient ?

1. Revois les principaux usages des signes de ponctuation à l'aide de la fiche **21**. Ajoutes-y tes propres exemples.
2. Pour vérifier ton habileté à utiliser adéquatement ces signes, demande la fiche **22**.
3. Quels signes de ponctuation emploies-tu correctement ? Lesquels te posent des problèmes ?

CONNAISSANCE

É

Se servir à bon escient des signes de ponctuation contribue à rendre son message plus clair. La ponctuation est un art difficile à maîtriser. En plus des règles générales, il existe des tas d'emplois particuliers. À ton âge, tu peux te concentrer sur les usages les plus courants. Mais garde les yeux ouverts, surtout quand tu lis les œuvres de grands écrivains !

En apprendre énormément

L'adverbe

Que sais-tu sur l'adverbe ?

- Je **ne** sais **rien**.
- J'en sais **beaucoup**.
- J'aimerais en savoir **plus**.

1. Es-tu habile à déterminer la classe d'un mot ? Tu le sauras bientôt après avoir rempli la fiche **23**.
2. Quels moyens as-tu utilisés pour associer un mot à sa classe ? Qu'est-ce qui était le plus difficile à distinguer ?
3. Repère dans ta liste orthographique (fiche 16) :
   - les adverbes donnés en exemples dans *Retenir sa langue* (p. 66-67) ;
   - les adverbes de la fiche 23.

4. Pour mieux manier l'adverbe, voici un jeu rigolo.

a) Joins-toi à deux camarades.

b) Formulez ensemble quinze questions.

Ex. : As-tu un chien ?

Quelle est ton activité préférée ?

c) Transcrivez-les sur des bouts de papier et placez-les dans une enveloppe.

d) Tirez à tour de rôle une question à laquelle vous devez répondre en utilisant le plus d'adverbes possible. Chaque adverbe correctement utilisé vaut un point.

Ex. : As-tu un chien ?

→ **Non**. = 1 point

→ **Heureusement**, **oui**, et il est **très** gentil. = 3 points

Quelle est ton activité préférée ?

→ J'aime **énormément** la natation, c'est un sport **très** complet. = 2 points

e) Le jeu se termine quand toutes les questions ont été posées.

SECTION GRAMMATICALE

EN PRIME

• Amuse-toi à modifier le poème de Maurice Carême (p. 6) en le parsemant d'adverbes.

Ex. : — Ce n'est pas pour me vanter,
Disait **poliment** la virgule,

• Un mot qui se termine en *-ment* n'est pas pour autant un adverbe. Repère dans ta liste orthographique des mots qui se terminent par *-ment* et indique à côté s'il s'agit d'un adverbe ou d'un nom.

Ex. : *déménagement* (N) et *lentement* (Adv.)

RETENIR SA LANGUE

L'ADVERBE

1 L'**adverbe** (Adv.) est un mot invariable qui peut exercer la fonction de :

- complément de phrase ;

  Ex. : ***Demain***, *nous présentons notre projet devant nos camarades.*
  Je t'écrirai ***bientôt***.

- modificateur d'un verbe ;

  Ex. : *France aime* (V) ***énormément*** (Adv.) *les chats.* → *Énormément* modifie le sens de *aime.* Il précise à quel point France aime les chats.

- modificateur d'un adjectif ;

  Ex. : *Ce pantalon est* ***trop*** (Adv.) *petit* (Adj.). → *Trop* modifie le sens de l'adjectif *petit.* Il indique que le pantalon est plus petit qu'il ne le devrait.

- modificateur d'un adverbe.

  Ex. : *Nous avons regardé le film* ***très*** (Adv.) *attentivement* (Adv.). → *Très* modifie le sens de l'adverbe *attentivement.* Il montre à quel point nous regardions le film avec beaucoup d'attention.

2 L'adverbe peut exprimer différents sens.

SENS	EXEMPLES D'ADVERBES
Affirmation	*certainement, oui, sûrement*
Doute ou probabilité	*peut-être, probablement, sans doute*
Intensité	*extrêmement, le plus, moins, peu, plus, très, trop*
Lieu	*ailleurs, ici, là-bas, loin, n'importe où, partout*
Manière	*autrement, bien, brusquement, gentiment, méchamment, naturellement, n'importe comment*
Négation	*ne… jamais, ne… pas, ne… rien, non*
Quantité	*assez, beaucoup, environ, presque, suffisamment*
Temps	*aujourd'hui, demain, immédiatement, jamais, hier, n'importe quand, parfois, tantôt, toujours*

3 Les adverbes te servent à préciser ta pensée et à enrichir tes textes.

Ex. : *J'ai aimé le dernier film de mon acteur préféré.*
→ *J'ai* ***beaucoup*** *aimé le dernier film de mon acteur préféré.*

Je l'ai vu avec mon amie Marilou. → *Je l'ai vu* ***hier*** *avec mon amie Marilou.*

Environ 1500 adverbes se terminent en *-ment*. Pour tout savoir sur leur formation, tourne la page.

VOCABULAIRE

Comment ? Comme *-ment* !

Les adverbes en *-ment*

Comme tu sais, la majorité des adverbes se terminent par *-ment*. Connaître les rudiments de leur fonctionnement n'est probablement pas une perte de temps.

1. Observe les adverbes suivants.

brillamment	justement
brusquement	malheureusement
bruyamment	naturellement
constamment	nullement
contrairement	passionnément
drôlement	poliment
extraordinairement	profondément
instantanément	récemment
intensément	violemment
inutilement	vraiment

a) Repère-les dans ta liste orthographique (fiche 16).

b) Recopie-les dans ta liste.

c) Décris leur formation à partir des données du *Retenir sa langue* (p. 69).

Ex. : ☑ immédiatement

→ immédiatement ______ immédiate + ment ______

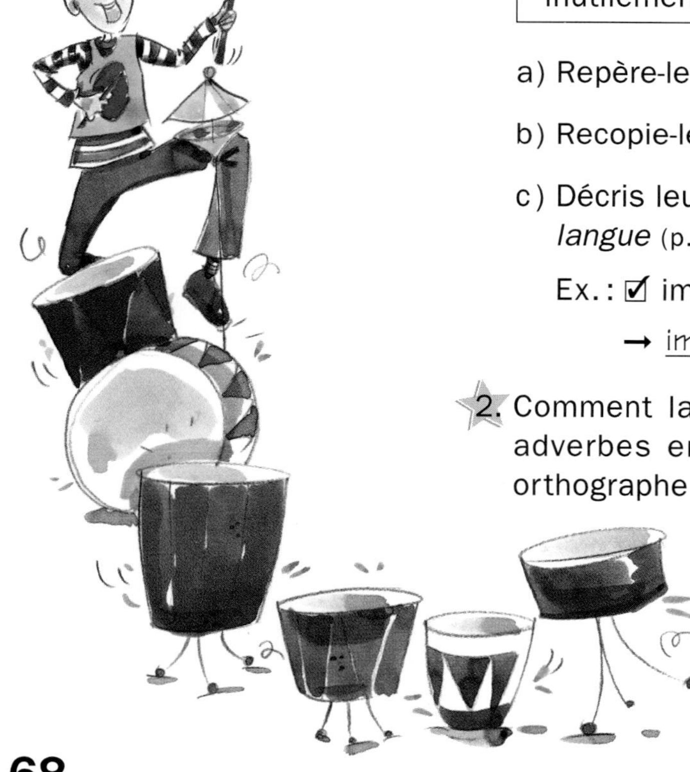

2. Comment la connaissance des règles de formation des adverbes en *-ment* peut-elle t'aider à mémoriser leur orthographe ?

Comment peut-elle t'aider à réviser l'orthographe de ces adverbes dans tes textes ?

LA FORMATION DES ADVERBES EN *-MENT*

1 On forme la majorité des adverbes en ajoutant le suffixe *-ment* :

- aux adjectifs qui conservent la même forme au féminin et au masculin (adjectifs épicènes) ;

  Ex. : *facile* + *ment* → *facilement*

- à la forme féminine des adjectifs.

  Ex. : *certaine* + *ment* → *certainement*

  Retiens une exception : gentille → gentiment

2 On ajoute *-ment* aux adjectifs qui se terminent au masculin par les voyelles **é**, **i** et **u**.

Ex. : *ais**é*** + *ment* → *aisément*

*jol**i*** + *ment* → *joliment*

*absol**u*** + *ment* → *absolument*

Retiens une exception : gai → gaiement

3 Quelques adverbes se terminent

- en *-ément* :

  Ex. : *précis**e*** + *ment* → *précisément*

  Le **e** final de l'adjectif au féminin ou de l'adjectif épicène se transforme en **é**.

- en *-amment* :

  Ex. : *étonn**ant*** → *étonnamment*

  Le ***-ant*** final de l'adjectif au masculin est remplacé par *-amment*.

- en *-emment* :

  Ex. : *intellig**ent*** → *intelligemment*

  Le ***-ent*** final de l'adjectif au masculin est remplacé par *-emment*.

  Retiens deux exceptions : lent → lentement
  présent → présentement

ORTHOGRAPHE GRAMMATICALE

Tomber d'accord

L'ACCORD DE L'ADJECTIF

Dis, tu es d'accord pour réviser l'accord de l'adjectif?

1. Comment procèdes-tu pour accorder les adjectifs dans tes textes? Décris ta méthode.
2. Prouve l'efficacité de ta méthode en vérifiant l'accord des adjectifs dans le texte *Pucerons et fourmis : de bons amis !* de la fiche **24**.

Accords à la carte

L'ACCORD DE L'ADJECTIF AVEC PLUSIEURS NOMS

L'adjectif complète aussi bien un nom que plusieurs noms.

1. Justifie le genre et le nombre de chaque adjectif dans les phrases suivantes. Pour t'aider ou pour confirmer la justesse de ton analyse, sers-toi des données de *Retenir sa langue* (p. 71).

   a) Gabrielle porte un chemisier et un jean **bleus**.

   b) Pour mon anniversaire, j'ai reçu une salopette, une tunique et des chaussettes **noires**.

   c) J'aime les films et les histoires **drôles**.

   d) À la piscine, je porte un maillot et un bonnet **assortis**.

   e) Dommage! Mon polo et mon pantalon **préférés** sont **sales**.

2. Exerce ton habileté à accorder un adjectif qui complète plus d'un nom avec la fiche **25**.
3. Qu'est-ce qui distingue l'accord de l'adjectif avec un seul nom et celui de l'adjectif avec plusieurs noms?

RETENIR SA LANGUE

L'ACCORD DE L'ADJECTIF AVEC PLUSIEURS NOMS

1 L'**adjectif** se rapporte parfois à plus d'un nom.

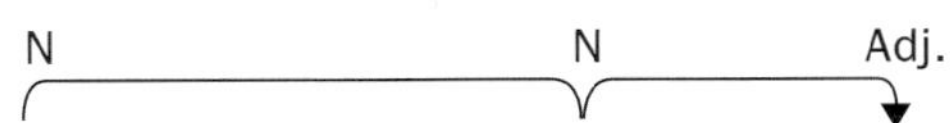

Ex. : *Ton texte doit contenir une introduction et une conclusion* ***pertinentes.***

2 Lorsqu'un adjectif se rapporte à plusieurs noms du même genre :

- il reçoit ce genre ;
- il se met au pluriel.

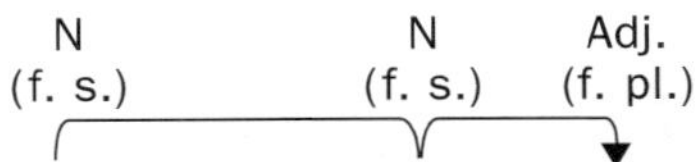

Ex. : *Mélanie porte une robe et une veste* ***vertes.***

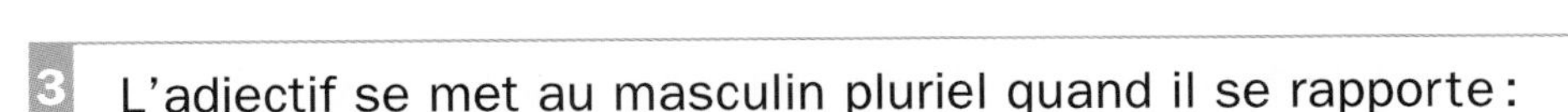

3 L'adjectif se met au masculin pluriel quand il se rapporte :

- à des noms de genres différents, mais de même nombre ;

N (f. s.) — N (m. s.) — Adj. (m. pl.)

Ex. : *Je porte la salopette et le blouson* ***bruns*** *de mon amie.*

- à des noms de genres et de nombres différents.

Ex. : *Pour notre présentation, toute l'équipe portera*

N (m. s.) — N (f. s.) — N (m. pl.) — Adj. (m. pl.)

un pantalon, une chemise et des souliers ***noirs.***

Je sais, je sais

LE VERBE *SAVOIR*

Le verbe *savoir*, qu'est-ce que tu en sais, d'abord ?

1. Relève dans chaque temps simple du verbe *savoir* les formes homophones, c'est-à-dire celles qui se prononcent de la même façon. Surligne-les dans le tableau de conjugaison de ce verbe.

   Ex. :

CONDITIONNEL PRÉSENT		
PERSONNE	RADICAL	TERMINAISON
je	sau	rais
tu	sau	rais
il/elle	sau	rait
nous	sau	rions
vous	sau	riez
ils/elles	sau	raient

2. Laquelle de ces affirmations est fausse ?

   a) Le verbe *savoir* a les mêmes terminaisons que les verbes *aimer* et *avoir* à l'impératif présent.

   b) Le verbe *savoir* a les mêmes terminaisons que les verbes *aller*, *avoir*, *dire*, *être*, *faire*, *finir*, *rendre*, *pouvoir* et *vouloir* à l'imparfait, au futur simple et au conditionnel présent.

   c) Le verbe *savoir* a les mêmes terminaisons que les verbes *aimer*, *aller*, *commencer*, *dire*, *faire*, *finir*, *manger*, *rendre*, *pouvoir* et *vouloir* au subjonctif présent.

   d) Le verbe *savoir* a les mêmes terminaisons que les verbes *pouvoir* et *vouloir* à l'indicatif présent.

3. Prépare un jeu d'associations pour tes camarades.

   a) Écris dans la première colonne d'un tableau semblable au suivant dix formes conjuguées du verbe *savoir*.

   b) Dans la deuxième colonne, écris, dans le désordre, le temps et la personne de ces formes.

   Ex. :

Verbe *savoir*	Temps et personne
1. sachez	a) conditionnel passé, 3e pers. du sing.
2. elle aurait su	b) imparfait, 1re pers. du plur.
3. nous savions	c) impératif présent, 2e pers. du plur.

   c) À l'endos de ta feuille, prépare le corrigé de ton jeu d'associations.

   Ex. : 1. c ; 2. a ; 3. b ; etc.

   d) Propose ton jeu à un ou une camarade.

4. T'arrive-t-il de confondre les formes *sais* et *sait* du verbe *savoir* avec les mots homophones *ces*, *ses*, *c'est* ou *s'est*? Quand tu écris, comment procèdes-tu pour choisir la forme qui convient ? Mets tes moyens à l'épreuve dans la fiche **26**.

EN PRIME

- Prépare un jeu sur le modèle de celui du no 3 avec d'autres verbes que tu as étudiés cette année.

Un léger accent

LA CONJUGAISON DES VERBES DU TYPE *ACHETER*

Voici l'occasion de mettre l'accent sur les verbes qui se conjuguent comme *acheter*.

1. Tiens compte des éléments suivants pour conjuguer le verbe modèle *acheter* dans la fiche **27**.

   Le verbe *acheter*:

   - présente les mêmes terminaisons que le verbe *aimer*;
   - comporte deux radicaux, soit *achet-* et *achèt-*;
   - a un radical qui varie devant une terminaison commençant par un *e* muet.

2. Voici des verbes qui se conjuguent comme *acheter*. Pour enrichir cette liste, trouve des dérivés ou des composés de chacun de ces verbes.

   Ex. : acheter → r**acheter**

   a) geler c) mener e) peser

   b) lever d) modeler f) semer

3. Voici quatre autres verbes qui se conjuguent comme *acheter*. Trouve des mots de la même famille que ces verbes et contenant l'un ou l'autre de leurs radicaux.

   a) achever b) harceler c) marteler d) peler

SOS

Lorsqu'un verbe suit un modèle, tous ses composés l'imitent. Si tu sais que le verbe *celer* se conjugue comme *acheter*, tu peux conclure que *dé**celer*** et *re**celer*** se conjuguent comme *acheter*. Voilà un secret à déceler!

EN PRIME

- Pour t'exercer à conjuguer les verbes du type *acheter*, demande la fiche **28**.

RETENIR SA LANGUE

LES VERBES DU TYPE *ACHETER*

Nombre de verbes qui se conjuguent sur ce modèle	environ 60 verbes se conjuguent comme *acheter*. Ex. : *achever, dégeler, fureter, remodeler*
Terminaisons	identiques à celles du verbe *aimer*
Radicaux	• *achet-* • *achèt-* avec un *è* devant une terminaison commençant par un *e* muet Ex. : *Ils* ***achèt****ent*
Mots de la même famille	On peut trouver la trace des deux radicaux dans les mots de la même famille. Ex. : *crever* → ***crev****aison,* ***crèv****e-cœur* *modeler* → ***model****age,* ***modèl****e*

Conjuguer les verbes du type *acheter* n'est pas sorcier, car la différence entre les deux radicaux s'entend clairement.

Du simple au double

LA CONJUGAISON DES VERBES DU TYPE *APPELER* ET *JETER*

Les verbes *appeler* et *jeter* sont des verbes en *-er*. Voilà qui t'en dit déjà assez long à leur sujet.

1. Examine les tableaux de conjugaison des verbes *appeler* et *jeter*.

   a) Quels sont les radicaux du verbe *appeler*? Quels sont ceux du verbe *jeter*?

   b) Surligne dans le tableau de conjugaison du verbe *appeler* les terminaisons précédées du radical *appell-*.

c) Surligne dans le tableau de conjugaison du verbe *jeter* les terminaisons précédées du radical *jett-*.

d) Dans quel cas trouve-t-on le radical *appell-* ? Et le radical *jett-* ?

2. Compare la conjugaison des verbes *appeler* et *jeter* à celle du verbe *acheter*. Qu'est-ce qui est semblable? Qu'est-ce qui est différent?

STRATÉGIE

É

Comment savoir si tu dois mettre un **è** au radical, comme dans *acheter*, ou doubler la consonne, comme dans *appeler* et *jeter*? Il n'y a pas de recette magique, mais des petits trucs pratiques :

- mémoriser les principaux verbes de chaque type ;
- faire appel aux mots de la même famille ;

  Ex. : Tu sais que *épellation* s'écrit avec deux **l**. Tu peux donc associer le verbe *épeler* au verbe modèle *appeler*.

  Tu te rappelles que *modèle* s'écrit avec un **è**. Tu peux conclure que *modeler* se conjugue comme *acheter*.
- recourir à un guide de conjugaison.

3. Indique si le verbe de la même famille que chacun des noms suivants se conjugue comme *appeler* ou comme *jeter*.

   Ex. : épellation → épeler → appeler

a) bosse	f) étincelle	k) pelle
b) cachet	g) feuillet	l) projet
c) dentelle	h) ficelle	m) rappel
d) ensorcellement	i) morceau	n) rejet
e) époussetage	j) paquet	o) renouvellement

4. Résume dans la fiche **29** les caractéristiques des radicaux des verbes en *-er* que tu as étudiés depuis le début de l'année.

RETENIR SA LANGUE

LES VERBES DU TYPE *APPELER* ET DU TYPE *JETER*

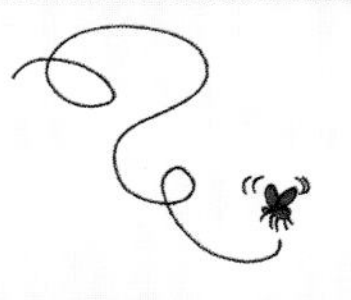

	VERBES DU TYPE *APPELER*	VERBES DU TYPE *JETER*
Nombre de verbes qui se conjuguent sur ce modèle	environ 50 Ex. : *débosseler, ruisseler*	environ 50 Ex. : *breveter, dépaqueter*
Terminaisons	identiques à celles du verbe *aimer*	identiques à celles du verbe *aimer*
Radicaux	• *appel-* • *appell-* devant une terminaison commençant par un *e* muet Ex. : *elles **appell**ent*	• *jet-* • *jett-* devant une terminaison commençant par un *e* muet Ex. : *tu **jett**eras*
Mots de la même famille	On peut trouver la trace des deux radicaux dans les mots de la même famille. Ex. : *jumeler* → ***jumel**age*, ***jumell**e*	On peut trouver la trace des deux radicaux dans les mots de la même famille. Ex. : *étiqueter* → ***étiquet**age*, ***étiquett**e*

Rechercher ses origines

La dictée en coopération

D'où vient le mot crevette ? Quel est le lien entre le coq et le coquelicot ? Pourquoi le renard, qui s'appelait autrefois goupil, a-t-il changé de nom ? Tu sauras tout sur ces mots et bien davantage en faisant la dictée en coopération.

1. Forme une équipe avec deux autres élèves. Répartissez-vous le texte de la dictée qui se trouve dans la fiche **30**.
2. Quelles règles as-tu suivies pour écrire correctement les mots de la dictée ?

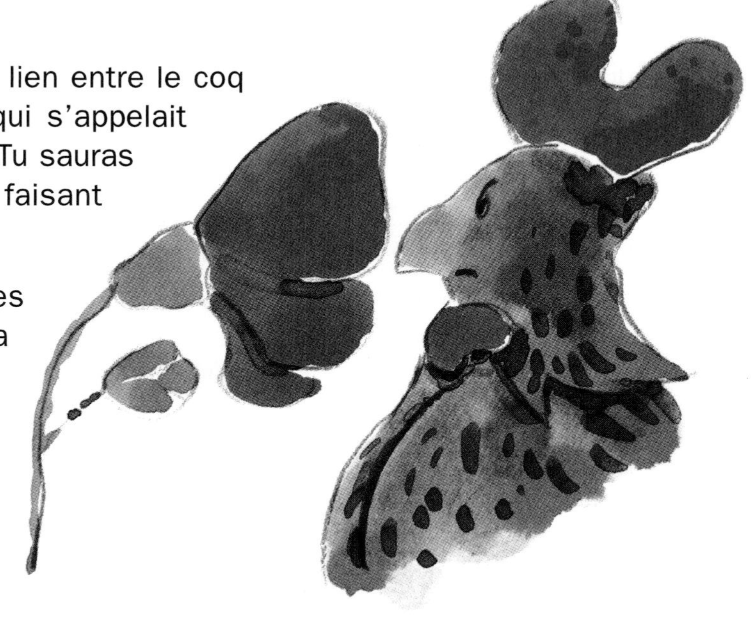

Échange de bons procédés

SUPPLÉMENT

TEXTES ADDITIONNELS ET ACTIVITÉS DE LECTURE AU CHOIX

Sous-thématique 1 : L'union fait la force

Sous-thématique 2 : L'effet secondaire

Loin des yeux, près du cœur

Pour Hugo, un jeune garçon non-voyant, fréquenter une nouvelle école n'est pas simple. Sa présence en classe excite la curiosité des élèves. Heureusement, il se fait rapidement une alliée. Dès le premier jour, Aïssata lui apporte son aide et son soutien.

Le premier jour, ma présence dans la classe n'est évidemment pas passée inaperçue. Des chuchotements me parvenaient de toute part…

L'instituteur a invité chaque élève à se présenter. Quand mon tour est venu, j'ai parlé clairement. Ce n'est pas parce qu'on est aveugle qu'on est timide.

Ensuite le maître a proposé que je fasse une démonstration de mon ordinateur. Quand j'ai parlé dans mon micro et que mes paroles se sont affichées à l'écran, tout le monde a été épaté. Leur étonnement a continué de plus belle quand l'ordinateur a répété ce que je venais de lui dicter !

— Peux-tu aussi nous expliquer comment tu lis avec les doigts ? a demandé l'instituteur.

— Monsieur ! s'est écrié un garçon. On pourra essayer ?

La première matinée s'est déroulée ainsi : moi qui expliquais, les autres qui voulaient apprendre…

*

Tout s'est compliqué à la cantine.

Je m'appliquais à manger proprement. Étrangement, autour de moi, je n'entendais aucun couvert cliqueter, aucune bouche mâcher. Trop occupés à m'observer, les autres ne se rendaient pas compte de leur silence.

Le silence peut parfois être comme un désert dans lequel je me perds.

La tête m'a tourné. J'ai commencé à trembler, à piquer ma fourchette à côté de l'assiette. De petits rires étouffés ont fusé. Une voix les a fait taire. Une voix qui m'a averti :

— Tu as laissé tomber un spaghetti sur ton pull.

Je me suis ressaisi. J'ai posé ma fourchette et j'ai tenté de repêcher le spaghetti.

— Plus à droite, m'a précisé la voix.

Mes doigts ont enfin trouvé la ficelle gluante. Je l'ai posée sur le bord de l'assiette.

— Il ne devait pas avoir envie d'être mangé… a repris la voix. Tant pis pour lui, il finira dans la poubelle !

À mon grand soulagement, tout le monde a éclaté de rire.

— Tu veux que je te serve à boire ? a proposé la voix.

Elle agissait sur moi comme une caresse.

— Oui, merci… Tu t'appelles comment ?

— Aïssata.

*

Aïssata s'est tout de suite proposée pour m'aider en classe.

Elle me lisait les textes que l'instituteur n'avait pas le temps d'entrer dans l'ordinateur et me décrivait les images. En échange, je l'aidais en mathématiques. […]

*

Aïssata et moi, nous ne nous sommes plus quittés. Nous nous donnions la main quand nous nous promenions dans les rues, dans le parc ou au bord du canal.

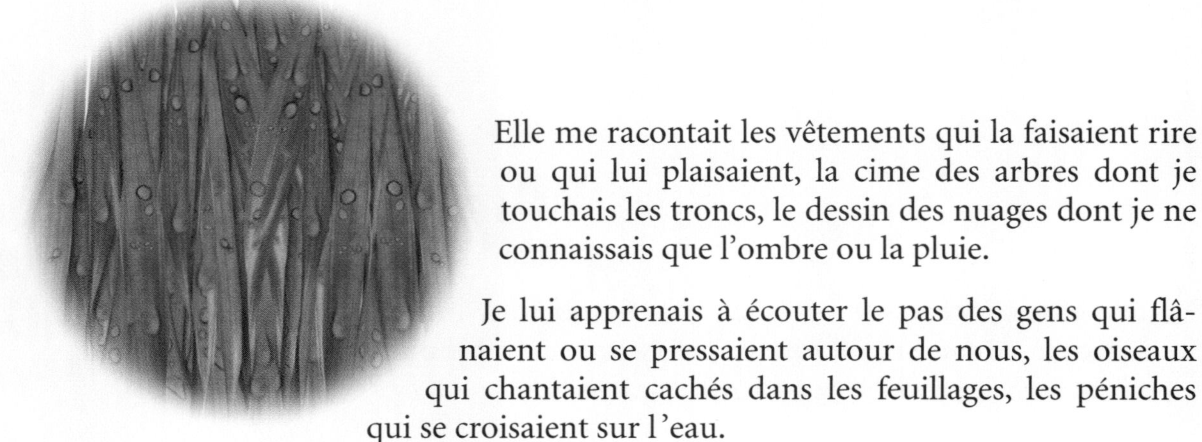

Elle me racontait les vêtements qui la faisaient rire ou qui lui plaisaient, la cime des arbres dont je touchais les troncs, le dessin des nuages dont je ne connaissais que l'ombre ou la pluie.

Je lui apprenais à écouter le pas des gens qui flânaient ou se pressaient autour de nous, les oiseaux qui chantaient cachés dans les feuillages, les péniches qui se croisaient sur l'eau.

Curieusement, elle s'obstinait à vouloir m'expliquer les couleurs.

Ça la troublait que je ne connaisse pas les couleurs. Je lui avais pourtant affirmé que ce n'était pas grave, que ça ne m'empêchait ni de vivre, ni d'aimer... Elle tenait pourtant à me les apprendre.

Alors il y eut le jaune comme le soleil qui chauffe sur la peau, le vert comme le parfum de l'herbe mouillée le matin, le bleu comme l'océan quand tu es devant. « Tu t'es déjà tenu devant l'océan, pour écouter les vagues et sentir le vent sur ton visage? m'avait-elle demandé. Eh bien le bleu, c'est comme ça. »

Et elle le répétait inlassablement : ça c'est jaune comme le soleil qui chauffe la peau, ça vert comme le parfum de l'herbe mouillée le matin, et ça bleu comme l'océan quand tu es devant.

Thierry Lenain, *Loin des yeux, près du cœur*

EN PRIME

• Dans la fiche **31**, explique comment Hugo et Aïssata se soutiennent et s'entraident.

Guillaume

Un lien de confiance et de complicité s'est tissé entre Guillaume et son chien Churchill. Quand Guillaume parle à son chien, on dirait que son problème disparaît… Découvre comment la présence de Churchill est bienfaisante pour Guillaume.

Churchill ne comprenait pas tout ce qu'on lui racontait, évidemment, mais on aurait dit qu'il aimait bien qu'on lui parle. Chaque fois que Guillaume s'adressait à lui, même pour le gronder, il branlait la queue. Lorsque Guillaume avait fini de parler, Churchill, comme s'il voulait lui répondre, grognait un peu et se mettait ensuite à japper.

Guillaume avait mis quelques jours avant de se rendre compte que son chien avait cette curieuse habitude. Un soir qu'il était dans sa chambre, seul avec lui, il lui avait encore fait ses recommandations : il ne devait pas les réveiller trop tôt le dimanche matin, ni aller répandre ses poils dans la cuisine, ni grimper sur le sofa du salon…

Churchill l'avait écouté en branlant la queue et, aussitôt que son maître avait cessé de parler, il avait répondu avec un petit grognement, bientôt suivi d'un jappement.

Intrigué, Guillaume avait continué de parler. Peu importe ce qu'il disait, Churchill réagissait toujours de la même façon, comme s'il devait toujours grogner un peu avant de japper.

— C'est bizarre, avait dit Guillaume, on dirait que tu as le même problème que moi…

— Grrr... woof ! avait répondu Churchill.

Si Churchill avait pu répondre autrement qu'en jappant, il aurait peut-être dit à son maître qu'il y avait quelque chose de bien plus bizarre encore : Guillaume, qui avait tant de difficultés à parler avec les gens, n'éprouvait aucun problème avec lui. Il pouvait prononcer tous les mots qu'il voulait sans que jamais ceux-ci restent bloqués, sans jamais répéter les syllabes et sans jamais hésiter. Guillaume n'avait aucun problème à parler avec son chien, pas plus qu'il n'en avait à chanter.

Aussi étonnant que cela puisse paraître, il ne s'en était même pas aperçu. On aurait dit qu'il y avait deux Guillaume, exactement semblables, mais qui ne se connaissaient pas encore.

*

— Et alors, Guillaume, avait dit le docteur Parent tandis qu'il examinait Churchill, aimes-tu ton chien ?

— Oh oui, je l'aime beaucoup, avait répondu Guillaume, qui avait été étonné de parler aussi facilement. Il était sans doute dans un de ses bons jours.

— J'en étais sûr. Il doit beaucoup t'aimer, lui aussi. Tu n'as pas trop de mal à le dresser ?

— Non...

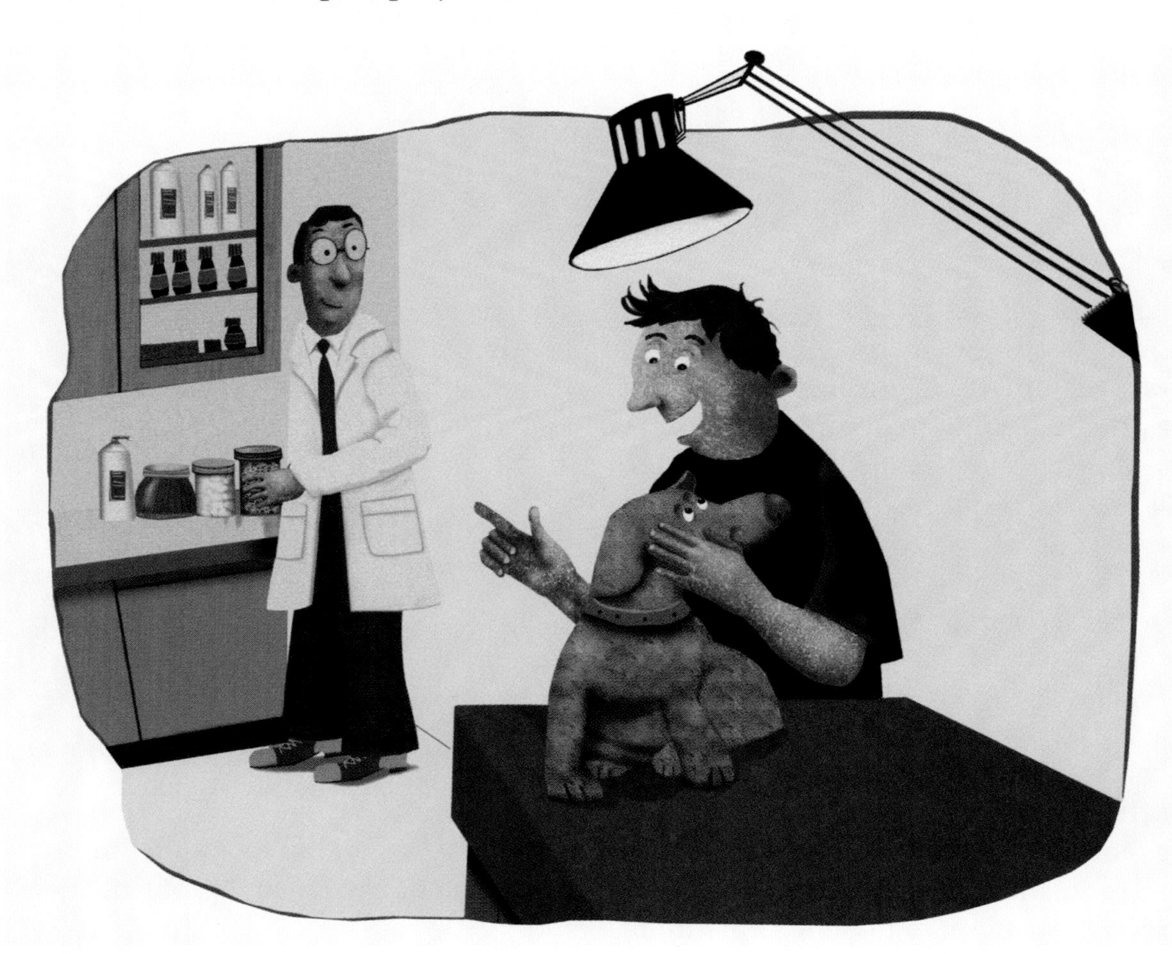

Il aurait voulu lui dire que son chien était presque propre, mais il avait eu peur de buter sur un mot, aussi avait-il préféré se taire.

— Il me semble en bonne santé, avait dit le docteur Parent après lui avoir examiné les dents et les oreilles. Il faudrait que je lui fasse une piqûre, maintenant. Est-ce que tu voudrais m'aider, s'il te plaît ?

Guillaume s'était approché de Churchill et lui avait tenu les pattes pour l'empêcher de bouger.

— Tu n'as pas besoin de le tenir, avait dit le vétérinaire, je peux le faire moi-même. Ce que je voudrais, c'est que tu lui parles, pour le calmer.

Guillaume avait été un peu étonné, mais il avait quand même obéi :

— Il ne faut pas bouger, Churchill, le docteur va te faire une piqûre ; ça va pincer un peu, mais ce n'est pas grave, c'est pour ton bien, pour que tu n'attrapes pas de maladies…

— C'est parfait, Guillaume, continue pendant que je prépare ma seringue. Ces chiens-là aiment bien entendre la voix de leur maître… Voyons, où est-ce que j'ai bien pu mettre ce vaccin ?

— Tu es un bon chien, Churchill, un très bon chien… Quand tu auras reçu ton vaccin, on ira au parc, tous les deux. Tu pourras courir tant que tu voudras. J'ai même apporté une balle de baseball, tu pourras la mordre, la déchirer…

— Il aime les balles de baseball ?

— Beaucoup, oui. Les pantoufles aussi, malheureusement. Il a déjà déchiqueté celles de ma mère et celles de mon père.

Guillaume n'avait aucune difficulté à parler : tant qu'il gardait les yeux rivés sur Churchill, il ne se rendait pas compte qu'il répondait à la question du vétérinaire.

Le docteur Parent, qui avait maintenant fini de préparer sa seringue, ne semblait pas pressé de faire son injection.

François Gravel, *Guillaume*, Éditions Québec Amérique (Collection Gulliver), 1995.

EN PRIME

- Dans la fiche **32**, fais ressortir l'importance du lien entre Guillaume et son chien Churchill.

JAMAIS SEUL !

Tu connais déjà quelques alliances insolites entre des animaux d'espèces différentes. Mais que sais-tu des motifs qui poussent les animaux d'une même espèce à se rassembler ? Voici l'occasion d'en découvrir quelques-uns.

Chasser, se protéger, c'est plus facile à plusieurs. Alors, les animaux s'organisent. Ils vivent en groupe ou en société. Et dans ce cas, chacun a un rôle très précis. Et pas question d'en changer !

MES RESPECTS MADAME !

Chez les éléphants, la femelle la plus âgée est la cheftaine ! Elle guide et protège chaque membre du troupeau. Celui-ci est exclusivement composé de jeunes et de femelles (ses filles, ses sœurs et ses nièces). Et les mâles dans tout ça ? Dès qu'ils atteignent l'âge de 9 ou 10 ans, ils sont invités à aller vivre ailleurs ! Mais ils ne sont pas pour autant délaissés. Si l'un deux est blessé, les femelles accourent à son secours. [...]

TOUR DE GARDE

Les biches et les cerfs vivent en troupeaux d'une vingtaine de bêtes. C'est plus pratique pour surveiller les prédateurs. Parmi tous les membres du groupe, il y en a toujours un qui guette les alentours pendant que les autres broutent en paix. Dès qu'il aperçoit un ennemi, il donne l'alerte et... zou ! tout le monde s'enfuit.

POUR LE MEILLEUR ET POUR LE PIRE

Les termites ne connaissent pas la solitude. Ces insectes mangeurs de bois sont incapables de vivre autrement qu'en société. Chaque termitière est un monde à part où la division du travail est poussée à l'extrême. Elle abrite plusieurs castes, c'est-à-dire des groupes d'individus qui possèdent chacun un rôle et une morphologie spécifiques. Les larves sont à peu près semblables. Mais une fois adultes, leur apparence diffère. Les soldats, spécialisés dans la défense du nid, sont armés de plus grosses mandibules que les ouvrières chargées de l'entretien et du ravitaillement. Qui a dit que l'habit ne faisait pas le moine ?

LE LEGO DE LA MER

Une physalie n'est pas une méduse comme les autres. Ce n'est pas un seul animal, mais des centaines d'individus. Chacun d'eux a une morphologie et une fonction différentes selon la place qu'il occupe dans cette colonie. Au sommet, se trouve un seul animal, gonflé par une immense poche de gaz. Il sert de flotteur. Tout en bas, dans les filaments, plusieurs méduses chassent des poissons à l'aide de petits harpons venimeux. Une fois leurs proies paralysées, elles les amènent vers d'autres membres de ce puzzle qui constituent la bouche.

RASSEMBLEMENT OU SOCIÉTÉ ?

Qui dit rassemblement d'animaux ne dit pas forcément société. Un troupeau d'éléphants ou un vol de criquets migrateurs sont des groupes d'animaux qui peuvent communiquer ou s'entraider. Mais, ils ne sont pas pour autant des sociétés animales. Dans ces dernières, tout est basé sur le travail en commun et le partage des rôles. C'est notamment le cas des abeilles, dont les membres d'une même ruche collaborent les uns avec les autres. Pendant que certains construisent ensemble les rayons de cire, d'autres récoltent le nectar ou nourrissent les larves.

UN POUR TOUS, TOUS POUR UN !

Dans les sociétés d'insectes, vivre ensemble n'est pas un luxe, mais une obligation. Aucun individu ne peut se passer des compétences des autres. Chez les fourmis et les termites, par exemple, l'organisation et la hiérarchie sont très strictes. Chacun est affecté à une tâche précise. Changer d'activité est impossible, car la taille et la morphologie de chacun sont adaptées au métier qu'il exerce (soldat, ouvrier, reproducteur...).

À CHACUN SON BOULOT

Ces deux fourmis sont très différentes l'une de l'autre. Pourtant, elles sont sœurs et appartiennent à la même fourmilière. Mais elles n'exercent pas le même métier : la plus petite est une ouvrière qui donne la becquée à un soldat affamé. Les fourmis vivent en société très organisée. Et l'échange de nourriture est l'un des principaux ciments de leur vie collective. Les ouvrières nourrissent non seulement les larves et les adultes reproducteurs, mais aussi n'importe quel autre membre de la fourmilière qui le leur demande.

UN NOMBRE RECORD

Certains termites sont étonnants. Les macrotermes d'Afrique fabriquent un nid qui peut atteindre 30 mètres de diamètre et 6 mètres de haut ! Leur reine, qui ressemble à une saucisse, pond jusqu'à 30 000 œufs par jour, soit un œuf toutes les trois secondes ! La termitière peut ainsi compter cinq millions d'individus.

C'est pourquoi elles possèdent un estomac à plusieurs poches, dont la première sert à stocker les aliments qu'elles offriront aux autres.

COURSE DE RELAIS

Un cadavre abandonné ? Miam ! Si elles n'ont rien d'autre à grignoter, les hyènes tachetées mangent volontiers des charognes. Mais elles préfèrent tout de même la chair fraîche. Elles ont d'ailleurs une technique de chasse très efficace. Quelques animaux de la meute commencent à poursuivre une proie. Dès qu'ils sont fatigués, un autre groupe prend le relais. Et ainsi de suite. Peu à peu, la victime s'épuise et se fait rattraper. Il est alors temps de passer à table !

L'UNION FAIT LA FORCE

Que fait une fourmi, lorsqu'elle se trouve devant un chargement trop lourd pour elle ? Elle appelle ses copines à l'aide, pardi ! Des chercheurs anglais ont ainsi remarqué qu'elles se mettaient souvent à trois pour déplacer des fardeaux : la plus grande, au milieu, porte le paquet sur son dos et les deux plus petites se placent sur les côtés pour équilibrer la charge. Un vrai travail d'équipe !

LE GANG DES ARAIGNÉES

Anelosimus ? C'est qui celle-là ? Une araignée qui vit en colonie avec plusieurs autres milliers de congénères. Elles mettent ainsi leurs forces en commun, notamment pour chasser. Elles construisent d'immenses toiles collectives suspendues aux arbres, comme des hamacs. Grâce à ces pièges géants, elles parviennent à capturer des insectes sept cents fois plus gros qu'elles !

SON ALTESSE ROYALE !

Chez les abeilles, toute l'activité de la ruche tourne autour de la reine. Cet insecte est « élu » dès le plus jeune âge. Petite, elle est nourrie uniquement avec de la gelée royale et non avec du pollen et du miel comme les autres. Cela transforme son corps. Elle est la seule à pouvoir pondre et permettre ainsi à la communauté d'avoir de nouveaux membres. Si elle meurt, toute la ruche cesse de fonctionner.

EN PRIME

- Pour mieux comprendre les motifs qui poussent certains animaux à se rassembler, fais les activités de la fiche 33.

La Grenouille et la Baleine

Daphnée, surnommée « la petite grenouille », vit une relation exceptionnelle avec l'un des plus intelligents et des plus grands mammifères au monde, le dauphin souffleur. Vois comment est née cette étonnante relation d'amitié entre Elvar, le dauphin, et la jeune Daphnée.

Chaque année, au printemps, des troupeaux de baleines à bosse quittent les eaux chaudes des Caraïbes où elles ont passé l'hiver. Elles remontent l'océan Atlantique vers le Nord et bon nombre d'entre elles décident de passer l'été dans le golfe du Saint-Laurent. Depuis des siècles, des centaines de baleines à bosse choisissent de s'installer au large des îles Mingan où leurs cabrioles font la joie des vacanciers et des habitants de la Côte-Nord.

Elles ne viennent pas seules. Des milliers de dauphins se joignent à elles. Mais ce ne sont pas toutes les espèces de dauphins qui aiment se baigner dans les eaux froides du golfe du Saint-Laurent… Il y en a deux surtout: les dauphins à bec blanc et les dauphins à flancs blancs. Les autres préfèrent rester dans les mers chaudes du Sud, comme les dauphins souffleurs par exemple, qui sont les frères et cousins de « Flipper ».

C'est dans le golfe du Mexique, il y a onze ans, que naquit, par un beau matin d'avril, un magnifique petit dauphin souffleur. Dès sa naissance, il montra une énergie peu commune. À peine âgé de quelques heures, il nageait déjà avec vigueur et se comportait comme si quelque chose l'attirait ailleurs. Sa mère avait bien du mal à le garder près d'elle.

Au même moment, dans un petit village de pêcheurs de la Côte-Nord, une petite fille voyait le jour. Le tout premier son qu'elle perçut fut le bruit des vagues qui venaient s'écraser sur le rocher où était perchée sa maison. La première odeur qui fit plisser son nez minuscule fut celle de l'air salin qui venait du large. L'impression avait été si forte que Daphnée s'était crue elle-même un petit poisson ! D'ailleurs, elle n'allait pas tarder à sentir l'eau salée sur son corps.

En effet, elle avait quelques mois à peine lorsque sa mère, Lorraine, l'amena pour la première fois dans la petite anse, cachée au milieu des rochers et bien réchauffée par les ardents rayons de soleil. Daphnée s'y sentit tout de suite à l'aise, comme si c'était son élément naturel. Sa petite tête rousse et ses joues roses, piquées de taches de rousseur, contrastaient joliment avec le bleu des vagues. Elle adorait le contact de l'eau. Pas étonnant qu'elle ait appris à nager avant d'apprendre à marcher !

Daphnée grandissait, heureuse, dans l'auberge que tenaient ses parents. Elle avait deux ans lorsque naquit son frère Alexandre. Elle ne se doutait pas encore qu'il allait devenir le parfait compagnon et le complice idéal de toutes les espièglerie.

*

Chaque matin, Daphnée descendait sur le rivage. Un jour, tandis qu'elle avait quatre ans environ, le soleil levant rougeoyait à l'horizon et ses rayons donnaient à son opulente chevelure rousse un éclat encore plus radieux. Pieds nus, elle marchait dans le sable en laissant derrière elle des traces que les vagues venaient aussitôt effacer. Elle se baissait parfois pour ramasser un coquillage, entrait dans l'eau jusqu'à mi-cuisse et riait quand elle se faisait éclabousser. Soudain, elle s'arrêta, regarda vers le large avec attention. Elle scruta la mer en silence. Ses baleines étaient-elles arrivées ? Elle pencha la tête jusqu'à ce que son oreille touche l'eau. Elle resta là un long moment, attentive, osant à peine respirer. Elle était perplexe. Daphnée entendit quelque chose qui semblait la fasciner, l'émerveiller. Elle se releva comme à regret, observa la mer encore un long moment puis, songeuse, elle revint lentement vers la maison. Ce jour-là, Daphnée descendit à la mer beaucoup plus souvent que d'habitude. Même les cris joyeux de bébé Alexandre n'arrivaient pas à la retenir. Elle était retournée nager deux fois, cinq fois, dix fois.

Après le repas du soir, Daphnée s'éclipsa de nouveau de la maison, traversa silencieusement le grand jardin fleuri et descendit sur le quai qui s'avançait dans l'anse où était accosté son petit zodiac rouge. Elle s'installa au bout du quai, ses pieds touchant à peine l'eau. Immobile, elle observait la mer avec ses morceaux d'écume qui se faisaient et se défaisaient au gré du vent. Quelques bateaux de pêcheurs rentraient. Daphnée se demanda si grand-papa Thomas serait sur l'un deux. Elle haussa les épaules :

— Ouais, il rentre pas souvent, grand-papa Thomas !

Soudain, Daphnée se figea net. Un léger remous dans l'anse, un mouvement à peine perceptible, un son discret. Elle s'approcha du bord encore un peu et doucement, elle se mit à balancer ses pieds dans l'eau. Tout à coup, à un mètre à peine, une tête sortit de l'eau. Un jeune dauphin se tenait à la verticale devant Daphnée et l'examinait avec attention. Daphnée demeura aussi immobile qu'une pierre. Lentement, son visage s'éclaira d'un large sourire.

— Bonjour, dit-elle à mi-voix. C'est donc toi qui tournes autour depuis ce matin ?

Mais déjà le dauphin avait plongé et disparu dans l'eau profonde.

— Eh, reviens, cria Daphnée, n'aie pas peur, reviens !

Daphnée se retourna brusquement en entendant les pas de quelqu'un qui s'avançait derrière elle.

— Ah, c'est toi ! Tu lui as fait peur…

Anne, une biologiste qui travaillait au centre de recherche pendant l'été, s'approcha de Daphnée.

— J'ai fait peur à qui ?

— Mais au dauphin souffleur, voyons !

— Au dauphin souffleur ? répéta Anne en levant les sourcils… Ils ne viennent jamais jusqu'ici, Daphnée. Tu sais bien, je t'ai expliqué qu'ils vivent dans les mers chaudes.

La petite fille ouvrit la bouche, regarda Anne interloquée, puis renonça à la contredire. Comme si elle, Daphnée, ne savait pas reconnaître de quelle espèce était ce petit dauphin ! Elle l'avait admiré si souvent dans les grands livres d'Anne… Comment pouvait-elle se tromper ?

La biologiste tendit la main à Daphnée.

— Viens, ta mère dit qu'il faut rentrer.

Mais Daphnée n'était pas d'humeur à suivre le pas mesuré d'Anne. Elle s'esquiva et remonta la colline en courant.

Inutile de dire que le lendemain, le jour était à peine levé que Daphnée était déjà sur le quai. Et « son » dauphin revint, puis le jour suivant et le jour d'après. Anne dut bien se rendre à l'évidence. Il y avait bel et bien un dauphin souffleur dans les eaux du golfe. Lentement, la petite fille l'apprivoisa :

— C'est quoi, ton nom ? demanda Daphnée en lui tendant un poisson.

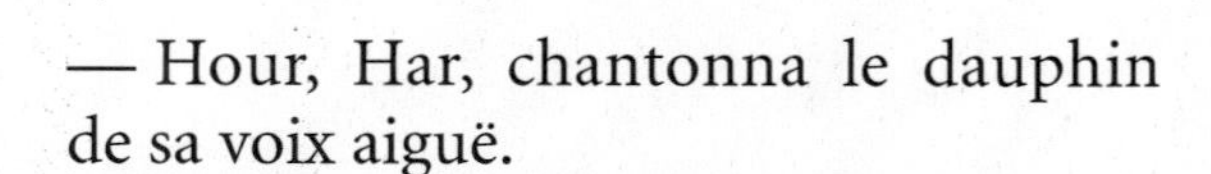

— Hour, Har, chantonna le dauphin de sa voix aiguë.

— Ah ! Elvar, dit Daphnée en riant, tu t'appelles Elvar !

L'arrivée d'Elvar causa tout un émoi au village, surtout au centre de recherche. Personne ne comprit par quel étrange phénomène ce jeune dauphin, seul de son espèce, était parvenu jusqu'à l'anse où il semblait avoir élu domicile. On supposa qu'il avait suivi un troupeau de baleines et que, perdu en mer, il n'avait pu retrouver seul le chemin de son golfe natal.

Cet été-là, Daphnée et Elvar devinrent inséparables. La petite fille lui apportait des poissons et, en retour, Elvar lui présentait son gros nez mouillé pour qu'elle y dépose un baiser. Daphnée sautait à l'eau et l'immense poisson s'approchait doucement d'elle pour qu'elle puisse s'accrocher à ses nageoires. Il la promenait alors sur son gros dos rond en faisant d'inimitables pirouettes. Daphnée n'avait jamais été aussi heureuse.

Il faut dire qu'au début, les parents de Daphnée ne voyaient pas cette nouvelle amitié d'un très bon œil. Ils trouvaient Daphnée bien petite et la bête bien grosse. Mais, petit à petit, ils se rassurèrent. Elvar était très doux, attentif aux moindres gestes de la fillette, et jamais il ne l'avait bousculée. Ils se firent si bien à l'idée que peu à peu, Elvar devint presque un membre de la famille.

Et ça durait maintenant depuis sept ans. Chaque printemps, Elvar revenait, fidèle au rendez-vous. Alexandre avait grandi, lui aussi, et ça faisait déjà belle lurette qu'il partageait les aventures de sa sœur.

Viviane Julien, *La Grenouille et la Baleine*, Coll. Contes pour tous, Éditions Québec Amérique, 1987.

EN PRIME

- Pour mieux comprendre le lien qui unit Daphnée et le dauphin Elvar, remplis la fiche **34**.

DES ANIMAUX INSÉPARABLES

Tu connais les raisons pour lesquelles certaines espèces d'animaux font des alliances. Par exemple, tu connais les avantages que retire le héron en s'associant avec le zèbre et l'éléphant. Mais que sais-tu de l'anémone de mer et de ses associés ?

L'anémone de mer, aussi appelée *actinie,* ressemble à s'y méprendre à une plante. Pourtant, elle fait bel et bien partie d'un groupe d'animaux aquatiques, les *anthozoaires,* mot d'origine grecque qui signifie *fleur-animal.*

L'anémone de mer possède un pied ventouse qui lui permet de se coller aux rochers tandis que ses centaines de tentacules se balancent au gré des mouvements de l'eau. D'une beauté fascinante, les anémones de mer forment de magnifiques tapis. Mais attention ! La belle anémone est un prédateur impitoyable. Ses tentacules forment un piège mortel pour les petits animaux marins qui osent s'aventurer près d'elle. Les cellules urticantes qui recouvrent ses tentacules paralysent et tuent ses proies. Elle peut ensuite les dévorer tranquillement.

UNE CURIEUSE AFFINITÉ

Pourtant, il est fréquent de voir nager un petit poisson très coloré tout près des tentacules redoutables de l'anémone de mer : l'amphiprion, mieux connu sous le nom de « poisson-clown ». Comment expliquer le fait que ce petit poisson ne soit pas englouti par l'anémone ? Il existe plusieurs hypothèses à ce sujet. Certains spécialistes croient qu'à force de se frotter contre l'actinie, le poisson-clown se couvre d'un épais mucus qui lui offre une protection

contre les cellules urticantes des tentacules. D'autres pensent qu'en mordillant les tentacules, il absorbe de légères quantités de poison qui, à la longue, l'immunisent.

L'alliance entre le poisson-clown et l'anémone de mer est bénéfique aux deux espèces. En plus d'être un mauvais nageur, le poisson-clown se fait facilement remarquer. Avec ses couleurs vives, qui lui ont d'ailleurs valu son nom, il est difficile pour lui de se cacher de ses prédateurs. À cause de ses nombreuses tentacules, l'anémone de mer lui offre donc une bonne protection. En échange, il semble que le poisson-clown lui serve d'appât pour attirer d'autres poissons qu'elle dévore ensuite. De plus, le poisson-clown élimine les déchets entre les tentacules de son anémone.

DES ALLIANCES QUI MÈNENT LOIN !

L'alliance entre l'anémone de mer et le poisson-clown n'est pas la seule alliance conclue par l'anémone. Le bernard-l'ermite, ou pagure, est un crustacé dont l'abdomen est mou et dépourvu de carapace. Pour protéger son ventre, il s'installe dans une coquille vide de mollusque. L'anémone vient se fixer sur cette coquille et c'est le début d'une étrange association. En plus de profiter des débris alimentaires laissés par son allié, la belle se fait transporter à divers endroits à dos de coquille. En retour, grâce à ses tentacules pourvus de cellules urticantes, l'anémone protège le bernard-l'ermite d'éventuels ennemis. Et que se passe-t-il si le pagure grandit et se sent trop à l'étroit à l'intérieur de son logement ? Il déménage dans une nouvelle coquille, mais sans oublier d'emmener sa belle alliée !

Un peu à la manière du bernard-l'ermite, un crabe nommé « melia tesselata » a également conclu un accord avec la belle anémone. En l'installant sur ses pinces, le crabe bénéficie de la protection de l'anémone de mer. Chacun y trouve son compte ! À leur façon, la belle anémone et ses associés donnent raison au proverbe « L'union fait la force ».

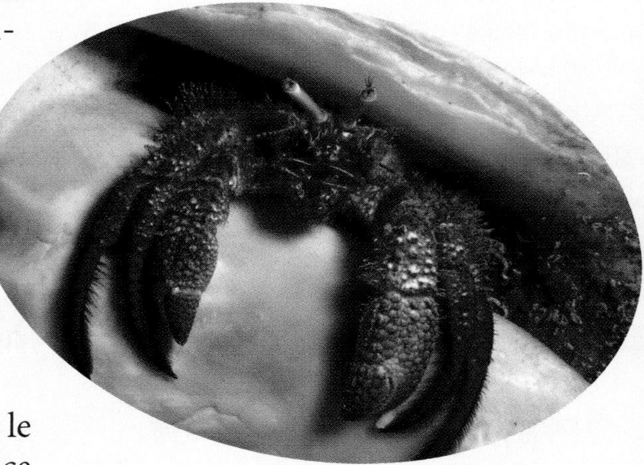

EN PRIME

- Pour mieux comprendre les alliances entre l'anémone de mer et ses associés, demande la fiche **35**.

À L'ÉCOLE DES MOHAWKS

Il existe plusieurs types d'écoles secondaires. Tu connais sans doute les écoles publiques, les écoles privées, les écoles d'éducation internationale. Mais connais-tu l'école des Mohawks ? Voici l'occasion d'en apprendre un peu plus sur une école vraiment branchée sur son milieu.

L'École de survie de Kahnawake n'est pas une école comme les autres. Bien sûr, on y enseigne les mêmes matières que dans les autres écoles. Mais en plus, les jeunes Mohawks y apprennent leur culture, leur langue et les traditions de leur peuple.

Avant la création de l'École de survie, les jeunes Mohawks fréquentaient l'école secondaire régulière, où on n'enseignait ni la langue, ni la culture, ni les traditions des Amérindiens. Les Mohawks ont donc décidé, en 1978, de fonder leur propre école.

On y enseigne les sciences, la géographie, les mathématiques, le français langue seconde, l'anglais, la menuiserie, mais aussi la langue et la culture mohawks. [...]

COMME UNE GRANDE FAMILLE

« Ça n'a pas été facile de commencer notre école, explique Alex McComber. Au début, les 250 élèves suivaient les cours dans des sous-sols, des couloirs, des garages, des maisons... dans tous les endroits qu'on pouvait trouver ! Les professeurs devaient courir d'un endroit à l'autre pour se rendre aux salles de classe. »

Au début, l'école ne possédait rien. Les concierges, les secrétaires et les animateurs n'étaient pas payés. En plus, c'étaient les parents qui servaient de professeurs. L'école était comme une grande famille ! Plus tard, d'autres écoles et des bibliothèques ont donné des livres, des manuels scolaires, des chaises et des pupitres.

Aujourd'hui, l'École de survie de Kahnawake est une école modèle. Des Amérindiens d'autres nations et d'autres provinces y viennent pour s'en inspirer et, à leur tour, enseigner les traditions amérindiennes aux enfants. L'école a déjà reçu des élèves de différentes nations amérindiennes : Micmacs, Oneidas, Attikameks, Cris, Algonquins. Des jeunes Mohawks de la réserve de Kanesatake voyagent une heure par jour pour assister aux cours !

Dans la réserve de Kahnawake, plus de la moitié des jeunes de 12 à 17 ans fréquentent l'École de survie.

Située au bord du fleuve Saint-Laurent, juste en face de Montréal, l'école comprend plusieurs petits pavillons reliés par des sentiers extérieurs. Ici, pas de longs couloirs, ni de sonnerie pour appeler les élèves en classe !

DES CONGÉS PARTICULIERS

La jeune Kawennahente (nom qui signifie Sa-parole-est-toujours-la-première) fréquente l'École de survie de Kahnawake. Comme toi, elle a plusieurs congés scolaires, comme les vacances d'été. En plus, elle a des congés spéciaux pour participer aux cérémonies de la récolte, du milieu de l'hiver, de la floraison des fraises, du jour du maïs et à la cérémonie des faux-visages. Ce sont des cérémonies de la religion mohawk.

Parfois, quand le vent souffle vers l'école, Kawennahente rentre plus tôt chez elle. Pas à cause d'une tradition, mais plutôt à cause de la pollution causée par une usine située tout près de l'école. Le vent transporte de la poussière de plomb et de l'acide qui proviennent de l'usine. Cela provoque des nausées et l'irritation des yeux.

D'autres fois, les élèves s'absentent de l'école pour échanger avec des jeunes de leur âge ou participer à des rencontres sportives et culturelles.

CHARPENTIERS DES NUAGES

Les Mohawks ont marqué leur nom en lettres d'or dans la construction des gratte-ciel. Au Canada et aux États-Unis, ils sont réputés pour leur habileté à travailler en hauteur. Ils ont participé à la construction de grands ouvrages comme

Empire State Building

le pont Mercier et l'Empire State Building, à New York. Il y a plusieurs années, Albert Stalk, un Mohawk de Kahnawake, a grimpé la tour Eiffel à Paris sans cordes de sécurité, chaussé de bottes de travail. Il lui a fallu toute une journée, parce qu'il pleuvait, mais surtout parce qu'il devait s'arrêter pour attendre les journalistes et les grimpeurs français qui le suivaient derrière.

Dans le gymnase de l'École de survie de Kahnawake, les étudiants apprennent le métier de charpentier des nuages. En plus de l'équilibre et de la force physique, l'escalade exige beaucoup de travail d'équipe.

Filles et garçons grimpent à près de 10 mètres de hauteur en s'agrippant des doigts, des pieds et des coudes sur de petits morceaux de briques. Pour grimper, ils s'attachent à une corde de sécurité qu'un partenaire doit tirer ou relâcher à la demande du grimpeur. Ainsi, les élèves ont de plus en plus confiance en eux ; ils apprennent à s'entraider et à s'encourager mutuellement.

Quand je suis arrivé au gymnase, la classe était en pleine discussion. La semaine précédente, quelqu'un s'était moqué d'un élève qui hésitait à grimper. « Tu as peur, tu as peur », avait-il dit en riant.

Après la discussion, les élèves ont recommencé l'exercice. Chaque fois que quelqu'un grimpait, ses collègues l'encourageaient. Ce jour-là, les élèves ont appris que grimper, ce n'était pas seulement un jeu, mais un sérieux travail d'équipe où il faut encourager la coopération. Plus tard, les élèves apprendront à grimper des rochers sans l'aide des cordes de sécurité.

Félix Atencio-Gonzales, *Les Débrouillards*, Décembre 1991, n° 109, pages 11 à 14.

LA CHANSON DES CHIFFRES

Voici une petite comptine pour apprendre à compter en langue mohawk.

Énska, tékeni, áshen, kaié:ri, wisk, iá:iak, tsá:ta, sha té:kon, tióhton, oié:ri.

Tánon, ohni oié:ri tho nika hiatónhkwake enkwéni enkahsete – oié:ri.

Un, deux, trois, quatre, cinq, six, sept, huit, neuf, dix.

Ce sont les chiffres que j'ai appris à compter – dix.

Traduction : Tekaronhio:ken Frank Jacobs, Centre Culturel Kanien'kehaka Raotitiohkwa.

QUI SONT LES MOHAWKS ?

Les Mohawks sont des Amérindiens qui font partie de la Confédération des Six Nations Iroquoises (appelée aussi Haudenosaunee). Cette Confédération a été créée avant l'existence du Canada. Environ 24 000 Mohawks vivent dans les villages de Kahnawake, Kanesatake, Akwesasne et Ganienkeh. Leur système politique, social et religieux est différent de celui des Blancs, et ils travaillent fort pour le préserver.

EN PRIME

- Dresse le portrait de cette école pas comme les autres dans la fiche **36**.

Josée l'imprévisible

Depuis qu'elle fréquente l'école secondaire, Josée s'est attiré quelques ennuis. Son côté imprévisible lui fait faire des gestes qui provoquent les réprimandes de ses professeurs. Mais depuis quelque temps, on dirait que le vent tourne…

Le lendemain, mon enseignant en arts plastiques, M. Jean Perreault, nous fit part d'un concours d'art oratoire organisé par un organisme du quartier. Ce concours aiguisa ma curiosité. « Ceux qui sont intéressés n'ont qu'à venir me voir à la fin du cours », précisa le professeur.

M. Perreault enseignait également le théâtre à l'école. Les élèves le trouvaient original. Il avait le don de transformer les situations les plus dramatiques en bouffonneries. Il avait aussi l'art de mettre les élèves en boîte avec ses jeux de mots. L'an dernier, il avait joué un tour à un élève de quatrième secondaire. Celui-ci avait pris l'habitude de dormir durant son cours du lundi matin. M. Perreault avait dissimulé un réveille-matin dans son pupitre.

Je décidai donc de m'inscrire. M. Perreault parut très surpris de mon intérêt pour l'art oratoire. Il croyait que je me passionnais uniquement pour le dessin.

— Tu veux réellement participer à ce concours ? demanda-t-il d'un ton perplexe.

— Oui, monsieur.

— Tu ne me connais pas, ajouta-t-il d'un air menaçant. En arts plastiques, je suis un agneau, mais en art oratoire, je suis un loup. Penses-y sérieusement avant de te lancer. Es-tu prête à travailler ?

— Oui, monsieur, répondis-je très fermement.

J'étais surprise de ma propre détermination.

M. Perreault me remit un conte intitulé *La chèvre de monsieur Seguin.*

—Vendredi, tu liras devant la classe les deux premières pages de ce texte. Je veux que tu fasses une lecture intelligente. Imagine que tu racontes cette histoire à un enfant. Est-ce que tu saisis?

—Oui, monsieur, je vous comprends très bien.

—Je n'en suis pas si sûr, ajouta M. Perreault d'un air malicieux.

Tandis qu'il parlait, je me réjouissais d'avoir trouvé une histoire que je pourrais lire à Marc.

—Si je suis satisfait, j'accepterai de t'aider. Prépare-toi, trancha M. Perreault.

Je partis heureuse. J'étais déterminée à mériter l'estime de M. Perreault. Ce professeur me fascinait. Il trouvait toujours les bons mots pour me parler. Il stimulait mon côté créateur et me donnait confiance en moi.

Je parcourus le texte en entier. Puis, je relus les deux premières pages. J'imaginais que Marc était devant moi. Il me regardait avec ses grands yeux sombres. Je demandai à mes parents de m'écouter et de me signaler mes fautes. Ma mère déclara que je ne mordais pas assez dans certains mots. Mon père, lui, me suggéra de lire plus lentement.

J'empruntai le magnétophone de mon frère. À mon premier essai, mon texte était récité sur un ton beaucoup trop monocorde. Je n'y mettais pas assez d'émotion. Je recommençai plusieurs fois. Il était presque 11 heures lorsque mon frère frappa à ma porte. «Josée, arrête. Tu m'agaces», s'écria-t-il.

Le lendemain soir, je me rendis avec empressement chez Mme Lavoie. J'avais hâte de lire mon histoire à son fils. Marc vint m'accueillir en criant: «Lozée! Lozée!» Son sourire me fit un bien immense.

Lorsque vint l'heure de le coucher, je lui lus mon histoire. Marc m'écouta jusqu'à la fin. Au moment où j'entamais le passage sur la bataille entre le loup et la petite chèvre, il se recroquevilla un peu et se rapprocha de moi. De grosses larmes coulaient sur ses joues. Il les essuya avec son poing et demanda:

— Lozée, veux-tu me lire cette histoire encore une fois ?

— Au complet ?

— Oui, Lozée.

Je recommençai jusqu'à ce qu'il tombe de sommeil. J'étais contente. Ma lecture avait été un véritable succès.

Le lendemain, comme prévu, le professeur invita les élèves qui s'étaient inscrits à lire leur texte devant toute la classe. Nous étions quatre. Je passai la dernière. Les autres avaient reçu un accueil poli. Au cours de ma lecture, je levai les yeux. Le professeur me regardait avec une attention soutenue. Tous les élèves m'écoutaient religieusement. Lorsque j'eus fini de lire, des applaudissements retentirent. Le professeur s'écria : « Voilà enfin ce que j'appelle une lecture intelligente. »

André Tousignant, *Josée l'imprévisible*, Éditions HRW (Coll. L'Heure Plaisir), 1992.

EN PRIME

- Dans la fiche **37**, examine comment la relation entre Josée et son professeur, M. Perreault, donne des ailes à Josée.

La fameuse seconde ère

Aujourd'hui, Alexis fait son entrée officielle à la polyvalente. Vivra-t-il une journée de rêve ou un véritable cauchemar?

« 1205? » Je cherche. Je sens ma chemise toute mouillée. Les corridors sont presque vides. « 1205? » Je longe un nouveau corridor. Chercher un local dans une polyvalente, c'est pire que de chercher une aiguille dans une botte de foin. Je me promène d'un corridor à l'autre depuis vingt minutes. Je vais être en retard à mon premier cours de l'année! « Ahhh! » que je fais, soulagé en apercevant 1201, puis 1202, 1203, 1204 et... 1262! « ??? »... Je reviens sur mes pas et regarde de l'autre côté: 1281! « Mais ils le font exprès! » Plus un chat dans les corridors! Seul! Je suis le seul à ne pas être capable de trouver son local. Pourquoi moi? Pourquoi toujours moi? Je cours comme un fou! Je vais devenir fou! Soudain, droit devant moi, apparaît comme par enchantement le 1205. Eurêka! Je fonce vers la porte. Avant d'ouvrir, je me replace les cheveux, puis je pousse la porte. Plein de monde que je ne connais pas. Plein de monde qui part à rire. Tout le monde s'amuse de me voir rougir alors que la prof me regarde avec des yeux menaçants.

— Euh... je... je suis bien dans la classe de... de madame Poupou... Poupoul... euh! POULIANE? réussis-je finalement à marmonner.

« HA!... HA! HA! HA! HA! » fait toute la classe, étranglée de rire, tandis que la prof, qui semble vouloir m'étrangler tout court, me lance comme une torpille: « JE SUIS MADAME BOULIANE! » Et sans me laisser le temps de m'excuser, madame Bouliane ajoute:

— VOUS ÊTES EN RETARD! AU BUREAU DE LA DIRECTRICE!

— Euh… oui, que je murmure. Mais… mais OÙ?

— AU REZ-DE-CHAUSSÉE! crie-t-elle alors que les élèves se tordent de rire.

Comme un piteux pitou, tête basse, je ressors.

Quinze minutes plus tard, j'ai l'air d'une aiguille et la polyvalente, d'une botte de foin: pas moyen de trouver le bureau de la directrice!

— Aye! ti-gars! Aurais-tu perdu ton chemin, par hasard? m'interroge un jeune homme en salopette, la tête couverte d'une drôle de casquette.

« Sauvé! »

Le concierge m'offre gentiment de m'accompagner vers ma destination, voyant mon désarroi. Et alors que nous traversons le corridor des cases, il entend des bruits de pas que je ne parviens pas à déceler. Un peu énervé, il m'assure qu'il s'agit du responsable de la discipline.

— Mieux vaut qu'il ne te voie pas ici, mon garçon! dit-il.

Il me le décrit comme un monstre. Bien que je croie qu'il exagère, je ne peux que m'apeurer, surtout dans ma situation. Aussi, quand le concierge m'ordonne: « Allez! entre! Cache-toi vite! », je ne fais ni une ni deux, je m'enfouis dans une case. BANG! Je suis à l'abri, tout recroquevillé. Et là, qu'est-ce que j'entends? Non! pas le responsable de la discipline, mais plutôt: « HA! HA! HA! HA!… CLOC! » Le concierge vient de m'embarrer avec un cadenas. « HA! HA! HA! HA! » Par les fissures, je le vois se défaire de sa casquette et enlever sa salopette. Entre ses rires démoniaques, il me lance: « 12 à gauche, 24 à droite et 36 à gauche! » Même sans déguisement, l'élève garde sa voix de concierge et il ajoute: « Et bienvenue à la polyvalente! HA! HA! HA! HA! » Puis il s'éloigne en continuant de répéter: « 12 à gauche, 24 à droite et 36 à gauche!… 12 à gauche, 24… »

Boum! Je suis bel et bien emprisonné. 12 à gauche… BOUM! BOUM! Je suis humilié. 24 à droite… Je dois retenir la combinaison. Quelqu'un va bien passer devant la case! Boum! Boum! Boum! Je ne peux pas rester ici pendant mon cours. 36 à gauche… BOUM! BOUM! BOUM! 12 à gauche, 24 à droite, 36 à gauche! « J'VEUX SORTIR! J'VEUX SORTIR! » Je panique. BOUMMMM!!! BOUMMMM!!! BOUMMMM!!! « AU SECOURS! AU… »

— … AU SECOURS! AU SECOURS! que je hurle, assis carré dans mon lit.[…]

*

Je cours, je cours, je cours... à mon cours!

Dire que la journée avait si bien débuté: même dans l'autobus scolaire, j'avais réussi un tour de force, soit de m'asseoir à côté d'une fille et, surtout, de jaser avec elle. Quelques mots. En fait, un mot! Mais pas le moindre: «Bonjour!» Et j'en suis fier! Les grands (dont mes deux frères) criaient, s'engueulaient et chahutaient pour nous impressionner. Les p'tits nouveaux restaient silencieux. Passant outre à ma timidité, normale en pareille occasion, j'avais bel et bien jasé avec ma voisine, puisque celle-ci, nouvelle et aussi courageuse que moi, m'avait souri et répondu: «Salut!»

DRIIIINNNNGGGGG!!!!

Pourtant, en ce moment, tout semble vouloir se gâter: la deuxième cloche vient de sonner, je n'ai toujours pas trouvé le 2040 et je ne parviens pas à m'arracher de la tête ma porte de case... «Ah! misère! je ne suis pas sorti du bois!» À mon grand soulagement, moins d'une minute plus tard, je repère le bon local. Je pousse la porte de la classe et j'y entre... comme dans un certain cauchemar. J'entends des rires et la prof me dire:

— Bonjour!

«Elle a les yeux croches!» La prof me regarde au-dessus de la tête, un peu à gauche, mais pas dans les yeux. «Pas grave: elle sourit, c'est ce qui compte!» que je me dis.

— Entrez, entrez... continue-t-elle tandis que je suis surpris d'être vouvoyé ainsi. Allez vous choisir une bonne place, Messieurs... Le spectacle va bientôt commencer!

«Messieurs?»

Je me retourne: oh! bonheur! deux autres retardataires sont derrière moi et eux aussi sont tout gênés.

— Je suis madame Bouliane, renchérit la prof. Et connaissez-vous la différence entre faire le tour d'une polyvalente et faire un tour de piste dans un cirque?

Bien entendu, personne n'ose répondre.

— Eh bien! aucune! intervient madame Bouliane. DANS LES DEUX CAS, ON A L'IMPRESSION DE TOUJOURS TOURNER EN ROND!

Des rires et des murmures de soulagement envahissent la classe: la prof comprend notre désarroi face à ce monstre qu'est la polyvalente quand on y entre pour la première fois.

— Il nous manque sûrement encore un ou deux clowns pour commencer le spectacle... s'amuse notre prof, en regardant les quelques sièges encore vides. J'ai bien hâte de voir leur visage, et surtout les grimaces qu'ils vont nous faire.

La classe rit. Et moi, donc!

Les rires redoublent lorsque tout à coup, dans la porte, deux têtes! Une brunette et un roux nous regardent comme deux piteux pitous perdus...

— Entrez! Entrez! Je suis madame Bouliane. ET BIENVENUE AU CIRQUE!

Nos deux retardataires ont les yeux sortis des orbites; la classe s'esclaffe.

— Quelle est la différence entre…

« Elle est bien, madame Poupoul… euh ! Bouliane ! »

Un, deux, trois, quatre… !

Non ! ce n'est pas le compte d'un groupe musical qui s'apprête à jouer; il s'agit plutôt de celui de la fin de ma première journée à la polyvalente : *un, deux, trois, quatre* profs Eh oui ! Quatre dans une même journée. *Un, deux, trois, quatre* cours, dans *un, deux, trois, quatre* locaux différents, avec *un, deux, trois, quatre* groupes différents. Tout un changement. Faudrait même parler de bouleversement. Pourtant, là, je me sens *une, deux, trois, quatre* fois plus rassuré qu'au début de la journée. En effet, mes profs de maths, de morale et d'arts plastiques sont presque aussi drôles que madame Bouliane. Si ce n'était pas les *un, deux, trois, quatre* devoirs à faire, je serais porté à croire que la poly, c'est le paradis. Mais pour le moment, ma grande préoccupation, mis à part d'être à « 16 heures 10 pétant » au 6889 pour prendre mes effets personnels (comme ce fut le cas ce matin à 11 heures 15 pétant !), c'est d'arriver à mémoriser les noms de mes profs, surtout qu'il y en a trois que je ne connais toujours pas. Comment vais-je faire ? Sept profs ! Mais en y réfléchissant bien, j'arrive à la conclusion que mon problème est bien petit en regard de celui de mes profs : comment vont-ils pouvoir retenir MON NOM ? À moins de faire le fou, de monter debout sur ma chaise… Et là, je réalise que l'époque du « prof-maman-papa-grande sœur-petit frère-grand *chum* » est bel et bien terminée.

Un, deux, trois, quatre… ! bat soudainement mon cœur.

Yvon Brochu, *Alexis dans de beaux draps*, Éditions Pierre Tisseyre, 1992.

EN PRIME

- Tu as pris plaisir à découvrir la première journée de classe d'Alexis à l'école secondaire ? Pour apprécier pleinement cette histoire, demande la fiche **38**.

Le Gratte-mots

La vie dans une école secondaire est racontée par les journalistes du Gratte-mots, *un journal étudiant. Découvre ce journal original et ses journalistes peu banals en lisant un extrait du premier numéro. Bonne lecture!*

Volume 1, Numéro 1

Chers galériens et *galériennes,*

Eh oui, l'année a déjà commencé! Une nouvelle année de galère, de dur labeur pas rémunéré. Mais rassurez-vous, nous ramerons ensemble et nous tâcherons de vous remonter le moral. En effet, grâce à une généreuse contribution de l'école, nous avons l'honneur, Laurent, Isabelle, Éric, Julie et moi de vous présenter ce nouveau journal. Tout y est nouveau, d'ailleurs, comme vous aurez l'amabilité de le constater: le contenu, la présentation, les informations vont vous époustoufler.

Réjouissez-vous bonnes gens, vous pourrez vous éclater tous les deux mois, car nous sortirons un numéro d'octobre à mai inclusivement, qui sera plus tonique que le meilleur des fortifiants.

Nous aurons pour principe d'être les meilleurs, les plus drôles, les mieux informés et surtout les plus différents de tous les journaux. Pour commencer, nous ne parlerons pas d'Halloween! Nous savons, nous savons, c'est la tradition. En octobre on se doit de parler d'Halloween, l'origine d'Halloween, l'histoire d'Halloween, les sorcières et leurs balais, les revenants… Eh bien, nous ne le ferons pas. À bas les traditions! Nous ne vous parlerons pas non plus de Noël ni du Nouvel An, encore moins de la fête des rois, la St-Valentin et Pâques. Nous laissons ces sujets à tous les coins-coins qui se démangent les cellules blanches à trouver des sujets archi-usés, lavés, blanchis… Nous, nous avons assez d'imagination pour nous passer du calendrier.

De quoi vous parlerons-nous alors? Nous vous entretiendrons du plus enthousiasmant des sujets, le seul réellement inépuisable: VOUS.

Solidairement vôtre,

Francis

L'équipe du Gratte-mots:

— Le poète-maison : **Laurent Trépanier**

— La Einstein en jupons, futur prix Nobel, notre hyperbollée : **Isabelle Mayrand**

— Le reporter tous terrains, qui n'a ni les yeux ni la langue dans sa poche : **Éric Lavoie**

— La superpotineuse, championne toutes catégories du papotage, médaille d'or du mémérage, la seule, l'unique : **Julie Laramée**

NAISSANCE EN DOUCEUR

C'est le prof de français qui nous a lancé le défi :

— Qui va s'occuper du journal étudiant cette année ?

En effet, tous les membres de l'équipe de l'an dernier avaient quitté l'école. Démarrer un journal, ça me plaisait. Je me voyais bien rédacteur en chef. J'écrirais plein d'éditoriaux sur le vécu des élèves du secondaire, notre réalité profonde et insondable, nos rêves, nos espoirs. Bref, un journal qui prendrait notre parti à nous les jeunes, sans honte et sans complexes.

J'en ai parlé à Éric en premier. Ceux qui le connaissent savent qu'Éric est un fonceur, l'idée lui a plu, il l'a adoptée, sauf qu'il a ajouté son grain de sel :

— Oui, mais il doit être rigolo, un truc sérieux, ça ne marchera jamais. Moi, je crois qu'il faut prendre la vie du bon côté au lieu de passer son temps en analyses inutiles.

Nous étions dans le sous-sol de sa maison et discutions d'arrache-langue

lorsque Laurent est arrivé. Il rapportait une cassette [...] à Éric. Nous savions que Laurent aimait écrire, naturellement nous l'avons invité à se joindre à nous.

— Qu'est-ce que tu dirais d'écrire pour un journal qui relaterait sans honte et sans complexes la réalité profonde et insondable des jeunes et ceci de manière amusante ?

Ceux qui connaissent Laurent savent que c'est un type réfléchi, un grand sensible aussi. Il nous a regardés dans les yeux pendant cinq minutes avant de répondre :

— Oui, ce serait pas mal.

Mais il n'a pas pu s'empêcher de rajouter son petit grain de poivre :

— Il ne faudrait pas oublier de parler aussi de l'âme et du cœur, à notre époque on s'attache trop au sensationnel, à l'aspect superficiel des choses. Moi, je verrais un journal plein d'émotion et de sensibilité.

Deux jours plus tard, à la fin du cours de français nous étions restés tous les trois à discuter de notre projet lorsque Julie est arrivée :

— Eh les gars, c'est vrai que vous avez envie de partir un nouveau journal ?

Nous en sommes restés tout cois, comme on dit dans les bons livres. Comment Julie pouvait-elle déjà savoir alors que nous n'en avions parlé à personne et que nous n'étions encore sûrs de rien ? Ceux qui connaissent Julie savent qu'elle sait toujours tout, elle devine avant vous ce que vous allez penser, alors inutile de discuter avec elle on ne peut qu'approuver. Nous l'avons invitée à se joindre à l'équipe :

— Que dirais-tu d'un journal qui relaterait sans honte et sans complexes la réalité profonde et insondable du cœur et de l'âme des jeunes, de façon amusante, sensible et pleine d'émotion ?

Julie nous a regardés d'un drôle d'air :

— Ouais ! Je vois, nous a-t-elle répondu, sur un ton peu convaincant.

— Tu peux donner ton point de vue aussi, tu sais.

— Eh bien moi, je vais vous dire, les gars, ce que les jeunes veulent. Ils veulent un journal qui leur raconte ce qui se passe dans leur école. Qui a fait quoi, qui a vu qui, la vie secrète des profs, des trucs comme ça.

Ah! Bon!

— Vous comprenez, a-t-elle ajouté, c'est bien beau de vouloir parler du fin fond de votre cœur, mais il faut que ça plaise. Si personne ne lit votre journal parce que ça ne touche que vous, à quoi ça vous avance?

Ah! Bon!

Elle poursuivit, de peur que nous n'ayons pas encore tout à fait compris:

— Le secret, c'est de répondre à un besoin, de plaire et non de se faire plaisir à soi.

Ah! Bon!

—Les jeunes aiment que l'on mentionne leur nom, relève leurs exploits, il faut flatter leur amour-propre.

Julie, elle devrait devenir vendeuse d'assurances plus tard, elle ferait une fortune.

Le lendemain, elle revient avec Isabelle:

— J'ai parlé à Isabelle de votre journal, elle serait très intéressée d'écrire des articles sur l'environnement. Moi, je crois que c'est une bonne idée, la pollution et tout ça, ce sont des choses qui nous touchent de très près.

Ceux qui connaissent Isabelle savent que c'est l'intellectuelle de l'école et que nous la verrions très bien chercheuse à l'Université.

— Je crois qu'il faut parler des grands problèmes de notre temps. Après tout, nous y sommes confrontés tous les jours.

Alors voici, ami lecteur, la recette de notre journal: il essaye de relater sans honte et sans complexes et ceci de façon amusante, sensible et pleine d'émotion, la réalité profonde et insondable du cœur et de l'âme des élèves de notre école, en tenant compte de ceux qui les entourent ainsi que du contexte socio-politico-économique et de l'environnement ambiant proche et lointain.

Si vous désirez y apporter votre propre assaisonnement, libre à vous, la salade appartient à tout le monde.

(re-Francis) [...]

L'ÉCO-LOGIQUE

Je suis désolée de jouer le rôle de trouble-fête à l'intérieur de ce journal. On m'a confié la tâche d'écrire des articles sérieux sur l'écologie et ce domaine n'est pas drôle, mais c'est vital de le connaître. Il y a un temps pour rire et se détendre, mais il y a aussi un temps pour réfléchir, et ce temps-là, il faut le prendre.

Aujourd'hui, je voudrais parler du ciel, je veux en parler parce qu'il est bien malade. Nous avons tous été informés de l'existence d'un «trou» dans la couche d'ozone au-dessus de l'Antarctique qui serait en partie dû aux aérosols. Nous connaissons tous également l'effet-serre qui est dû à l'accumulation de gaz dans l'atmosphère, en particulier le gaz carbonique. Mais ce que l'on sait moins, c'est qu'un autre gaz contribue à l'effet de serre bien plus que le gaz carbonique, il s'agit du méthane. Il provient des grandes décharges d'ordures, des mines de houille, des fermes d'élevage mais la principale source de méthane ce sont les toundras et ses forêts. Une des sources principales, en dehors de la Sibérie occidentale, se trouve chez nous, au Canada, dans les environs de la baie d'Hudson. On ignore les raisons de ces émissions. Sont-elles dues aux puits de forage ou au processus de dégel de la toundra? Les savants proposent des postes d'observation du dégagement de méthane dans l'atmosphère.

Affaire à surveiller... Demain nous appartient, veillons-y bien!

Écologiquement vôtre,

Isabelle

Marie Page, *Le Gratte-mots*, Les Éditions Héritage (Coll. Échos, niveau II), 1992.

EN PRIME

• Les journalistes du *Gratte-mots* ont des personnalités et des intérêts complémentaires. Utilise la fiche **39** pour démontrer de quelle façon chaque journaliste collabore au journal étudiant.

ET SI J'OSAIS ?

L'école secondaire offre souvent des activités parascolaires comme le théâtre, la danse, le handball. Ton entrée au secondaire pourrait être l'occasion de te lancer dans la pratique d'une nouvelle activité.

LES ARTS PLASTIQUES

Et si vous, le maladroit qui renversez votre tasse de café ou qui trébuchez sur vos lacets défaits, vous cultiviez votre coup de crayon au point que le prof de dessin juge bon de faire une exposition de vos travaux à la fête du collège ?

Tous les arts plastiques (dessin, peinture, sculpture, poterie, mosaïque, vitrail, photo, vidéo, tissage, patchwork...) peuvent être pratiqués de façon solitaire, mais aussi dans des ateliers, en compagnie de personnes partageant la même passion et avec qui vous pourrez nouer plus facilement des liens grâce à des sujets de conversation tout trouvés. On se rencontre à un moment précis de la semaine, on apprend ensemble, on confronte ses travaux, on échange des techniques... Ces activités peuvent devenir l'expression de l'univers que vous portiez secrètement en vous et que vous pourrez enfin transmettre aux autres. Vous aurez la possibilité de vous contenter de montrer ce que vous faites à vos camarades, à votre famille ou de participer à des expositions individuelles ou collectives. Vous cultiverez également votre maîtrise du geste qui se trouve être souvent l'une des faiblesses du timide.

LA DANSE, LA GYMNASTIQUE, LE PATINAGE

Et si vous, la discrète, à force de travail à la barre, d'assouplissements et d'entrechats, vous vous illustriez lors du ballet de fin d'année ? La danse permet de prendre conscience de son corps, de le modeler, de s'y sentir à l'aise, puis de s'approprier l'espace. Ses effets vous seront bénéfiques. Vous êtes si mal à l'aise dans votre peau, si critique sur votre apparence ! Outre ses effets sur le corps, grâce au travail des muscles, de la souplesse et de l'agilité, la danse est un art des plus esthétiques procurant de réelles satisfactions. Vous vous en sentirez vraiment valorisée. L'activité d'ensemble du ballet vous obligera à tenir compte des autres, à vous intégrer. Dans le ballet classique, la hiérarchie prépare impitoyablement à la classification et à la compétition sociale ! Si vous êtes réellement motivée et surtout très persévérante, il vous faudra lutter, accepter enfin la compétition pour gravir les échelons, de petit rat à danseuse étoile !

Il en est de même du patinage artistique ou de la gymnastique. Et si vous ne souhaitez pas vous lancer dans des activités aussi exigeantes, rien ne vous empêche de vous inscrire à un cours de salsa !

LE CHANT

Et si vous, l'introverti, vous vous révéliez être doté d'une voix magnifique et capable de devenir l'un des chanteurs ou même le soliste du groupe funk de l'école ?

Le chant, en développant et en affermissant la voix, en travaillant le souffle, est un excellent procédé de libération et d'affirmation de soi pour le timide, à qui la verbalisation et l'exposition aux autres sont si difficiles. Il procure un véritable bien-être physique. Et puis, que l'on soit soliste d'un groupe ou membre d'une chorale, il est bon de chanter à plusieurs plutôt que tout seul dans sa salle de bains !

LA MUSIQUE

La pratique d'un instrument de musique est, elle aussi, un facteur de développement personnel et de communication avec les autres. L'apprentissage en est parfois lent et laborieux. Au début, le solfège peut vous paraître rébarbatif, mais il vous donnera accès à une autre forme de langage que la parole. Piano, djumbé, flûte à bec, violon, cithare, clavecin, guitare électrique, viole de gambe, synthétiseur, flûte de pan, accordéon, saxo... Vous avez le choix entre une infinité d'instruments de toutes les époques, de tous les continents et de toutes les cultures. Après le premier temps d'apprentissage, vous éprouverez un grand plaisir à cette pratique. Après les heures d'exercices et de répétitions solitaires, l'exécution publique – même si elle est précédée des affres du trac ! – vous donnera de vives satisfactions, la sensation d'avoir surmonté votre timidité en prenant et en offrant du plaisir. Cela ne pourra qu'améliorer l'estime que vous aurez de vous-même. Et puis, vous n'êtes pas obligé de devenir soliste ! Faire partie d'un groupe favorisera votre sentiment d'intégration, de partage et de participation à un moment exceptionnel. [...]

LES SPORTS COLLECTIFS

Ce remède naturel qu'est l'épreuve physique pour les timides est valable pour tous les sports, en particulier les sports collectifs, qui favorisent la vie en groupe et renforcent l'esprit de collaboration.

Il y en a pour tous les goûts ! Que vous préfériez le handball au basket, le foot au rugby, le volley au hockey sur glace... peu importe ! L'important est de mettre vos qualités, votre énergie et votre volonté au service du club que vous aurez choisi. Même des sports qui semblent plus individuels, comme l'athlétisme, le tennis ou l'escrime, se pratiquent sous la bannière d'une équipe.

Se rendre à un match en spectateur ou en tant que participant actif est une véritable allégresse partagée. Il n'y a qu'à voir l'enthousiasme vibrant des *supporters* ou les effusions de joie des joueurs lorsqu'ils viennent de marquer un point ! Dans la gaieté comme dans la déception, les victoires et les défaites unissent les joueurs ainsi que leurs *fans*. [...]

LE THÉÂTRE

Et si vous, qui bégayez toujours de façon lamentable lorsqu'on vous interroge à brûle-pourpoint, vous vous montriez soudain très à l'aise lorsque vous récitez un texte appris par cœur après des heures de répétition solitaire dans le secret de votre chambre ? Vous pourriez tenir alors le rôle principal dans la prochaine pièce montée par le prof de français !

En effet, le théâtre se révèle être un moyen très efficace de lutter contre ses blocages. Là aussi, les exercices sur la voix, le souffle, la diction, la mémoire, les postures et les déplacements du corps favorisent l'aisance, l'acceptation et l'affirmation de soi. Ils réduisent, par l'accoutumance, la peur de s'exposer au regard des autres, qu'il s'agisse de camarades de cours ou d'un public occasionnel. Si vous êtes un travailleur obstiné particulièrement doué, vous envisagerez peut-être de devenir professionnel, malgré les aléas et les difficultés liés à ce métier. Mais vous pourrez aussi vous contenter de demeurer amateur. Le défi est moins angoissant, le regard des autres plus indulgent. Vous privilégierez davantage le plaisir que l'ambition. Rien ne vous empêchera d'utiliser les acquis du travail accompli (voix claire, amélioration de l'élocution, de la mémoire, de l'assurance) pour les exposés ou un oral d'examen. Les situations rencontrées fictivement sur scène (conflits, explosions de joie ou de colère, scènes d'amour...), auxquelles vous êtes parfois occasionnellement confronté dans la vie avec difficulté, vous aideront à déceler les bons modèles de comportement.

Claude Clément, *Je suis trop timide...*,
De La Martinière Jeunesse, 2002.

EN PRIME

• Quelles activités parascolaires conviendraient le mieux à ta personnalité ? Demande la fiche **40** pour mener ta réflexion à bien.

mordicus

Volume 4, numéro 11

DOSSIER
Objectif Terre

Le tour du monde en couleurs

Se nourrir au contact des autres

Bâtir le monde

C'est au fruit qu'on reconnaît l'arbre

Multimédia

De source sûre

Section grammaticale

Ça tombe sous le sens

Sommaire

Volume 4, numéro 11

Sous-thématique 2: Bâtir le monde

Boîte aux lettres

Un taux de participation élevé

Nicolas, notre enseignant, a proposé d'utiliser des jetons pour nos discussions dans notre projet sur la langue française. Cela a rappelé aux plus bavards de laisser la parole aux autres. Moi qui suis timide, j'en ai profité pour prendre la parole. Merci de nous avoir fait découvrir ce truc.

Arnaud

En effet, ce truc, que nous devons à des spécialistes de la coopération, favorise une participation plus égale entre les membres d'une équipe. Bravo pour ta participation !

Boîte à outils

J'ai été très surprise de constater que les écrivains utilisaient fréquemment des outils de référence pour corriger leurs textes. Ça m'a étonnée de savoir qu'ils ne savent pas tout par cœur et qu'ils doivent, eux aussi, consulter des dictionnaires et des grammaires. Ça m'a encouragée !

Laetitia

Étrangement, Laetitia, plus on connaît la langue, plus on cultive le doute et plus on consulte des ouvrages de référence pour dissiper ces doutes. Et c'est en consultant ces ouvrages qu'on en apprend davantage sur la langue.

Vers le secondaire

Avant j'avais un peu peur d'entrer au secondaire. Mais dernièrement, j'ai eu la chance de visiter l'école secondaire que je fréquenterai l'an prochain. J'ai rencontré des enseignants et des enseignantes très sympathiques à cette école. Finalement, j'ai plutôt hâte d'entrer au secondaire !

Marie-Claude

Comme le disait Sylvie Hébert, une spécialiste du secondaire, visiter sa future école est une bonne façon d'apprivoiser ses craintes. Bonne chance pour l'an prochain !

Et toi, que retiens-tu du numéro 10 ? Y a-t-il des sujets ou des activités qui t'ont plu particulièrement ? Quelles activités t'ont permis d'apprendre de nouvelles choses ? Qu'as-tu trouvé facile ? difficile ?

Avant d'entreprendre le numéro 11, fais le point sur tes apprentissages.

Éditorial

Construire son monde, construire le monde

Bonjour madame la Terre, Bien que nous vous aimions, nous vous négligeons, à l'occasion. Nous agissons comme si vos réserves étaient inépuisables. Mais vous malmener, madame, nous l'avons compris, c'est nous maltraiter aussi. Dès aujourd'hui, nous nous engageons à prendre soin de vous, c'est-à-dire à prendre soin de nous. Promis!

La rédactrice en chef, au nom de tous les enfants

Soigner son image

Je ressemble à une comparaison. Sans le savoir, tu m'utilises pour créer des images, évoquer des sensations, des impressions, traduire ton interprétation des choses, ta vision du monde. Je suis une **métaphore**.

MÉTAPHORE n. f. – Figure de style constituée d'une comparaison abrégée qui omet le signe de la comparaison. *La neige a recouvert la campagne d'un blanc manteau.* Cette phrase contient une métaphore : la neige est comparée à un vêtement blanc.

de Villers, Marie-Éva, *Le Multidictionnaire de la langue française*, 3e édition, Éditions Québec Amérique, 1997

1. Pour mieux comprendre ce qu'est une métaphore, lis cette anecdote rapportée par l'écrivain Antonio Skarmeta.

Le ciel pleure

Au Chili. Le modeste facteur Mario Jimenez a pour unique client le grand poète Pablo Neruda. Il s'interroge : qu'est-ce qu'une métaphore ? Neruda lui répond :

– Eh bien, quand tu dis que le ciel pleure : qu'est-ce que tu veux exprimer ?

– C'est facile! Qu'il pleut, voyons !

– Eh bien, c'est ça, une métaphore.

– Et pourquoi, si c'est une chose tellement facile, on emploie un nom si compliqué ?

– Parce que les noms n'ont rien à voir avec la simplicité ou la complexité des choses. Avec ta théorie une petite chose qui vole ne devrait pas avoir un nom aussi long que papillon. Pense qu'éléphant a le même nombre de lettres que papillon et pourtant c'est beaucoup plus grand et ça ne vole pas, conclut le poète [...].

Antonio Skarmeta, *Une ardente patience*, © Éditions Du Seuil, 1987, pour la traduction française, Coll. Point Virgule (nouvelle série), 2001.

2. Pour t'aider à interpréter des métaphores, fais l'activité de la fiche **41**.

3. Voici des métaphores empruntées à divers écrivains. En équipe de deux ou trois, lisez-les et expliquez-les dans vos mots.

a) J'ai dix ans, des cheveux couleur **carottes râpées**. (Gudule)

b) La nuit m'écrase de **sa grosse patte noire**. (Sandrine Pernusch)

c) Les routes n'étaient que **nuages de poussière**. (Geneviève Le Moal)

d) L'étang reflète, **profond miroir**, la silhouette du saule noir. (Paul Verlaine)

e) Poésie ! ô trésor ! **perle** de la pensée. (Alfred de Vigny)

f) Écoute le tonnerre, ce **bûcheron** traverser la nuit. (Jean Malrieu)

g) Le vent **bourdonne** dans les platanes. (Jean Giono)

h) Ah ! comme la neige a neigé
Ma vitre est un **jardin de givre**. (Émile Nelligan)

CONNAISSANCE

L É A

La comparaison et la métaphore établissent toutes deux un rapport de ressemblance entre deux éléments.

La comparaison marque explicitement ce rapport à l'aide de termes comparatifs tels *comme*, *de même que*, *pareil à*, *ressembler à*.

Ex. : Ton regard, doux **comme** le velours, m'apaise.

La métaphore rapproche également deux éléments, mais sans le support de termes comparatifs. Elle exprime une comparaison de manière plus concise.

Ex. : Ton regard de velours m'apaise.

MATIÈRE À DISCUSSION

STRATÉGIE

Pour animer une réunion du cercle de lecture :

- demande aux participants d'exprimer leurs réactions sur le sujet ;
- varie les formules donnant le droit de parole ;
- invite les participants à ne pas s'éloigner du sujet.

Discuter avec ses camarades d'un livre qu'on aime permet de mieux apprécier ce livre... et ses camarades. Allez, prends part à la discussion en participant à nouveau à un cercle de lecture !

1. Fais le point sur ton dernier cercle.
   - Comment les échanges se sont-ils déroulés ? Les membres étaient-ils bien préparés ?
   - Comment pourrait-on stimuler davantage la discussion ?
2. Écoute les consignes expliquant le choix des livres et la formation des équipes.
3. En équipe, choisissez un membre pour animer chaque réunion du cercle. Rappelez-vous les tâches liées à ce rôle.
4. Pour stimuler la discussion, nous vous proposons une liste de sujets pour chaque réunion. Inscrivez les sujets que vous retenez dans la fiche 42.
5. Comment donneras-tu ton opinion sur le choix des sujets de discussion ? Que feras-tu si tes coéquipiers ne sont pas d'accord avec ceux que tu proposes ?

6. Établissez votre calendrier des activités dans la fiche 43. Notez les étapes, les échéances, les animateurs ainsi que les sujets de discussion de chaque réunion.

7. Quels moyens prendras-tu pour respecter le calendrier des activités du cercle ?

8. Pendant la lecture, prends des notes dans ton carnet de lecture pour préparer la discussion sur le sujet retenu. Trouve diverses façons de noter tes réactions. Au besoin, puise des idées dans l'encadré ci-dessous.

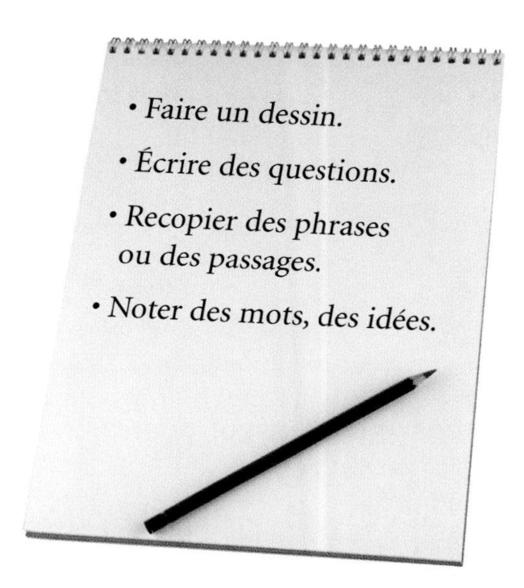

9. Attends que l'animateur ou l'animatrice te donne la parole pour intervenir dans la discussion.

10. Comment as-tu participé aux discussions du cercle ? Qu'est-ce qui t'a semblé facile ? difficile ? Que pourrais-tu améliorer la prochaine fois ?

11. Comment as-tu respecté la planification du cercle ? Que pourrais-tu améliorer la prochaine fois ?

STRATÉGIE

O

Pour participer à la discussion :

- sers-toi des notes de ton carnet ;
- dis ce que tu penses ou ce que tu ressens en utilisant le pronom *je* ;
- interroge les participants pour connaître leurs réactions ;
- montre-leur ton intérêt par des mots d'encouragement, des gestes d'appui ou des questions.

EN PRIME

- Que dirais-tu de faire connaître le livre de ton cercle aux élèves de la classe ? Imagine que tu es critique littéraire et écris un court texte pour recommander ou non la lecture de ce livre.

Exposer ses tableaux

Avec ton logiciel de traitement de texte, créer des tableaux est un véritable jeu d'enfant. Grâce à l'activité suivante, tu découvriras le b.a.-ba des tableaux tout en révisant la conjugaison de a à z... ou presque !

À l'aide de ton traitement de texte, tu vas créer une carte de jeu semblable à celle-ci.

Verbes comme *rendre*	Verbes comme *acheter*	Verbes comme *commencer*
Conditionnel présent j'	Imparfait nous	Indicatif présent ils
Passé simple elles	**BINGO !**	Subjonctif présent qu'il
Futur proche il	Conditionnel passé tu	Plus-que-parfait j'

1. Choisis des verbes modèles qui pourraient faire l'objet d'une révision.
2. Suis les consignes de la fiche 44 pour monter ton tableau. Assure-toi de varier le temps de conjugaison d'une case à l'autre.
3. Imprime ta carte de jeu.
4. Échange ta carte contre celle d'un ou d'une camarade de classe. Après avoir rempli vos cartes, corrigez-les ensemble.
5. Quelles difficultés as-tu éprouvées en préparant ta carte de jeu ? Comment les as-tu surmontées ?
6. Dans quelles autres situations aurais-tu besoin de créer des tableaux à l'aide de ton traitement de texte ?
7. De quelle manière cette activité t'a-t-elle permis de réviser tes connaissances sur les verbes ?

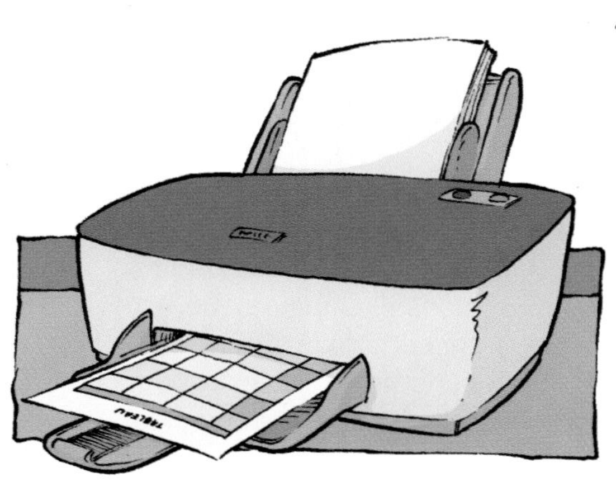

SOUS-THÉMATIQUE 1

Le tour du monde en couleurs

Le monde dans lequel tu vis voit chaque jour ses frontières s'effacer un peu plus. Les immigrants apportent avec eux leurs différences, les cultures se mélangent progressivement. Et tu t'enrichis à leur contact.

Que dirais-tu de découvrir de nouvelles traditions culturelles pour colorer et « épicer » ton univers ? Apprendre en voyageant chez soi, quelle bonne idée !

ARC-EN-CIEL 1

Représenter visuellement les lieux où se déroule une histoire. L

Interpréter les images créées par la métaphore et la comparaison. A

Discuter des liens entre les personnages et les lieux d'une histoire et sa propre vie. O

ARC-EN-CIEL 2

Faire une recherche sur l'alimentation dans le monde. L

Rédiger des capsules informatives sur l'alimentation. É

ARC-EN-CIEL 1

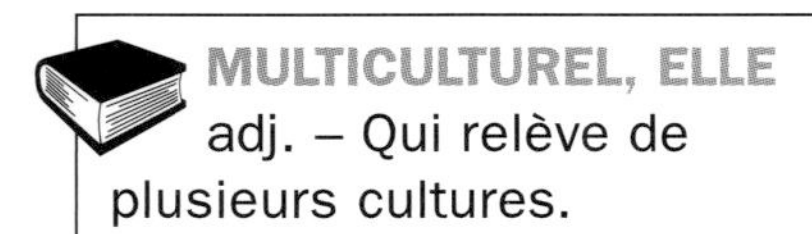

MULTICULTUREL, ELLE adj. – Qui relève de plusieurs cultures.

Le Petit Larousse Illustré 2003

Le royaume de Bruno est à l'image des gens qui l'habitent : haut en couleur et en saveurs de toutes sortes. Bruno est heureux de vivre dans cette ruelle **multiculturelle** de Montréal. Pour lui, c'est la plus belle ruelle de toute la terre, son univers, son paradis !

1. Voici une proposition qui devrait te plaire : faire une esquisse du royaume de Bruno à partir du texte des pages 126 à 128. Tout au long de ta lecture, crée-toi des images pour mieux visualiser l'aménagement de sa ruelle.

Pour t'aider à faire ton plan, repère dans le texte des prépositions comme *dans, sur, à l'autre bout, à côté de,* etc.

2. Fais l'esquisse de la ruelle de Bruno.
   a) Situe tout d'abord la maison où il habite.
   b) Situe ensuite les maisons des différentes familles selon la position indiquée dans le texte.
   c) Enfin, sers-toi des indices du texte pour situer les autres maisons.
3. Sur quels mots ou groupes de mots t'appuieras-tu pour situer les différentes familles habitant la ruelle ?
4. Compare ton esquisse avec celle d'un ou d'une camarade.
   a) Qu'est-ce qui est semblable ? Qu'est-ce qui est différent ?
   b) Quels indices du texte t'ont servi à situer des éléments sur ton esquisse ? Discute avec ton ou ta partenaire de l'interprétation que tu as faite de ces indices.
   c) Au besoin, retouche ton esquisse.
5. Comment les échanges avec ton ou ta camarade t'ont-ils incité ou incitée à revoir ton interprétation du texte ?

6. Dans le texte *Le royaume de Bruno*, l'auteur Sylvain Trudel se sert des comparaisons et des métaphores pour créer des images. Indique pour chacune des phrases suivantes s'il s'agit d'une comparaison ou d'une métaphore.

   a) Ma ruelle est mon bonheur et mon secret.

   b) ... il savoure à la cave un vin vermeil qui goûte le soleil.

   c) Ces beaux jambons sont dorés et ronds comme des violons !

   d) Ses violons ressemblent à des jambons.

   e) Un hiver, on leur a donné une montagne de vêtements chauds.

   f) On jurerait un fil invisible, un rayon de lune qui va d'une maison à l'autre.

   g) Mais ce sont des paroles de lumière qui unissent des amis dans la nuit.

7. Comment les comparaisons et les métaphores t'aident-elles à mieux imaginer le royaume de Bruno ? Qu'est-ce que ces figures apportent au texte ?

8. Parmi les aliments et les mets nommés dans le texte, lesquels n'as-tu jamais goûtés ?

9. Quelles influences les autres cultures jouent-elles dans ta vie ? dans ton cercle d'amis ? dans la nourriture que tu consommes ? dans tes jeux ?

EN PRIME

- L'endroit où tu vis ressemble-t-il au royaume de Bruno ? Aimerais-tu vivre dans un endroit semblable ? Note tes réflexions dans ton carnet de lecture.
- Décris dans un paragraphe ou deux ton royaume à toi, ton petit coin de paradis.

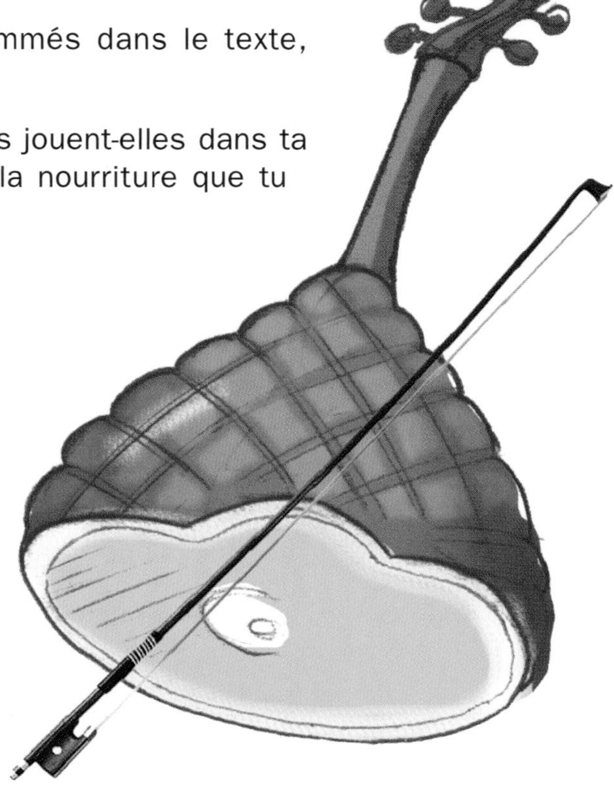

Le royaume de Bruno

Bruno vit au cœur du quartier Rosemont à Montréal. Sa ruelle est peuplée de gens qui viennent de tous les coins du monde. Cette ruelle, c'est le centre de son univers, son terrain de jeu où il vit toutes sortes d'aventures avec ses amis.

— Ta mère fait le meilleur chocolat chaud de toute la paroisse, affirment mes amis.

Une fois, je l'ai complimentée.

— Je le prépare avec du vrai cacao du Mexique, m'a-t-elle expliqué. Et j'ajoute du miel.

Malgré les grands froids, l'hiver est doux grâce à ma mère.

L'été venu, notre ruelle se transforme. Elle devient le Maroc, le Brésil, la Chine, la Tanzanie ! Nos bicyclettes se métamorphosent en jeeps, en chevaux ou en chameaux.

C'est le milieu du monde d'où partent tous les voyages. Où passent toutes les caravanes d'or, d'ivoire et d'épices !

— Bruno ! Il est sept heures et quart ! Tu es en retard !

Ma ruelle est mon bonheur et mon secret. [...]

Le soir, dans mon lit, je songe aux cieux que M. Zbigniew a quittés. J'espère qu'aujourd'hui il aime les nôtres.

Ce vieil homme a sûrement une ruelle polonaise toute fleurie cachée dans son enfance.

Je rêve également à d'autres voisins venus du Portugal, d'Haïti, du Liban. Pourvu que notre quartier leur plaise et qu'ils se sentent ici chez eux.

C'est drôle. Je me rends compte que notre pays est fait d'un peu de tous les pays.

Ça me rappelle l'après-midi où Mme Sanschagrin avait organisé une épluchette de blé d'Inde. Une fête en l'honneur des habitants de notre ruelle.

Appuyée à la fenêtre de sa chambre, Laurence, ma petite sœur, s'était écriée :

— Hé ! Venez voir ! Tous les pays sont dans le jardin !

*

Dans un coin de ma ruelle, c'est un peu la Grèce, grâce aux Papadopoulos. Ils cultivent la vigne grimpante qui tisse un toit de feuilles sur leur petite cour.

— Approchez ! nous lance Mme Papadopoulos.

Elle nous offre des loukoums, ces confiseries qui ressemblent à de la pâte de fruits. C'est tout poudré de sucre. C'est bon !

Je ne connais personne qui déteste les loukoums.

L'été, les Papadopoulos reçoivent leurs amis sous la vigne. On les voit siroter de la liqueur d'anis et grignoter des olives.

À l'autre bout de la ruelle, c'est l'Italie des Ricci. Mme Ricci ne mange que du fromage au lait de bufflonne. Quant à son mari, il savoure à la cave un vin vermeil qui goûte le soleil.

Dans leur hangar, les Ricci suspendent des jambons salés. Une fois, M. Ricci nous a permis de les admirer.

— Regardez ! C'est *bellissimo ! Mamma mia !*

Ces beaux jambons sont dorés et ronds comme des violons ! Je sais de quoi je parle, car Maryse Roy, notre voisine du dessous, est violoniste. Ses violons ressemblent à des jambons.

Maryse Roy vit dans la musique, telle une fleur dans son parfum. Elle a du talent et un amoureux écossais.

Lorsqu'il fait beau, elle ouvre ses fenêtres et, soudain, on dirait le paradis. On entend frémir son instrument dans toute la ruelle !

Les voisins sortent des chaises et des poufs sur les balcons.

— Chut ! Arrêtez donc de tousser ! Chut !

On se croirait au concert.

Une fois, pour la remercier, les Nguyen lui ont offert un panier de fruits.

Ils sont très, très gentils, les Nguyen. Leur boutique sent bon les épices et les écorces de mandarine séchées. C'est là que ma mère achète ces papayes au sirop que nous aimons tant.

À côté de chez nous, il y a un peu du Salvador de Mme Cruz. Elle n'a plus de mari et vit avec sa vieille mère et ses cinq enfants. Par contre, comme de raison, tout le monde les aide.

Un hiver, on leur a donné une montagne de vêtements chauds. C'était au début, alors qu'ils ne connaissaient pas le froid.

L'aîné des Cruz, Napoléon, est notre ami. Pour gagner un peu d'argent de poche, il déneige les escaliers.

Lorsqu'on joue, l'hiver, il me dit en riant :

— Ma tuque, c'était ta tuque !

C'est une tuque d'une équipe de hockey, mais elle est chaude.

Le voisin des Cruz, M. Pavlovic, est un Croate, bien qu'il soit né en Hongrie. Il fabrique des télescopes pour les adultes et des kaléidoscopes pour les enfants.

Telle est la vie dans ma ruelle pleine de personnages.

Et je n'ai pas parlé de M. Boubabou qui fut chasseur de pythons au Togo ! Ni de Mme Lola, une Tzigane qui lit l'avenir dans les fissures du trottoir ! Ni de M. Wilson, né dans le métro de Londres, en 1941, pendant les bombardements !

Le soir, le front appuyé contre la vitre, je songe à tous ces gens déracinés. Je sais que je suis chanceux de vivre dans la paroisse Sainte-Philomène.

Je serais si malheureux d'être arraché de ma terre ! Je mourrais loin de ma ruelle, j'en suis sûr !

Quand je me sens un peu seul, j'aime voir briller la fenêtre de Simon. Souvent, nous communiquons par signaux lumineux.

Simon communique ensuite avec Napoléon. Napoléon avec Luc Plouffe. Luc avec Bang Nguyen. Bang avec Dominic.

On jurerait un fil invisible, un rayon de lune qui va d'une maison à l'autre. Mais ce sont des paroles de lumière qui unissent des amis dans la nuit.

Sylvain Trudel, *Le royaume de Bruno*, La courte échelle inc., 1998.

ARC-EN-CIEL 2

Que dirais-tu de faire une recherche sur l'alimentation pour en savoir plus sur la manière dont on se nourrit sur la planète ? Tu rassembleras ensuite tes trouvailles dans des capsules que tu afficheras en classe pour les porter à la connaissance de tes camarades.

1. Qu'est-ce que tu aimerais savoir sur l'alimentation à travers le monde ? Fais part de tes idées à la classe. Au besoin, inspire-toi des sujets de l'encadré.

SUJETS DE RECHERCHE

- Les mets et les aliments traditionnels d'un ou de plusieurs pays.
- Les métiers liés à l'alimentation.
- La provenance des fruits et légumes consommés au Québec.
- Les aliments d'origine autochtone au Québec.
- Les aliments du futur.

2. Parmi les sujets retenus, choisis celui que tu aimerais présenter à tes camarades.

3. Pour t'aider à mener ta recherche documentaire, consulte l'encadré ci-dessous durant ta recherche.

ÉTAPES DE LA RECHERCHE DOCUMENTAIRE

1. Inventorier les questions sur le sujet pour déterminer l'information à trouver.
2. Trouver les mots clés qui résument le sujet. Utiliser ces mots clés pour chercher dans différents outils documentaires: fichiers par sujets à la bibliothèque, catalogues, index, moteurs de recherche, etc.
3. Consulter des documents provenant de différentes sources.
4. Survoler les textes pour repérer les passages qui traitent du sujet.
5. Évaluer l'exactitude de l'information en comparant les textes de différentes sources.
6. Faire le tri de la documentation et ne conserver que l'information qui sera utile à la rédaction du travail.
7. Écrire son texte en reformulant les idées retenues.
8. Citer ses sources.
9. Choisir un mode de présentation et présenter les résultats de sa recherche.

4. Pour déterminer l'information dont tu as besoin, écris sur une fiche les questions que tu te poses sur ton sujet.

STRATÉGIE

C

Pour délimiter ton sujet, pose-toi un certain nombre de questions (qui ?, quoi ?, où ?, quand ?, comment ?, pourquoi ?). Par exemple si ta recherche porte sur la dégustation d'insectes à travers le monde, tu peux te poser les questions suivantes :

Qui mange des insectes ?

Quels insectes mange-t-on ?

Où vivent les gens qui mangent des insectes ?

Quand en mangent-ils ?

Comment ces insectes sont-ils apprêtés ?

Pourquoi les gens mangent-ils des insectes ?

5. Trouve des mots clés en lien avec ton sujet.
6. Sers-toi de tes mots clés pour commencer ta recherche dans les outils documentaires. Note tes sources au fur et à mesure de ta recherche.
7. Fais un tri dans ta documentation. Ne conserve que l'information qui répond à tes questions de départ. Reprends dans tes propres mots les idées que tu retiens.
8. Combien de capsules écriras-tu pour présenter ton sujet? Comment présenteras-tu cette information? Au besoin, inspire-toi des capsules données en exemples (p. 131-132).
9. Rédige le brouillon de tes capsules.

STRATÉGIE

C

Note tes sources de la manière suivante.

- Pour citer un document imprimé, écris le nom de l'auteur ou de l'auteure, le titre, l'éditeur, l'année de publication, les pages de l'extrait.
- Pour citer un document électronique, écris le nom de l'auteur ou de l'auteure, le titre de l'article ou du texte, le nom et l'adresse du site, la date de sa mise à jour.

Des insectes à votre table

Que diriez-vous de sauterelles grillées pour votre souper? C'est, paraît-il, délicieux à l'apéritif. Cette pratique culinaire ancestrale est toujours en usage dans de nombreux pays d'Afrique, d'Asie et d'Amérique latine. Au Québec, elle est loin d'être populaire! On peut toutefois participer occasionnellement à des dégustations d'insectes. Les plus braves croquent à belles dents dans des larves de ténébrion, des grillons grillés ou des criquets croustillants. La principale valeur nutritive des insectes réside dans leur forte teneur en protéines, mais ils contiennent aussi des lipides, des vitamines et des minéraux. Serez-vous de ceux qui tenteront un jour cette aventure culinaire?

Les dictionnaires et les encyclopédies sont de bons outils pour trouver des mots clés liés aux questions de recherche.

Saviez-vous que… ?

En 1900, un moine algérien spécialiste d'agrumiculture, c'est-à-dire de la culture des agrumes, crée une nouvelle variété de mandarine : la clémentine. Ce nouveau fruit est issu du croisement fortuit du mandarinier et d'une variété d'oranger amer, le bigaradier. La clémentine, agrume juteux, sucré et sans pépins dont la peau et les quartiers se détachent facilement, a vite été appréciée.

La saga de l'ananas

Origine : Amérique du Sud

Nom latin : *Ananas comosus*

Famille : Broméliacées

Histoire : L'ananas est cultivé bien avant l'arrivée de Christophe Colomb. Les aborigènes appellent ce fruit *nana nana*, qui signifie « le parfum des parfums ». En 1493, lorsque Colomb aborde les rivages de la Guadeloupe, on lui tend une tranche d'ananas en signe de bienvenue. Il trouvera son goût excellent. L'ananas conquiert par la suite les tables européennes. Sa beauté, sa chair parfumée en font un mets de fête. Ce roi des fruits, devenu un produit de grande consommation, est aujourd'hui largement cultivé dans toutes les régions tropicales.

Menu gastronomique

- Au Maroc, viens goûter la soupe nationale, la *harira*. Elle est accompagnée de dattes et de gâteaux au miel.
- Le Japon t'offre des algues et des poissons crus au goût à la fois aigre et sucré.
- Viens déguster des mets rares en Chine : pattes de canard, nids d'hirondelles et ailerons de requin.
- Goûte le célèbre *feijoada* brésilien, préparé à base de viande et de haricots noirs. Accompagne-le de riz, de choux et de *farofa*.

Good appetite! Bon appétit! Buen apetito! Guter appetit! Apetite bom!

(suite de la p. 131)

10. Demande à un ou une camarade de lire tes capsules et de les commenter. SYNTAXE p. 63
    - Qu'est-ce qui est intéressant dans ces textes ?
    - Qu'est-ce qui pourrait être amélioré ?
    - Y a-t-il des mots qui pourraient être mieux choisis ? VOCABULAIRE p. 178
11. Retouche tes capsules en fonction des suggestions que tu trouves les plus intéressantes.
12. Relis tes textes et corrige-les. Assure-toi que chaque mot est bien orthographié et, s'il y a lieu, correctement accordé. Consulte ta trousse à outils. ORTH. GRAMM. p. 71
13. Trouve des titres accrocheurs pour tes capsules. Utilise des comparaisons, des métaphores, des hyperboles ou des mots-valises.
14. Retranscris tes capsules au propre. Si tu recours à l'ordinateur, choisis les procédés d'édition les plus appropriés. Si tu les écris à la main, utilise la couleur.
15. Comment la recherche documentaire t'a-t-elle aidé ou aidée à produire tes textes ? Qu'est-ce que tu as trouvé facile, ou difficile, dans cette démarche ? Quelles améliorations apporteras-tu la prochaine fois ?
16. Écris tes capsules sur une affiche. Ajoute des illustrations, des collages ou des photographies.
17. Au moment convenu, expose ton affiche.

À l'écoute des pros

Les pros te disent ce qu'ils préfèrent : écrire à la main ou à l'ordinateur.

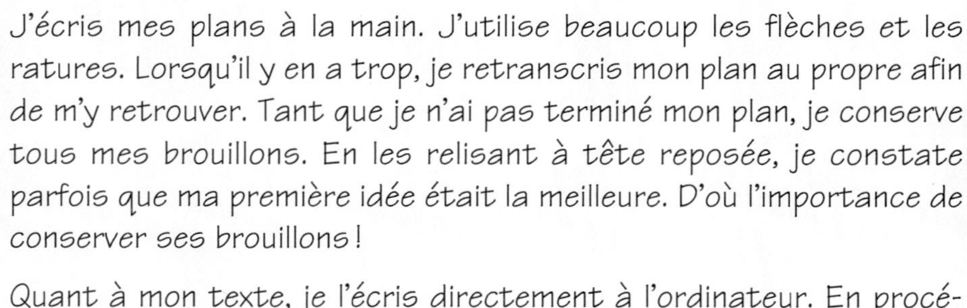

J'écris mes plans à la main. J'utilise beaucoup les flèches et les ratures. Lorsqu'il y en a trop, je retranscris mon plan au propre afin de m'y retrouver. Tant que je n'ai pas terminé mon plan, je conserve tous mes brouillons. En les relisant à tête reposée, je constate parfois que ma première idée était la meilleure. D'où l'importance de conserver ses brouillons !

Quant à mon texte, je l'écris directement à l'ordinateur. En procédant de la sorte, je ne conserve pas les différentes versions de mon texte. Bref, je n'ai pas de brouillons que je peux consulter à tête reposée !

Sarah Perreault

Que ce soit comme journaliste, recherchiste ou scénariste, Sarah Perreault aime rendre l'information scientifique plus accessible aux jeunes dans des domaines aussi variés que la biologie, la physique et les nouvelles technologies.

J'écris toujours le premier jet sur du papier. Ce premier brouillon, abondamment raturé, est transcrit à l'ordinateur. Ce texte peut être repris et corrigé plusieurs fois de suite. Je garde la trace de mes différentes versions et cela me prend beaucoup de temps avant d'arriver à une version définitive.

Angèle Delaunois

J'écris toujours à l'ordinateur : les mots, les idées, les émotions passent directement de mon corps à l'écran.

Gilles Tibo

J'écris directement à l'ordinateur tout comme j'écrivais directement à la machine à écrire. Avec l'ordinateur, quelle merveille ! C'est beaucoup plus rapide et beaucoup plus propre. On peut revenir sans cesse sur son texte. Mais l'ordinateur ne donne pas plus d'idées pour autant !

Robert Soulières

DOSSIER

Objectif Terre

Célébré pour la première fois le 22 avril 1970, le *Jour de la Terre* permet chaque année à 500 millions de personnes dans plus de 180 pays de célébrer la planète et d'apprendre à mieux la respecter.

Toi, seras-tu de la fête ? Ce dossier t'en offre l'occasion en t'invitant à trouver des moyens concrets pour protéger l'environnement et préserver les ressources de notre planète bleue. Ce projet pourrait être présenté à l'occasion du *Jour de la Terre*, ou quelque part en avril.

Pour t'aider à mener ton projet à terme, tu utiliseras un nouveau contrat de projet (fiche 45).

Tour de piste

- Lire des textes pour s'informer.
- Ébaucher des projets.
- Former une équipe.

Chacun son rôle

- Préciser le but du projet et planifier les tâches à accomplir.
- Répartir les tâches entre les membres de l'équipe.
- Chercher et choisir l'information utile à la réalisation du projet.

Mise en scène

- Organiser l'information retenue.
- Déterminer une façon originale de présenter la production.
- Préparer sa présentation.

Le lever du rideau

- Présenter la production et la démarche suivie.
- Évaluer sa participation au projet.

Tour de piste

Remue-méninges

1 Note sur une feuille les gestes que tu fais régulièrement pour préserver les ressources de la Terre.

2 Pour trouver d'autres façons de prendre soin de ta planète :

a) lis le texte *SOS Terre* (p. 138), qui présente des moyens très simples à la portée de tous ;

b) lis l'entrevue avec Michael Deetjens, un jeune de 13 ans qui s'engage dans toutes sortes de causes environnementales (p. 139-140) ;

c) lis un extrait du roman *Je te sauverai !*, qui raconte les conséquences du naufrage du pétrolier *Érika* survenu le 12 décembre 1999, et la capsule qui l'accompagne (p. 141-144).

3 Note sur ta feuille les idées que ces textes t'inspirent.

4 À partir de toutes tes idées, propose à tes camarades des actions concrètes pour protéger la planète et sensibiliser ton entourage aux questions environnementales. Au besoin, inspire-toi des projets proposés dans l'encadré (p. 137).

PROJET

IDÉES DE PROJETS

- Lancer une campagne de propreté à l'école.
- Préparer un jeu-questionnaire de sensibilisation à l'environnement et inviter les élèves de l'école à y participer.
- Lancer une campagne pour promouvoir l'utilisation de moyens de transport non polluants: vélo, marche, patin à roues alignées, trottinette, planche à roulettes.
- Organiser un concours de monologues humoristiques sur l'environnement.
- Rédiger une bibliographie ayant pour thème la protection de la Terre.
- Organiser une exposition des trésors de la Terre: roches, plantes, coquillages, photos de la nature, etc.
- Dessiner des caricatures et composer des slogans écologiques à afficher dans la classe ou dans l'école.
- Rédiger des petites annonces pour échanger des services ou des produits en vue de limiter le gaspillage et la surconsommation.
- Concevoir un dépliant ou une affiche suggérant des gestes quotidiens pour préserver les ressources de la Terre.

5 Comment les textes t'ont-ils inspiré des idées originales de projets ?

6 De quoi as-tu tenu compte en ébauchant tes idées de projets ?

Choix du sujet et formation des équipes

7 Choisis trois actions que tu aimerais mener en les plaçant par ordre d'importance. Joins-toi à trois élèves qui ont retenu ton premier choix.

8 Revoyez vos défis personnels fixés dans votre dernier contrat de projet. En vous servant de la fiche 46, trouvez des moyens pour relever ces défis dans ce projet-ci.

9 En équipe, remplissez la section TOUR DE PISTE de votre contrat de projet.

EN PRIME

- Le texte *Je te sauverai!* contient de l'information sur le sauvetage des oiseaux. Retrace dans la fiche 47 les principales opérations qui aident à sauver ces oiseaux de la mort.
- Qu'as-tu pensé du procédé utilisé dans le texte *Je te sauverai!* pour faire connaître les « pensées » de l'oiseau ? Note tes réactions dans ton carnet de lecture.

SOS TERRE

L'EAU, SOURCE DE VIE

Impossible pour toi d'imaginer la vie sans eau ! Tu as raison, et tu en utilises sans arrêt. Mais les réserves contenues dans les océans et les rivières ne sont pas inépuisables et certains pays du monde souffrent cruellement de la sécheresse. Heureusement, tu peux, toi aussi, éviter gaspillage et pollution. Quand tu te brosses les dents, ferme le robinet et utilise un verre à dents. En trois minutes, tu économiseras environ 15 litres d'eau. [...]

L'INVASION DES POUBELLES

Observe les choses que tu achètes. L'emballage, souvent bien plus gros que l'objet qu'il protège, finit trop vite à la poubelle ! Plastique, aluminium, verre... Les ordures attaquent et la Terre ne sait plus qu'en faire ! À toi de jouer. Tu peux produire moins de déchets. Méfie-toi des stylos jetables, des assiettes en carton, des couverts en plastique, des serviettes en papier... Ce sont des « encrasseurs d'environnement » ! Achète des choses qui durent et essaye toujours de les réparer avant de les jeter. Les choses trop fragiles se cassent au bout de quelques jours. Elles finissent toujours par faire grossir un tas d'ordures quelque part sur la planète. [...]

POUR TOUT L'AIR DU MONDE

Dans certaines grandes villes du monde, les gens sont parfois obligés de porter des masques pour se protéger des gaz toxiques et de la poussière contenue dans l'air. Que pouvons-nous donc faire pour préserver l'atmosphère ? [...] En matière d'environnement, les enfants en savent plus que les grands. Dans ton quartier, organise une campagne d'information sur la couche d'ozone. Tu peux commencer par faire un exposé à l'école, puis des photocopies que tu distribueras à tous les commerçants.

RENCONTRE AVEC MICHAEL DEETJENS

Michael Deetjens habite à Drummondville. Passionné par les causes environnementales, il gagne à 13 ans le Phénix de l'environnement. Pas besoin d'être ministre de l'Environnement pour agir efficacement !

Q. Bonjour, Michael !

R. Viens ! Je vais te montrer le bureau du club…

Q. Oh, quel joli trophée sur ta table de travail !

R. Oui, je l'ai gagné en participant à un concours en 1999. C'est un Phénix de l'environnement.

Q. Bravo ! Mais qu'est-ce que c'est, un Phénix ?

R. C'est un prix qui souligne l'effort des individus, notamment des jeunes, des entreprises ou des organismes sans but lucratif qui se consacrent à la protection de l'environnement et à la conservation des ressources.

Q. Et on accorde beaucoup de Phénix ?

R. On distribue plus d'une quinzaine de Phénix chaque année dans plusieurs catégories.

Q. Et toi, dans quelle catégorie étais-tu inscrit ?

R. Dans la catégorie Jeunesse. Le prix récompense un jeune ou un groupe de jeunes de 25 ans ou moins dont les actions ou les réalisations sont liées au développement durable.

Q. Et qu'est-ce qui t'a permis de remporter ce prix ?

R. Lorsque je l'ai gagné, j'avais seulement 13 ans. J'avais fondé avec mon amie Brigitte Bellerose un club qui participait à des activités pour la nature. En plus, je faisais beaucoup de bénévolat pour la conservation des espèces animales et végétales et pour la protection de l'environnement.

Q. Qu'as-tu ressenti lorsque tu as gagné ton Phénix ?

R. J'étais super content ! Je me suis senti valorisé parce que j'ai été choisi parmi des jeunes de tout le Québec. En plus, ça m'a fait réaliser que mes activités avaient un impact réel sur la nature et qu'elles étaient appréciées par les gens en général.

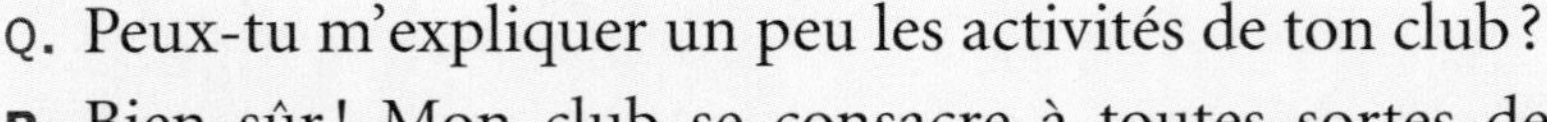

Q. Peux-tu m'expliquer un peu les activités de ton club?

R. Bien sûr! Mon club se consacre à toutes sortes de causes, comme l'aménagement d'un parc sécuritaire et abrité de la pollution pour les bélugas du Saint-Laurent. Notre dernière pétition portait sur un réseau de milieux naturels en voie d'être protégés sur l'île d'Anticosti et dans les régions de Charlevoix, de l'Outaouais et de la Gaspésie. Nous nous occupons aussi des espèces menacées à l'extérieur du Québec. Le club travaille actuellement à un projet concernant la protection du tigre en Asie.

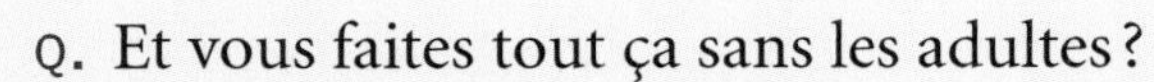

Q. Et vous faites tout ça sans les adultes?

R. Pas tout, mais presque! Les activités sont organisées par les membres du club, tous âgés de 9 à 15 ans. Une association qui veille à la protection de la nature nous fournit de la documentation sur les causes qui nous intéressent. En étant membre de cette association, le club est au courant de ses activités et de ses projets. Cela nous permet d'organiser des pétitions, d'amasser des fonds et de faire des activités au nom de cette association et au nom du club. Et nos parents s'occupent des transports…

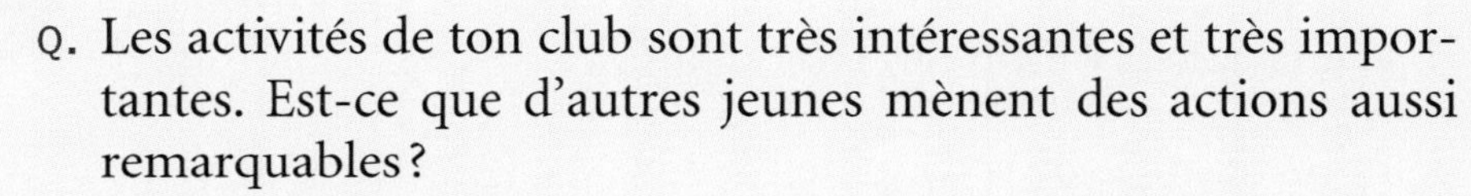

Q. Les activités de ton club sont très intéressantes et très importantes. Est-ce que d'autres jeunes mènent des actions aussi remarquables?

R. En fait, plusieurs jeunes agissent en faveur de l'environnement, mais il y a seulement un gagnant du prix Phénix Jeunesse par année. En 1998, Jean-Dominic Lévesque-René avait gagné un Phénix pour son engagement remarquable dans la lutte contre les pesticides. En 2000, c'est une trentaine de jeunes de Causapscal, l'équipe FORI-MAT, qui ont remporté le prix. Ils récupèrent les résidus organiques de leur cafétéria, font un compost de qualité et démarrent des cultures de fines herbes et de fleurs.

Q. Je trouve que tu es une bonne source d'inspiration pour les jeunes. Je te félicite pour ton travail admirable et je te souhaite beaucoup de succès dans tes projets!

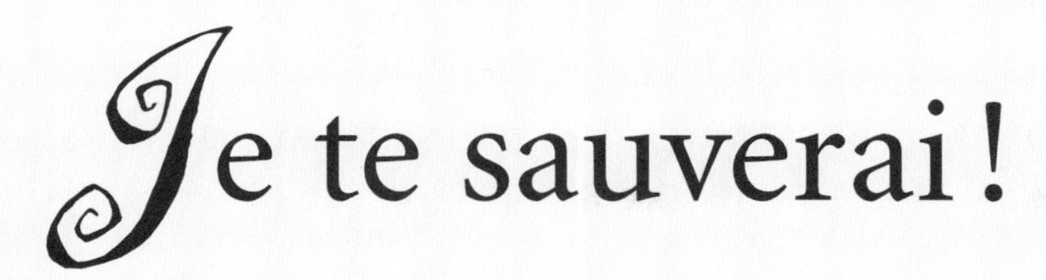

Je te sauverai !

Alan est un petit garçon pas tout à fait comme les autres. Depuis très longtemps, les mots restent enfermés dans son corps. Le 12 décembre, quand l'Érika s'échoue au large des côtes bretonnes et déverse sa cargaison sur les plages de l'Atlantique, il est bouleversé. Commence pour lui une grande aventure où il tente de sauver Jonathan, un oiseau en piteux état.

Mercredi 22 décembre, découverte d'un oiseau

Soudain, Alan aperçoit un petit corps noir et gluant battant maladroitement des ailes. Il attend que les vagues déposent l'animal sur le sable pour se poster entre lui et l'océan. Ça marche. L'oiseau a peur de l'enfant et s'éloigne en direction des dunes. Le fioul visqueux qui recouvre son corps l'empêche de marcher normalement. Il titube et tombe la tête en avant. Alan s'approche doucement. L'animal n'est plus qu'à un mètre. Il essaie de se redresser… en vain.

Alan réussit à lancer le grand chiffon sur lui. Puis il soulève doucement le tissu et observe l'oiseau. Ses petits yeux sont à peine visibles à travers le mazout. Il doit souffrir atrocement.

Comment a-t-il pu atteindre la côte dans cet état? Il ferme ses paupières de temps en temps, comme s'il voulait dormir… Il veut peut-être se laisser mourir?

Au fond de lui, Alan prie pour que l'oiseau ne meure pas. L'animal fixe alors le visage de l'enfant…

Qui est ce petit homme qui s'est jeté sur moi ? Il veut me dévorer ? Je suis complètement épuisé. Je n'aurais pas dû essayer de m'enfuir quand il s'est approché. J'ai gaspillé mes dernières forces. Je sens la chaleur de ses mains. Peut-être que, finalement, il ne va pas me faire mal… Peut-être que ça vaut le coup de résister encore un peu à cette boue noire qui m'étouffe… J'ai faim, j'ai froid… Je t'en supplie, petit homme… aide-moi !…

Annick arrive et demande :

« C'est un guillemot ? »

Alan lui répond dans la langue des signes : « C'est Jonathan ».

Les premiers soins

Alan et sa mère Annick apportent l'oiseau à la Maison de la nature du Palais, ville principale de Belle-Île. L'un des responsables de la clinique, Jean, les accueille.

Annick est repartie à la maison. Pendant ce temps, Jean propose à Alan de l'aider à nourrir son oiseau :

« Tu vas enfiler ces gants en plastique et tenir le guillemot bien fermement. »

Il sort Jonathan du carton et le tend à l'enfant. Alan sent le petit cœur de son ami battre très vite.

« Première opération : j'ouvre son bec avec mes doigts sans me faire pincer… et je retire le mazout avec un petit papier. Regarde tout ce que j'enlève ! »

Il montre à Alan le papier devenu noir.

« Deuxième opération : le gavage. L'oiseau est trop épuisé pour se nourrir tout seul. On va lui donner de la nourriture. »

Jean attrape un tuyau en plastique avec une seringue au bout. Il appelle ça une « sonde ». Il enduit le tuyau d'huile de paraffine pour qu'il entre bien dans le cou de l'oiseau. Puis il le remplit de soupe de poisson. Enfin, d'une main, il ouvre le bec de Jonathan.

« J'enfonce la sonde jusqu'au jabot et ensuite j'injecte la soupe en appuyant sur la seringue. »

Alan est impressionné par la longueur du tuyau. Il serre Jonathan pour qu'il ne s'échappe pas. Mais l'oiseau ne bouge pas. On dirait même qu'il aime ça…

De la nourriture ! Enfin de la nourriture ! Je rêve… Ils me donnent des forces ! Alors… Ils ne vont pas me tuer…

« Maintenant, je vais lui injecter un mélange qui va le remettre en forme, explique Jean en s'emparant d'une nouvelle seringue. Il faut le piquer sur le poitrail, là où les muscles sont épais. Tiens-le bien ! Ça y est… »

Jean enfonce presque toute l'aiguille. Alan ferme les yeux tout en maintenant l'oiseau contre lui. Il a mal pour Jonathan qui se débat comme un fou.

Ils m'ont piqué ! Ils sont fous ! Ils veulent me tuer ? D'abord ils me donnent à manger et ensuite ils me font mal. Pourquoi ? J'ai sommeil, tout d'un coup. Je sens que je vais m'endormir…

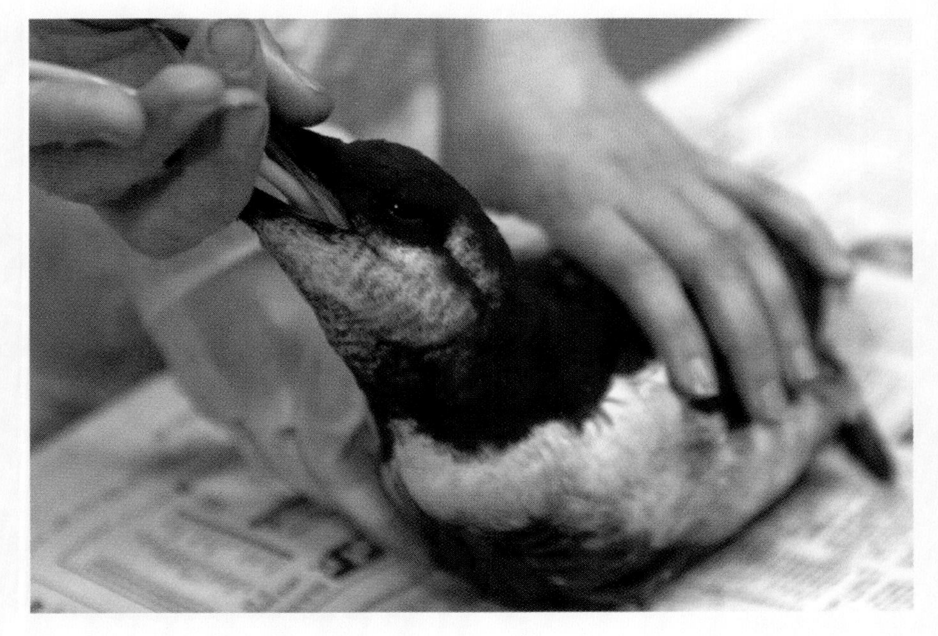

« Encore une piqûre. Ce sera la dernière. Cette fois, c'est un médicament. Après, on le mettra dans un nouveau carton pour qu'il se repose. »

Jonathan est dans un triste état. Il serait probablement mort d'épuisement si Alan ne l'avait pas ramassé. L'enfant pose sa main sur le cœur de l'oiseau pour s'assurer qu'il bat toujours. Puis il dépose son ami dans le carton, tendrement, et le laisse dormir.

Mercredi 29 décembre, dans la clinique

Catastrophe ! Le jour de Noël, huit jours après l'arrivée des premiers oiseaux mazoutés, des galettes de pétrole ont touché les côtes de Belle-Île. Une terrible tempête a provoqué l'arrivée des nappes de fioul. Alan a vu des habitants pleurer en découvrant la marée noire. Les criques et les plages sont étouffées par des plaques sombres et visqueuses. On dirait que l'océan a vomi…

Plus de quatre mille oiseaux mazoutés ont déjà été ramassés, surtout des guillemots mais aussi des fous de Bassan, des petits pingouins, des plongeons, des grèbes, des macareux moines et des mouettes. La moitié d'entre eux étaient déjà morts en arrivant sur les plages.

La clinique des oiseaux a déménagé il y a trois jours dans une ancienne prison pour enfants, sur les hauteurs de Le Palais. Ce nouveau site est plus grand. Il va permettre d'accueillir plus d'oiseaux. Jean a déjà été obligé d'envoyer des centaines de guillemots dans des cliniques installées sur le continent à cause du manque de place. Mais Alan a réussi à garder Jonathan auprès de lui. C'est son plus beau cadeau de Noël. Les autres cadeaux ne sont rien à côté. Il faut qu'il reste avec Jonathan. Son ami a tellement besoin de réconfort ! Chaque fois qu'Alan lui tend la main, le petit guillemot redresse le cou comme pour lui parler…

Éric Simard, Vincent Dutrait, *Je te sauverai !*, Éditions Magnard (Coll. Que d'histoires !), 2001.

LE NAUFRAGE DE L'*ÉRIKA* : UNE HISTOIRE VRAIE

Pris dans la tempête, le pétrolier maltais *Érika* s'est brisé en deux le 12 décembre 1999 tout près de la Bretagne. L'épave du pétrolier, en sombrant par 120 m de fond, a lâché 10 000 tonnes de fioul. Après plusieurs jours de dérive, les nappes ont souillé le littoral, engluant des milliers d'oiseaux.

Chacun son rôle

Formulation du but

1 Formulez le but de votre projet et transcrivez-le dans votre contrat à l'endroit approprié.

Que fait-on ?	Pourquoi ?	Pour qui ?
Ex. : Écrire des slogans.	Pour promouvoir l'utilisation de moyens de transport non polluants.	Pour les élèves de la classe et pour nos parents.

2 Comment ton projet contribuera-t-il à améliorer ton environnement immédiat ?

3 Planifiez votre travail et répartissez les tâches entre les membres de l'équipe. Remplissez la section appropriée du contrat de projet.

Recherche, collecte et choix de l'information

4 En gardant votre but à l'esprit, choisissez les meilleurs moyens de recherche. Remplissez la section appropriée du contrat de projet.

5 Au cours de la recherche, comment évalueras-tu si les données recueillies correspondent au but fixé ?

6 Présente à tes coéquipiers les résultats de ta recherche.

STRATÉGIE

C

Selon le but à atteindre, tu peux utiliser différents moyens de recherche :

- une enquête, qui permet d'interroger des personnes sur un sujet précis ;
- une sortie, qui permet d'observer directement sur le terrain certains aspects de l'environnement ;
- une recherche documentaire, qui permet de trouver des réponses à des questions précises.

Mise en scène

Organisation de l'information et planification de la présentation

1. Organisez les résultats de votre recherche en tenant compte du but du projet et de la forme de votre production.
2. Remplissez la section MISE EN SCÈNE de votre contrat de projet.
3. Que dois-tu faire pour mener ta tâche à terme en vue de la présentation de la production ?

Le lever du rideau

Présentation de la production

1. Avant la présentation, remplissez la section LE LEVER DU RIDEAU de votre contrat de projet.
2. Après la présentation, donne ton appréciation du travail avec les membres de ton équipe.
   - La production de l'équipe correspond-elle au but de votre projet ?
   - Quelles tâches ont été faciles ou difficiles à exécuter ?
   - Que changerais-tu à la planification de ton travail si tu avais à le reprendre ?
3. Note dans ton contrat de projet le défi que tu comptes relever dans ton prochain projet.

Bâtir le monde

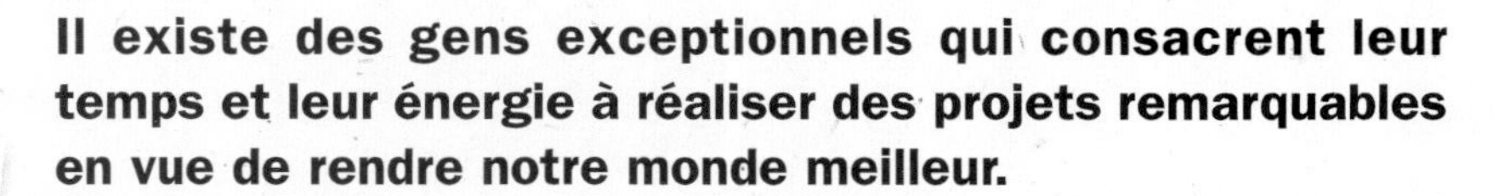

Il existe des gens exceptionnels qui consacrent leur temps et leur énergie à réaliser des projets remarquables en vue de rendre notre monde meilleur.

Il existe aussi des gens qui expriment haut et fort leurs opinions et qui se rassemblent pour défendre des causes importantes. D'autres font leur modeste part en accomplissant quotidiennement de petits gestes concrets.

Et toi, comment contribues-tu à améliorer le monde qui t'entoure ?

SCÉNARIO 1

Lire un texte pour y découvrir, grâce aux descriptions du narrateur ou de la narratrice, la personnalité du héros. L A

SCÉNARIO 2

Établir des liens entre une œuvre littéraire et des textes courants. L A

SCÉNARIO 3

Exprimer ses réactions sur les motivations et les actions des personnages qui défendent une cause. L O

SCÉNARIO 4

Écrire une lettre ou une pétition pour faire entendre son opinion. É

SCÉNARIO 1

As-tu déjà entendu parler d'Elzéard Bouffier, ce personnage qui plantait des arbres et qui est devenu presque aussi célèbre que son créateur, Jean Giono ?

1. Fais sa connaissance (p. 149-150) et découvre ce qui fait de ce personnage un être remarquable.
2. Pour découvrir des facettes d'Elzéard Bouffier, trace son portrait à partir de ce que le narrateur dit à son sujet. Regroupe tes données en trois catégories :
   - portrait physique ;
   - portrait moral ;
   - actions.
3. Qu'apporte au récit que tu viens de lire le fait que le narrateur soit un personnage de l'histoire ?
4. Discute de ton portrait avec tes camarades.
   - Quelles qualités ou quels traits de la personnalité d'Elzéard Bouffier retiennent ton attention ?
   - Que penses-tu de son projet ? Comment son geste peut-il améliorer le sort du monde ?
   - Pourquoi ce personnage est-il de la trempe des héros ?
5. Qu'est-ce qui t'a aidé ou aidée à comprendre qu'Elzéard Bouffier est un personnage remarquable : tracer son portrait, discuter avec tes camarades ou les deux ?

L'homme qui plantait des arbres

Un voyageur s'égare dans un coin perdu de la Haute-Provence, en France. Il rencontre Elzéard Bouffier, un berger solitaire qui reboise patiemment les collines avoisinantes en semant des glands.

Le berger qui ne fumait pas alla chercher un petit sac et déversa sur la table un tas de glands. Il se mit à les examiner l'un après l'autre avec beaucoup d'attention, séparant les bons des mauvais. [...] Je me proposai pour l'aider. Il me dit que c'était son affaire. En effet: voyant le soin qu'il mettait à ce travail, je n'insistai pas. Ce fut toute notre conversation. Quand il eut du côté des bons un tas de glands assez gros, il les compta par paquets de dix. Ce faisant, il éliminait encore les petits fruits ou ceux qui étaient légèrement fendillés, car il les examinait de fort près. Quand il eut ainsi devant lui cent glands parfaits, il s'arrêta et nous allâmes nous coucher.

La société de cet homme donnait la paix. Je lui demandai le lendemain la permission de me reposer tout le jour chez lui. Il le trouva tout naturel, ou, plus exactement, il me donna l'impression que rien ne pouvait le déranger. Ce repos ne m'était pas absolument obligatoire, mais j'étais intrigué et je voulais en savoir plus. Il fit sortir son troupeau et il le mena à la pâture. Avant de partir, il trempa dans un seau d'eau le petit sac où il avait mis les glands soigneusement choisis et comptés.

Je remarquai qu'en guise de bâton, il emportait une tringle de fer grosse comme le pouce et longue d'environ un mètre cinquante. Je fis celui qui se promène en se reposant et je suivis une route parallèle à la sienne. La pâture de ses bêtes était dans un fond de combe. Il laissa le petit troupeau à la garde du chien et il monta vers l'endroit où je me tenais. J'eus peur qu'il vînt pour me reprocher mon indiscrétion mais pas du tout, c'était sa route et il m'invita à l'accompagner si je n'avais rien de mieux à faire. Il allait à deux cents mètres de là, sur la hauteur.

Arrivé à l'endroit où il désirait aller, il se mit à planter sa tringle de fer dans la terre. Il faisait ainsi un trou dans lequel il mettait un gland, puis il rebouchait le trou. Il plantait des chênes. Je lui demandai si la terre lui appartenait. Il me répondit que non. Savait-il à qui elle était ? Il ne savait pas. Il supposait que c'était une terre communale, ou peut-être, était-elle la propriété de gens qui ne s'en souciaient pas ? Lui ne se souciait pas de connaître les propriétaires. Il planta ainsi ses cent glands avec un soin extrême.

Après le repas de midi, il recommença à trier sa semence. Je mis, je crois, assez d'insistance dans mes questions puisqu'il y répondit. Depuis trois ans il plantait des arbres dans cette solitude. Il en avait planté cent mille. Sur les cent mille, vingt mille étaient sortis. Sur ces vingt mille, il comptait encore en perdre la moitié, du fait des rongeurs ou de tout ce qu'il y a d'impossible à prévoir dans les desseins de la Providence. Restaient dix mille chênes qui allaient pousser dans cet endroit où il n'y avait rien auparavant.

C'est à ce moment-là que je me souciai de l'âge de cet homme. Il avait visiblement plus de cinquante ans. Cinquante-cinq, me dit-il. Il s'appelait Elzéard Bouffier. Il avait possédé une ferme dans les plaines. Il y avait réalisé sa vie.

Il avait perdu son fils unique, puis sa femme. Il s'était retiré dans la solitude où il prenait plaisir à vivre lentement, avec ses brebis et son chien. Il avait jugé que ce pays mourait par manque d'arbres. Il ajouta que, n'ayant pas d'occupations très importantes, il avait résolu de remédier à cet état de choses.

Menant moi-même à ce moment-là, malgré mon jeune âge, une vie solitaire, je savais toucher avec délicatesse aux âmes des solitaires. Cependant, je commis une faute. Mon jeune âge, précisément, me forçait à imaginer l'avenir en fonction de moi-même et d'une certaine recherche du bonheur. Je lui dis que, dans trente ans, ces dix mille chênes seraient magnifiques. Il me répondit très simplement que [...], dans trente ans, il en aurait planté tellement d'autres que ces dix mille seraient comme une goutte d'eau dans la mer.

Jean Giono, *L'homme qui plantait des arbres* © Éditions Gallimard (Coll. Folio Cadet Rouge), 1990.

Frédéric Back, cinéaste (1924-)

Originaire de l'Alsace, Frédéric Back vit à Montréal depuis 1948. Artiste engagé et écologiste fervent, il produit des films d'animation qui illustrent l'impact des êtres humains sur la nature. En 1987, il crée un film d'animation basé sur la nouvelle de Jean Giono. Un an plus tard, ce film gagne l'Oscar du meilleur film d'animation et reçoit une trentaine de récompenses internationales.

SCÉNARIO 2

L'auteur Jean Giono a si bien dépeint Elzéard Bouffier que de nombreux lecteurs ont cru qu'il avait bel et bien existé. Certains se sont même rendus dans le village où il aurait été enterré pour y fleurir sa tombe. En 1957, Giono révèle que son personnage est imaginaire.

1. Lis la lettre de Jean Giono (p. 152).
2. Encore aujourd'hui, plusieurs personnes considèrent Elzéard Bouffier comme un héros. Lis la lettre que quatre jeunes Français lui ont écrite pour lui rendre hommage (p. 153).
3. D'après toi, ces enfants croient-ils s'adresser à un personnage réel ou fictif ? Réponds en te servant d'indices de la lettre. Fais part de ta réponse à tes camarades.
4. Comment le fait de lire des textes complémentaires à une œuvre littéraire éclairent-ils ta compréhension ?
5. Qu'est-ce qu'Elzéard Bouffier et son créateur ont en commun ? Comment Jean Giono a-t-il contribué à bâtir un monde meilleur ?

JEAN GIONO (1895-1970)

Jean Giono est un écrivain français qui a écrit plusieurs romans, des essais, des récits, des poèmes et des pièces de théâtre.

EN PRIME

- L'extrait de *L'homme qui plantait des arbres* t'a-t-il inspiré des idées pour bâtir un monde meilleur ? Note tes idées dans ton carnet de lecture.

LETTRE DE JEAN GIONO

La nouvelle de Jean Giono a piqué la curiosité de bien des gens qui se sont posé une multitude de questions sur l'existence d'Elzéard Bouffier. L'auteur a donc dû en étonner plus d'un en révélant que son héros était directement sorti de son imagination. Voici une lettre qu'il écrivit en 1957 au Conservateur des Eaux et Forêts de la ville de Digne, afin de clarifier la situation.

Cher Monsieur,

Navré de vous décevoir, mais Elzéard Bouffier est un personnage inventé. Le but était de faire aimer l'arbre ou plus exactement *faire aimer à planter des arbres* (ce qui est depuis toujours une de mes idées les plus chères). Or si j'en juge par le résultat, le but a été atteint par ce personnage imaginaire. Le texte que vous avez lu [...] a été traduit en danois, finlandais, suédois, norvégien, anglais, allemand, russe, tchécoslovaque, hongrois, espagnol, italien, yiddish, polonais. J'ai donné mes droits gratuitement pour toutes les reproductions. Un Américain est venu me voir dernièrement pour me demander l'autorisation de faire tirer ce texte à 100 000 exemplaires pour les répandre gratuitement en Amérique (ce que j'ai bien entendu accepté). L'Université de Zagreb en fait une traduction en yougoslave. C'est un de mes textes dont je suis le plus fier. Il ne me rapporte pas un centime et c'est pourquoi il accomplit ce pour quoi il a été écrit.

J'aimerais vous rencontrer, s'il vous est possible, pour parler précisément de l'utilisation pratique de ce texte. Je crois qu'il est temps qu'on fasse une « politique de l'arbre » bien que le mot politique semble bien mal adapté.

Très cordialement,

Jean Giono

À L'HOMME QUI PLANTAIT DES ARBRES

Cher Elzéard Bouffier,

Vous n'êtes pas un homme très connu à la télévision mais les enfants devraient absolument vous connaître. Des milliers de gens vous doivent leur bonheur : vous avez fait revivre leur nature. Vous étiez un homme solitaire et paisible qui vivait en Provence entre Sisteron et Mirabeau. Nous avons repéré sur la carte de notre classe la région où vous habitiez. Jean Giono, un grand écrivain, vous a découvert lors d'une promenade dans les collines sèches et caillouteuses de votre pays.

Vous étiez berger et infatigablement, pendant de nombreuses années, vous plantiez des arbres, des milliers de chênes et de hêtres sur une terre où il n'y avait rien. Vous les avez plantés sans savoir que cela donnait la vie aux hommes. Pour vous éviter le long trajet jusqu'à vos plantations (vous aviez soixante-quinze ans), vous avez même construit une cabane de pierres sur place. Vous êtes un homme formidable. […]

Je voudrais dire à Jean Giono que je trouve ses mots très beaux. Moi, peut-être que quand je serai grande, je ne fabriquerai pas une forêt mais autre chose d'important comme un hôtel gratuit pour les familles sans maison ou alors un jardin à Argenteuil. Merci Monsieur Bouffier d'avoir fait revivre la nature.

Fatima, Angélique, Jean-Baptiste et Linda (France)

Extrait d'*On vous écrit de la Terre*, dirigé par Alain Serres, Éditions Rue du monde, 2001.

SCÉNARIO 3

Devant la menace qui plane sur les arbres de la ville, Wondeur et Moussa décident de faire un geste concret et de s'engager dans une opération visant à alerter le maire de la ville.

1. Lis l'extrait du roman *Le karatéka* (p. 155-157).

2. Joins-toi à trois autres élèves. Attribuez-vous un nombre de un à quatre.

   a) Répartissez-vous les questions de la fiche **48** de la manière suivante :

      Élève nº 1 ➤ questions 1 et 2

      Élève nº 2 ➤ questions 3 et 4

      Élève nº 3 ➤ questions 5 et 6

      Élève nº 4 ➤ questions 7 et 8

   b) Répondez individuellement à vos questions.

   c) Comparez vos réponses à celles des élèves qui ont répondu aux mêmes questions que vous.

   d) Prenez note des éléments que vous jugez intéressants afin de les transmettre à votre équipe.

   e) Faites part aux membres de votre équipe de vos réponses aux deux questions initiales.

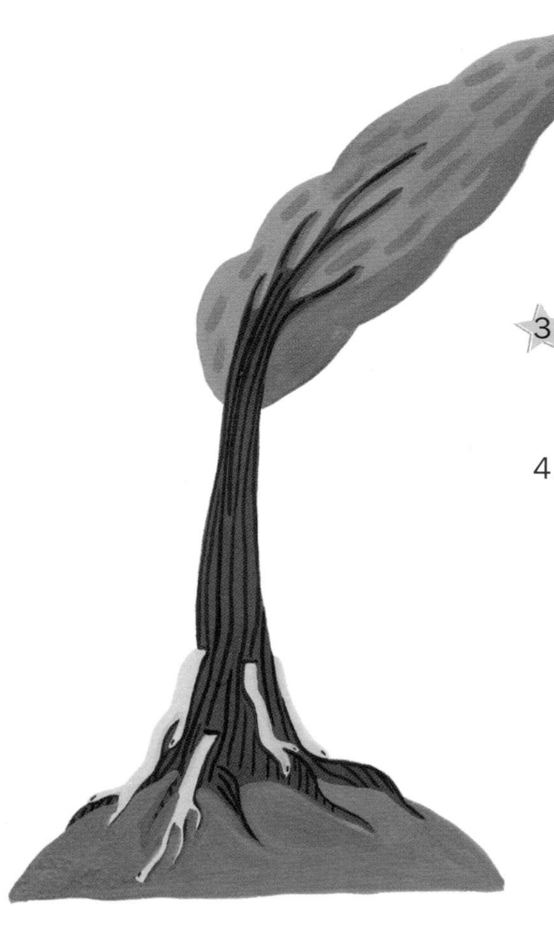

3. Comment le fait de mettre en commun tes réponses et celles des autres élèves t'a-t-il aidé ou aidée à mieux comprendre et à mieux apprécier l'histoire ?

4. Participe à la discussion collective.

   a) Trouves-tu que Wondeur et Moussa ont raison de se battre pour protéger les arbres de la ville ? Pourquoi ?

   b) Que penses-tu du moyen qu'ils ont choisi pour défendre cette cause ?

   c) Connais-tu d'autres moyens pour faire valoir ton opinion ? Lesquels ?

Le karatéka

Wondeur accepte d'aider son ami Moussa à faire signer une pétition dans le but de sauver les arbres de la ville. Ce jour-là, le karatéka, un maître de karaté, les invite à manger. Cette invitation les intrigue, car ce n'est pas dans ses habitudes de recevoir des gens.

Dans le vieux phare, tout le monde est de bonne humeur. Le karatéka a mis son tablier ; il relit sa recette et on l'entend marmonner :

— Deux cuillerées à soupe de gingembre…

Wondeur et Moussa jouent les marmitons. L'un hache les poivrons verts, l'autre les oignons.

— Les légumes doivent être bien émincés, précise le cuisinier.

À la porte du phare, un homme trapu apparaît. Wondeur reconnaît l'invité. C'est celui qu'on appelle le guenillou parce qu'il ramasse des guenilles.

Le guenillou transporte un gros sac de toile ; un sac rempli de déchets qu'il se propose de recycler.

— Salut, lance-t-il en déposant son sac par terre.

Et il jette un coup d'œil aux fenêtres du phare :

— Content de voir que vous avez fait de l'air, dit-il au karatéka.

De son sac, il sort deux paires de bottes et un tricycle violet :

— J'ai un cadeau pour le maître de karaté, annonce-t-il pompeusement.

Derrière ses œillères, le guenillou a l'air particulièrement satisfait. Très intéressé, le karatéka s'essuie les mains et s'approche de son invité. Le guenillou sort un livre de son sac. […]

Et il tend le livre au maître de karaté qui le reçoit, tout content :

— C'est un ouvrage très rare… je ne sais comment vous remercier…

— Ne me remerciez pas, les gens jettent n'importe quoi. Hum... ! Ça sent bon ici...

— Assoyez-vous et enlevez vos œillères, invite le karatéka.

Le guenillou s'installe, Wondeur s'informe de sa santé.

— Pas mal, merci, répond le guenillou.

Après une pause :

— Mais on dirait qu'il y a de plus en plus de poubelles à ramasser... Certains jours, je suis découragé...

— J'ai justement quelque chose à vous montrer, enchaîne Moussa.

Et il lui tend la pétition. À voix haute, l'homme lit l'en-tête :

« Au maire de la ville,

Nous aimons les arbres, mais leur vie est menacée. L'humanité ne pourra survivre si les arbres disparaissent. Nous demandons donc que les chauffeurs de camions de la ville puissent travailler moins vite. Ils pourront ainsi prendre le temps de faire attention, ils ne blesseront plus les arbres. »

Quand il a terminé, le guenillou a l'air décontenancé :

— Vous voulez que je signe ce texte ? demande-t-il, incrédule.

Effrayé, il ajoute :

— Mais c'est dangereux...

— On ne demande pas grand-chose... proteste Moussa.

Le guenillou continue :

— La loi municipale est très stricte. Le texte dit : « On se mêle de ses affaires. » C'est pourquoi le maire suggère que chacun porte des œillères.

— Suggère !!?! s'exclame Wondeur.

Elle sent la moutarde lui monter au nez :

— Le port des œillères est obligatoire sous peine d'emprisonnement ! Tout le monde est au courant, proteste-t-elle.

La fille aux cheveux rouges a beaucoup de difficulté à contenir son indignation. Le guenillou, lui, est mal à l'aise. Le karatéka délaisse un moment ses chaudrons :

— La pétition, chacun est libre de la signer ou non.

— C'est juste, soupire Wondeur.

Et elle évite de regarder en direction du guenillou.

Tout en continuant à hacher les oignons, Moussa réfléchit:

— Si les citadins pensent comme le guenillou... on n'arrivera jamais à réaliser notre projet...

À l'entrée du phare, une voix douce vient faire diversion:

— Excusez-moi, je suis en retard.

Celle qu'on appelle la vieille dame entre. Doyenne de la ville-dépotoir, elle a toujours refusé de porter des œillères. Depuis qu'ils sont arrivés en ville, Wondeur et Moussa habitent chez elle.

Ce jour-là, la vieille dame est jolie; elle a mis son chapeau de paille. Dans ses yeux, on lit une grande fatigue.

— Elle a encore passé la nuit à soigner les arbres, en déduit Wondeur.

Le karatéka apporte une chaise. La vieille femme retire son chapeau et s'assoit avec précaution. En recoiffant ses cheveux blancs, elle laisse tomber:

— Les deux chênes de la boulangerie ont perdu toute leur sève...

Le guenillou regarde dans le vide. Le karatéka toussote. Moussa s'occupe de ses oignons.

— Nous avons 72 signatures, dit Wondeur pour meubler le silence.

— C'est bien, commente simplement la vieille femme.

Et elle croise ses mains sur ses genoux. Une odeur de gingembre roussi s'installe à l'intérieur du phare...

— Ça brûle!

Le karatéka se précipite vers ses chaudrons. Avant de disparaître dans la cuisine, il annonce:

— Je suis du projet, moi aussi; je me joins à vous pour la pétition.

SCÉNARIO 4

Pour formuler leur requête, Wondeur et Moussa ont utilisé l'écriture. Pour rendre hommage à leur héros, des enfants ont rédigé une lettre. Pour exposer ses idées, un auteur a créé un récit. Quelle que soit sa forme, l'écriture constitue un excellent moyen de se faire entendre.

1. Tu sais que ton avis peut compter beaucoup pour ceux et celles qui t'entourent. Que peux-tu faire pour améliorer ton environnement? Fais part de tes idées à tes camarades. Au besoin, inspire-toi de l'encadré.

IDÉES POUR BÂTIR UN MONDE MEILLEUR

- Écrire une lettre (sur du papier recyclé!) aux élèves d'une autre classe pour les inciter à recycler le papier, le carton et les matières plastiques.
- Écrire une lettre à un ou une adulte pour l'inviter à utiliser plus souvent les transports en commun en vue de combattre la pollution de l'air.
- Écrire une lettre à une association ou à une organisation humanitaire de ta région pour leur offrir ta collaboration bénévole.
- Écrire une lettre ou une pétition aux concepteurs des émissions de télévision pour enfants pour les inciter à éliminer la violence de leurs émissions.
- Écrire une lettre ou une pétition à des fabricants de jouets pour leur demander de fabriquer des jouets qui durent plus longtemps.

2. Choisis le sujet sur lequel tu veux t'exprimer.
3. Identifie la personne ou le groupe à qui tu adresseras ta lettre ou ta pétition.

4. Quelle forme convient le mieux pour transmettre ton message : une lettre ou une **pétition** ?
5. Regarde la lettre (fiche 49) ou la pétition (fiche 50) et rédige le brouillon de ton texte. Si tu veux l'écrire directement à l'ordinateur, demande la fiche 51.
6. Comment le modèle a-t-il contribué à organiser ton propre texte ?
7. Relis ton texte. Mets des **?** au-dessus des mots dont l'orthographe ou l'accord sont douteux.
   ORTH. USAGE p. 167
8. Échange ton brouillon avec un ou une camarade. Fais-lui des suggestions pour améliorer l'organisation de son texte et pour orthographier correctement les mots douteux.
9. Quels outils consulteras-tu pour faire des suggestions ? Pour trouver les réponses à ses questions ?
10. Reprends ton texte et corrige-le. Au besoin, demande des explications à l'élève qui l'a révisé.
11. Mets ton texte au propre.
12. Si tu as écrit une pétition, trouve des personnes qui voudront la signer.
13. Transmets ton texte à la personne ou au groupe concernés.

PÉTITION n. f. – Demande, plainte ou vœu adressés par écrit à une autorité quelconque par une personne ou un groupe.

Dictionnaire CEC intermédiaire, Les Éditions CEC inc., 1999.

TROUVER UN TERRAIN D'ENTENTE

Depuis un certain temps, Malick a des prises de bec avec ses parents. Il a l'impression qu'ils ne le comprennent pas. Nous avons remis sa lettre à Jérôme, un travailleur social qui connaît bien les problèmes des jeunes.

Bonjour,

Depuis quelques semaines, je me dispute souvent avec mes parents. Ce matin, par exemple, avant de partir pour l'école, je leur ai demandé la permission d'organiser une fête pour mes amis cette fin de semaine. Ils m'ont dit qu'ils ne voulaient pas en entendre parler. Alors, je me suis énervé et je suis parti en claquant la porte. Pourquoi mes parents ne veulent-ils rien entendre ? Pourriez-vous m'aider ?

Merci d'avance, Malick

Bonjour Malick,

Tu te demandes pourquoi tes parents ne veulent rien entendre. Que dirais-tu de leur poser toi-même la question ? Je te suggère de choisir un meilleur moment que l'heure du départ le matin pour leur parler. Vois-tu, Malick, il est important de choisir un moment où vous êtes tous les trois calmes et de bonne humeur ainsi qu'un endroit où vous ne serez pas dérangés et où vous pourrez parler ouvertement. Tes parents ont sûrement des raisons pour refuser que tu fasses cette fête. Il est important que tu écoutes leur point de vue. Ensuite, tu pourras faire valoir tes arguments pour les rassurer et les persuader qu'ils peuvent te faire confiance. Dis-toi bien qu'il n'y a pas de solution magique pour régler une situation difficile. Peut-être devrez-vous faire des compromis pour trouver un terrain d'entente ? En général, bien des parents ne veulent pas faire de concession sur des règles ou des valeurs qu'ils jugent fondamentales, mais ils sont prêts à négocier d'autres aspects secondaires. L'important, c'est d'établir une bonne communication avec eux.

Je te suggère de jeter un coup d'œil à la démarche de résolution de problèmes ci-dessous. Tu peux t'en inspirer pour résoudre ton différend avec tes parents. Je suis sûr que tu trouveras des moyens de t'entendre avec eux et de clarifier la situation. Rappelle-toi que discuter, ce n'est pas se disputer !

Bonne chance, Malick.

Jérôme Voyer, travailleur social

DÉMARCHE DE RÉSOLUTION D'UN PROBLÈME	
1. Décrire le problème Expliquer en quoi certains éléments de la situation constituent un problème. **2. Nommer ses émotions** Exprimer ce que ce problème nous fait ressentir. **3. Chercher des solutions** Dresser un inventaire des solutions possibles et des compromis envisageables par les deux parties.	**4. Évaluer les solutions** Entrevoir les conséquences positives et négatives de chaque solution pour les deux parties. **5. Établir une entente** Accepter des compromis pour mettre en pratique une solution qui satisfera les deux parties. S'engager à respecter cette entente. **6. Réévaluer l'entente** Plus tard, vérifier si l'entente a été respectée.

Nous te proposons d'illustrer par un jeu de rôle la démarche de résolution de problèmes.

1. Participe au remue-méninges pour trouver des situations qui peuvent causer des problèmes entre les parents et leurs enfants.
2. Choisis un sujet que tu aimerais mettre en scène. Joins-toi aux élèves qui ont choisi le même sujet que toi.
3. Préparez votre jeu de rôle avec la fiche 52.
4. Au moment convenu, présentez votre jeu de rôle.
5. Comment la solution mise en scène a-t-elle contribué à résoudre le problème ? Dans quelles situations de ta vie pourrais-tu mettre en pratique la démarche proposée ?
6. Comment as-tu adapté ta façon de t'exprimer au type de personnage joué ?

DE SOURCE SÛRE

BERTHA KINSKY, BARONNE VON SUTTNER

Écrivaine et journaliste autrichienne, elle a été la première femme à recevoir le prix Nobel de la paix.

Quand tu fais un travail de recherche, te demandes-tu si l'information que tu trouves est exacte, objective, actuelle ? Dans notre monde de communication, il faut s'assurer de l'authenticité de l'information qui nous est transmise. Mets ce conseil en pratique en rédigeant une courte biographie d'une personnalité.

1. Voici quatre personnes qui ont marqué leur époque par leur travail, leurs actions. Choisis-en une que tu aimerais connaître davantage.

AGNES GONXHA BOJAXHIU, DITE MÈRE TERESA

Missionnaire indienne, Mère Teresa a consacré sa vie aux déshérités.

LOUIS PASTEUR

La découverte du vaccin contre la rage a contribué à la célébrité de ce grand homme.

ALFRED NOBEL

À sa mort, Alfred Nobel légua sa fortune à une fondation qui eut comme mandat de distribuer, chaque année, cinq prix Nobel à des personnes ayant rendu les plus grands services à l'humanité.

2. Inspire-toi des sujets du tableau ci-dessous pour déterminer le contenu de ta biographie.

Contenu de la biographie
• Date, lieu de naissance et de mort
• Études
• Métier ou profession
• Étapes importantes
• Principales réalisations
• Récompenses
• Origine de la célébrité
• Contribution à l'humanité

3. Prépare une fiche sur chaque sujet que tu comptes aborder.
4. Comment vérifieras-tu l'exactitude d'une information trouvée sur ton personnage ?
5. Avant de mettre ton texte en forme, joins-toi à des élèves qui ont fait leur recherche sur le même personnage que toi.
   a) Comparez les renseignements que vous avez trouvés.
   b) Si certains renseignements se contredisent, vérifiez-les auprès d'autres sources.
6. Rédige ta biographie dans un texte suivi ou sous la forme d'une fiche d'identité.
7. Tes lecteurs pourront-ils se fier au contenu de ton texte ? Pourquoi ?
8. Relis ton texte pour faire la chasse aux fautes.
9. Retranscris-le à la main ou à l'aide d'un traitement de texte. Illustre-le d'une image.
10. Mets ton texte à la disposition des élèves de la classe.

STRATÉGIE

C

Pour vérifier l'exactitude d'une information, cherche-la dans d'autres sources. Si tu trouves la même information dans au moins trois sources différentes, elle a de bonnes chances d'être authentique. Tu peux consulter :

- des dictionnaires de noms propres ;
- des encyclopédies ;
- des sites Internet sûrs, c'est-à-dire créés par des organismes, des groupes, des entreprises ou des médias officiels ou reconnus.

ORTHOGRAPHE D'USAGE

Lettre anonyme

LA LISTE ORTHOGRAPHIQUE

Comment faire apparaître des mots à l'étude au numéro 11? En écrivant des lettres!

1. Devine la dernière lettre de chacun des mots suivants en te basant sur un mot de la même famille. Récris chaque mot sur une feuille et note, à côté, le mot que tu as utilisé pour formuler ton hypothèse.

   Ex. : sau ▭ → sau**t** → sau**t**er, sau**t**erie, sau**t**e-mouton

   a) accen ▭
   b) arrê ▭
   c) cadena ▭
   d) cam ▭
   e) cham ▭
   f) débu ▭
   g) dra ▭
   h) écla ▭
   i) écri ▭
   j) hau ▭
   k) lour ▭
   l) prê ▭
   m) progrè ▭
   n) propo ▭
   o) ran ▭
   p) réci ▭
   q) respec ▭
   r) secon ▭
   s) sentimen ▭
   t) sor ▭
   u) univer ▭

2. Vérifie la justesse de tes réponses en repérant les mots du n° 1 dans la liste orthographique du numéro 11 (fiche 53). Au besoin, corrige les mots mal écrits.

3. Comment le recours à la famille de mots peut-il t'aider à formuler des hypothèses sur l'orthographe d'un mot? à mémoriser l'orthographe d'un mot?

Recoller les morceaux

Les graphies *-ain* et *-eau*

Si on enlevait le *e* de *beau*, cela changerait-il la prononciation du mot ? Et si on retirait le *a* du mot *urbain*, le mot se prononcerait-il différemment ? Alors, pourquoi s'embarrasser de ces lettres ? À toi de le découvrir !

1. Justifie la présence du *e* dans la graphie *eau* des mots suivants. Pour chaque mot, trouve un mot de la même famille dans lequel le *e* est prononcé. Sers-toi de ton dictionnaire pour t'aider.

   Ex. : beau → b**e**lle, emb**e**llir, b**e**llâtre

   a) bandeau
   b) carreau
   c) cerveau
   d) chameau
   e) chapeau
   f) château
   g) gâteau
   h) marteau
   i) morceau
   j) museau
   k) nouveau
   l) ruisseau

Pour trouver des indices qui t'aideront à trouver des mots de la même famille, consulte la fiche **54**.

Pour trouver des mots de la même famille :

- lis la définition du mot de départ dans le dictionnaire ;

  Ex. : drapeau → Un drapeau, c'est un morceau de tissu fixé sur un manche.

- recherche, dans la définition, des indications qui renseignent sur la formation du mot ;

  Ex. : Formé de *drap* + *eau*

- cherche, autour du mot de départ, des mots qui s'apparentent à ce mot par le sens et par la forme ;

  Ex. : drap, drapé, draper, draperie

- retiens les mots qui expliquent la présence de la lettre « muette » dans le mot de départ.

  Ex. : drap**eau** → drap**é**, drap**e**r, drap**e**rie

2. Justifie la présence du *a* dans la graphie *-ain* des mots suivants. Pour chaque mot, trouve des mots de la même famille dans lesquels le *a* est prononcé. Ensuite, surligne cette lettre prononcée dans les mots que tu as trouvés.

   Ex. : urbain → urbanisation, urbanisme

Mots	Indices pour trouver des mots de la même famille
a) main	• Petite poignée que l'on manœuvre à la main. → • Antonyme de *automatiquement*. → • Texte écrit à la main. →
b) gain	• Celui ou celle qui gagne. → • Antonyme de *perdre*. →
c) grain	• Petit grain. → • Qui se nourrit de grains. →
d) humain	• Ensemble des êtres humains. → • Qualifie une association qui porte secours aux personnes en détresse. →
e) pain	• Enrober une viande, un poisson de chapelure. → • Pain râpé qui sert à paner, synonyme de *chapelure*. →

3. Repère les mots des n°s 1 et 2 dans ta liste orthographique (fiche 53) et coche-les.

4. Comment la recherche d'explications sur la manière d'écrire un mot peut-elle t'aider à en retenir l'orthographe ?

RETENIR SA LANGUE

L'ORTHOGRAPHE DES MOTS

1 Pour comprendre la manière d'écrire un mot, on peut chercher à :

- justifier la présence d'une lettre muette ;

  Ex. : *Dans le mot* coup, *le* p *n'est pas prononcé, mais il l'est dans des mots de la même famille comme* cou**p**ant, cou**p**e, cou**p**er.

- expliquer le choix d'une graphie.

  Ex. : *On écrit* bœuf *et non* ~~beuf~~ *pour marquer le lien entre* b**œ**uf, b**o**vin *et* b**o**vidés.

2 La recherche d'explications sur l'orthographe d'un mot aide :

- à retenir l'orthographe du mot ;

  Ex. : *Relier* pie**d** *à* pé**d**estre *ou à* pié**d**estal *permet de se rappeler que le mot* pied *se termine par un* d.

- à comprendre une particularité orthographique ;

  Ex. : *Associer le* p *de* corps *à* cor**p**orel *et son* s *à* cor**s**et *ou à* cor**s**age *permet d'expliquer la présence du* p *et du* s *à la fin du mot* corps.

- à créer des liens entre les mots ;

  Ex. : *Rapprocher* pou**ls** *et* pu**ls**ation *éclaire le sens de ces deux mots.*

- à entretenir sa curiosité des mots.

  Ex. : *Faire des hypothèses sur la présence du* p *et du* s *dans le mot* poids *peut mener à* pon**d**éré, *à* pon**d**ération, *à* pe**s**er *et à* pe**s**anteur.

SECTION GRAMMATICALE

Voir double

Les homophones

Expliquer logiquement la façon d'écrire des homophones, c'est bien, mais l'expliquer follement c'est bien amusant!

1. Justifie la lettre finale de chaque paire d'homophones par des mots de même famille.

   Ex.: cent → cen**t**aine, cen**t**enaire
   sang → san**g**uin, san**g**uinolent

a) bon/bond	d) laid/lait	g) poing/point
b) champ/chant	e) mors/mort	h) porc/port
c) coup/coût	f) plan/plant	i) vin/vingt

2. Pourquoi *ballet* prend-il deux *l* et *balai*, un seul? Lis l'interprétation loufoque de Benoît Marchon.

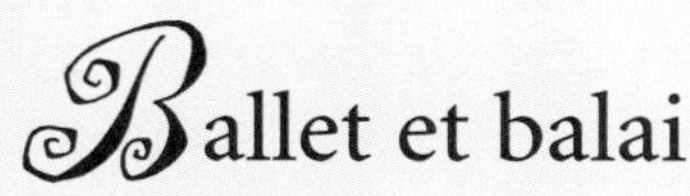

Ballet et balai

Il faut deux jambes pour danser
Donc il faut deux **L** à ba**ll**et
Mais il suffit d'un **L** à ba**l**ai
Car il n'a qu'un manche

Benoît Marchon, *Ballet et balai*, tiré de *Mots clés pour être un as de la dictée*, Actes Sud Junior, 2002.

a) Choisis un couple parmi les paires d'homophones ci-dessous et imagine une explication en imitant le style de Benoît Marchon.

bal/balle	col/colle	mal/malle
bar/barre	date/datte	rêne/renne
cane/canne	galon/gallon	sale/salle

b) Relis ton texte et élimine les fautes.

c) Transcris-le au propre et fais-le circuler.

d) Comment le fait de jouer avec les mots peut-il t'aider à mieux les écrire?

EN PRIME

• Sais-tu choisir l'homophone qui convient? Tu le sauras en remplissant la fiche **55**.

• Ce sont les avant-derniers. Il ne faudrait pas les rater! À toi de t'amuser avec les mots croisés dans la fiche **56**.

SYNTAXE

Rester en fonction

Les compléments du verbe

Le nom a ses compléments du nom. Alors, pourquoi le verbe n'aurait-il pas ses compléments du verbe?

1. Pour te remémorer tes connaissances sur le groupe du verbe (GV), fais l'exercice proposé dans la fiche 57.
2. Pour te familiariser avec le complément direct (CD), observe les mots en caractère gras dans les phrases suivantes.

SUJET	PRÉDICAT (GV)	
	Verbe	Complément direct (CD)
Je	lis	**un livre de recettes**.
Les fruits séchés	provoqueraient	**la carie dentaire**.
Leur contenu élevé en sucre	expliquerait	**ce risque**.
L'eau de fleur d'oranger	aromatise	**les pâtisseries**.
Elle	aime	**les gaufres aux bleuets**.
On	ne prononce pas	**le *p* final de *cantaloup***.
Nous	avons mangé	**un délicieux sorbet à la mangue**.

À partir de tes observations et des données de *Retenir sa langue* (p. 172), réponds aux questions ci-dessous.

a) Le complément direct (CD) est-il effaçable? Pour le savoir, relis chaque phrase du tableau sans les mots en caractère gras.

b) Le CD est-il déplaçable? Pour répondre à cette question, essaie de placer le CD ailleurs dans la phrase.

c) Comment se nomme le groupe de mots qui forme le CD?

SECTION GRAMMATICALE

d) Transforme chaque phrase en remplaçant le CD par un pronom.

Ex. : Elle aime **les gaufres aux bleuets**. → Elle **les** aime.

e) Où est placé chaque pronom par rapport au verbe ?

f) Quels pronoms as-tu utilisés ?

3. Fais le même type d'observation qu'au nº 2 à partir d'un autre type de complément du verbe, le complément indirect (CI).

SUJET	PRÉDICAT (GV)	
	Verbe	Complément indirect (CI)
Nous	parlons	**au chef cuisinier**.
Le chef cuisinier	parle	**à ses apprentis cuisiniers**.
La bergamote	ressemble	**à une petite orange**.
Mon père	s'intéresse	**à la cuisine asiatique**.
Je	dîne	**avec mes grands-parents**.
Nous	avons discuté	**de nos recettes préférées**.
Ma tante	revient	**d'un séjour en Italie**.
Ma mère	va	**au marché public**.

4. Dans les phrases suivantes, le complément direct est un pronom personnel. Imagine le groupe du nom (GN) qu'il remplace.

Ex. : Elle **l'**aime beaucoup. → Elle aime beaucoup **le fromage**.

a) Ma mère **les** achète à l'épicerie.

b) Tu **en** manges souvent.

c) Je **la** suivrai à la lettre.

d) Nous **les** cherchons.

e) Tu **l'**expliques simplement.

f) Je **le** reconnais.

5. Récris les phrases suivantes en remplaçant le groupe du nom (GN) qui exerce la fonction de complément direct par le pronom *l', le, la, les* ou *en*.

Ex. : Je n'aime pas **les escargots**. → Je ne **les** aime pas.

a) J'adore **le saumon fumé**.

b) Le dimanche matin, mon père prépare **le déjeuner**.

c) Chaque année, à son anniversaire, ma mère veut manger **du homard**.

d) Je n'aime pas **les croustilles au vinaigre**.

e) Je lis **un livre de recettes**.

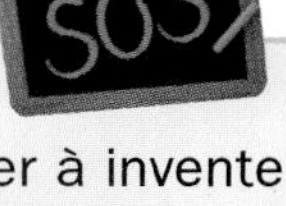

Pour t'aider à inventer des GN, formule une question du type *qui est-ce que* ou *qu'est-ce que* suivie du verbe... et réponds-y !

Ex. : Qu'est-ce qu'elle aime beaucoup ? → Elle aime beaucoup **les films de science-fiction**.

Qui est-ce qu'elle aime beaucoup ? → Elle aime beaucoup **ton frère**.

STRATÉGIE

Les mots *l', le, la, les* peuvent être des pronoms ou des déterminants.

Ce sont des pronoms lorsqu'ils :

- précèdent un verbe ;

  Ex. : Mes parents **la** reçoivent pour dîner.

- remplacent un GN.

  Ex. : Nous avons [une nouvelle voisine] (GN). Mes parents **la** reçoivent pour dîner.

Ce sont des déterminants lorsqu'ils accompagnent un nom. Dans ce cas, ils prennent le genre et le nombre du nom qu'ils précèdent.

Ex. : **Le** (m.s.) repas (N, m.s.) fut agréable.

SECTION GRAMMATICALE

RETENIR SA LANGUE

LES COMPLÉMENTS DU VERBE

Le **complément du verbe** est un mot ou un groupe de mots qui complète le verbe.

V

Ex. : *Je prépare* ***des muffins aux bananes.***

1 Il existe deux types de compléments du verbe : le complément direct (CD) et le complément indirect (CI).

Complément direct (CD)	Complément indirect (CI)
• Le complément direct peut être un **groupe du nom** (GN). Il est alors placé après le verbe. Ex. : *J'aime* ***les sushis.***	• Le complément indirect peut être un **groupe prépositionnel** (GPrép). Il est alors placé après le verbe. Ex. : *J'ai goûté* ***à une poire conférence****.*
• Le complément direct peut être un **pronom** (*le, la, l', les* ou *en*). Il est alors placé avant le verbe. Ex. : *Je* ***les*** *préfère aux souvlakis.*	• Le complément indirect peut être un **pronom** (ex. : *lui, leur, y* et *en*). Il est alors placé avant ou après le verbe. Ex. : *Le nom étrange de cette poire* ***lui*** *vient d'un prix remporté en 1885.* *J'ai mangé avec* ***lui.***
• Habituellement, on ne peut pas effacer le **complément direct** dans une phrase. Ex. : On peut dire *Je savoure* ***une pomme****,* mais on ne peut pas dire *Je savoure.*	• Habituellement, on ne peut pas effacer le **complément indirect** dans une phrase. Ex. : On peut dire *Ça ressemble* ***à une pomme****,* mais on ne peut pas dire *Ça ressemble.*
• Dans une phrase, on ne peut pas déplacer le **complément direct**. Ex. : *J'achète* ***une tarte aux fraises****.* ~~***Une tarte aux fraises*** *j'achète.*~~	• Dans une phrase, on ne peut pas déplacer le **complément indirect**. Ex. : *Il m'encourage* ***à essayer cette recette****.* ~~***À essayer cette recette*** *il m'encourage.*~~

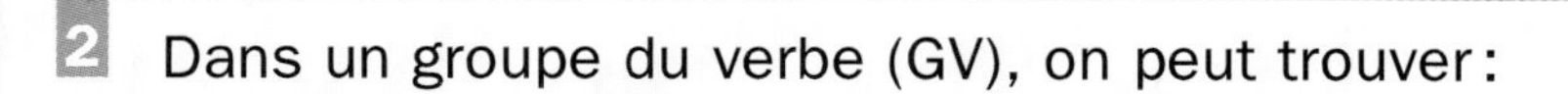

2 Dans un groupe du verbe (GV), on peut trouver :

- plus d'un complément du verbe ;

  V CD CI

  Ex. : *Le garçon de table sert* ***un café à ma grand-mère.***

  V CI CI

  J'ai parlé ***de ma recette préférée à mes camarades.***

- un complément du verbe et un modificateur (modif.) du verbe.

  V modif. CD

  Ex. : *Ma sœur aime* ***beaucoup la lasagne.***

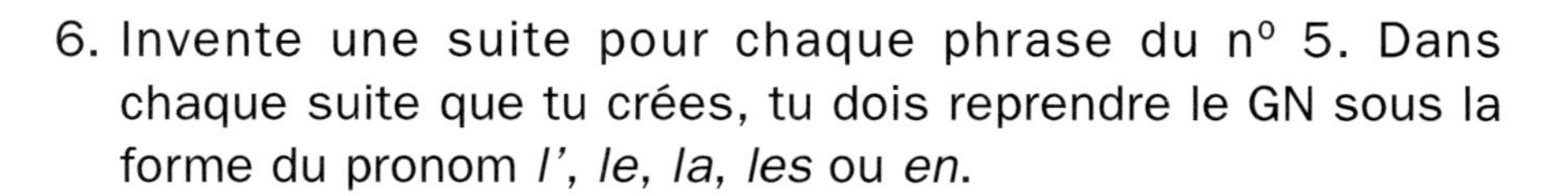

6. Invente une suite pour chaque phrase du nº 5. Dans chaque suite que tu crées, tu dois reprendre le GN sous la forme du pronom *l'*, *le*, *la*, *les* ou *en*.

   Ex. : Je n'aime pas [les escargots] (GN). Je **les** déteste même.

   Je n'aime pas [les escargots] (GN). Je n'**en** achèterai jamais.

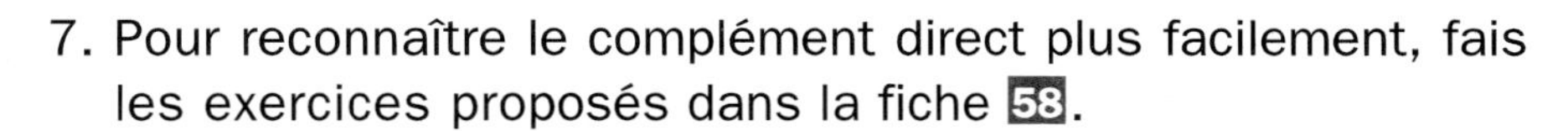

7. Pour reconnaître le complément direct plus facilement, fais les exercices proposés dans la fiche **58**.

8. Récris les phrases suivantes en remplaçant le pronom complément indirect (CI) par un groupe prépositionnel (GPrép).

   Ex. : Je **lui** fais goûter mes muffins. → Je fais goûter mes muffins **à mon amie**.

   a) Je **leur** sers une autre portion de moussaka.

   b) J'**en** raffole.

   c) Ce chef **leur** livre ses meilleurs secrets.

   d) Elle **lui** raconte son voyage en Grèce.

   e) Vous **y** penserez.

   f) Ta sœur et toi **lui** ressemblez.

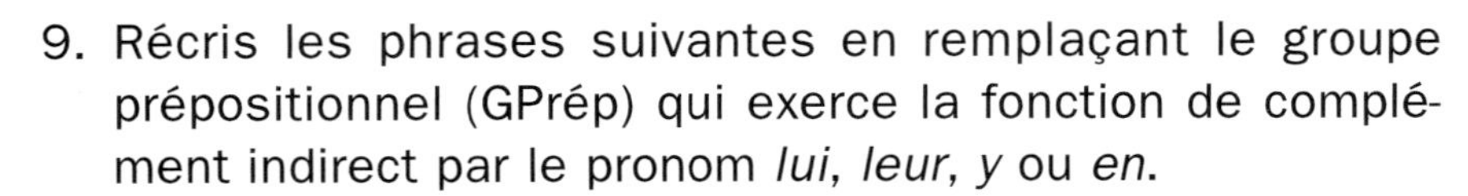

9. Récris les phrases suivantes en remplaçant le groupe prépositionnel (GPrép) qui exerce la fonction de complément indirect par le pronom *lui*, *leur*, *y* ou *en*.

   Ex. : J'ai parlé **à mes grands-parents**. → Je **leur** ai parlé.

   a) Ce livre de recettes appartenait **à mon arrière-grand-mère**.

   b) Au cours de ce somptueux banquet, on a servi du homard **aux convives**.

   c) Le samedi, mon père s'occupe **des courses**.

   d) Mon oncle François s'intéresse **à la cuisine**.

10. Invente une suite pour chaque phrase du nº 9. Dans chaque suite que tu crées, tu dois reprendre le GPrép sous la forme du pronom *lui*, *leur*, *y* ou *en*.

    Ex. : J'ai parlé [à mes grands-parents] (GPrép). Je **leur** ai dit que j'avais goûté à de l'autruche.

11. Fais ressortir ce qui distingue le complément du verbe du complément de phrase en remplissant un tableau comme celui ci-dessous. Précise les caractéristiques des deux types de compléments en écrivant *oui* ou *non* dans chaque case.

Caractéristiques	Complément du verbe	Complément de phrase
Essentiel		
Facultatif		
Effaçable		
Non effaçable		
Déplaçable		
Non déplaçable		
Remplaçable par un pronom		
Non remplaçable par un pronom		

VOCABULAIRE

Dans tous les sens

Les différents sens d'un mot

Quel est le point commun entre toi et la majorité des mots ? Tous deux, vous avez plusieurs sens !

CONNAISSANCE

L É

Dans un dictionnaire, on distingue les différents sens d'un mot au moyen de chiffres romains (I, II, III...) ou arabes (1, 2, 3...), de lettres (A, B, C...) ou de signes (◆, –...).

Le mode de présentation peut varier d'un dictionnaire à l'autre. Pour savoir comment on distingue les différents sens d'un mot dans ton dictionnaire, consulte les premières pages.

1. Cherche les mots suivants dans ton dictionnaire.

   air   bon   donner   petit   passer

   Qu'est-ce qui te permet de conclure que ces mots ont différents sens ?
2. Comment signale-t-on les différents sens d'un mot dans ton dictionnaire ?
3. Comment indique-t-on le sens **figuré** d'un mot ou d'une expression dans ton dictionnaire ?

FIGURÉ, ÉE adj. – *Le sens figuré d'un mot*, c'est le sens évoqué par une image. *Au sens propre, un ours est un animal, au sens figuré, c'est un homme grincheux qui aime être seul.* Ce mot est de la famille de : figure.

Extrait du *Robert Junior*, version CD-ROM.

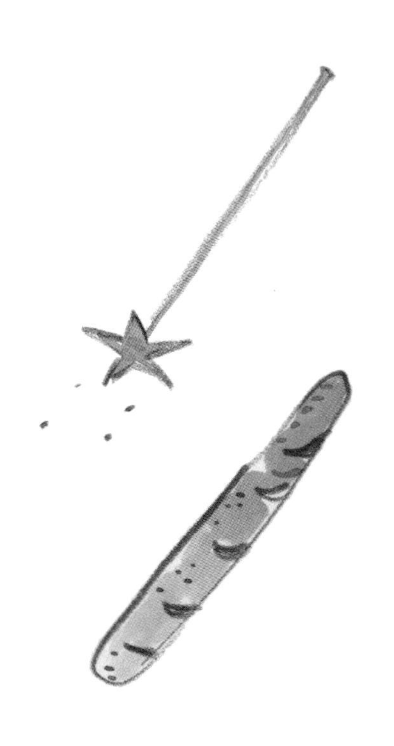

4. Montre deux sens différents pour chacun des mots suivants. Tu peux soit les dessiner, soit les insérer dans un court contexte. Pour t'assurer de montrer des sens distincts, consulte ton dictionnaire.

   Ex. : baguette → une baguette magique
   → une baguette de pain

   a) ampoule c) carte e) côte g) manche

   b) caisse d) chausson f) glace h) note

5. Distinguer les différents sens d'un mot, c'est souvent connaître ses principaux synonymes. Vérifie cette affirmation dans la fiche **59**.

6. L'illustratrice Christine Battuz a pris quelques expressions figurées au sens propre. Associe chacune des expressions suivantes à la bonne illustration.

a) ne pas fermer l'œil de la nuit	d) les bras m'en tombent
b) casser les oreilles	e) avoir le cœur sur la main
c) avoir le bras long	f) trancher la question

1. 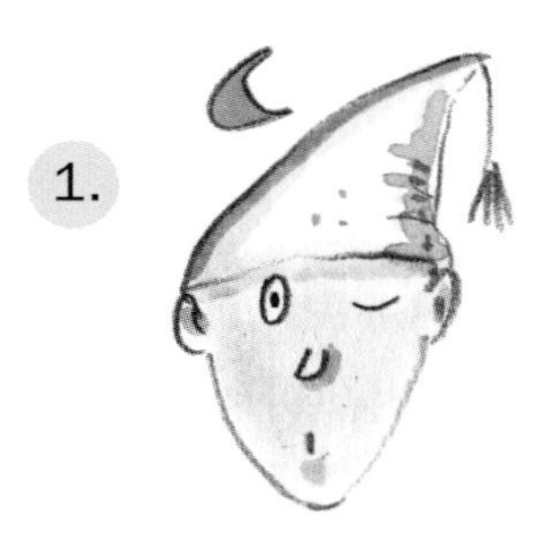

2. 

3. 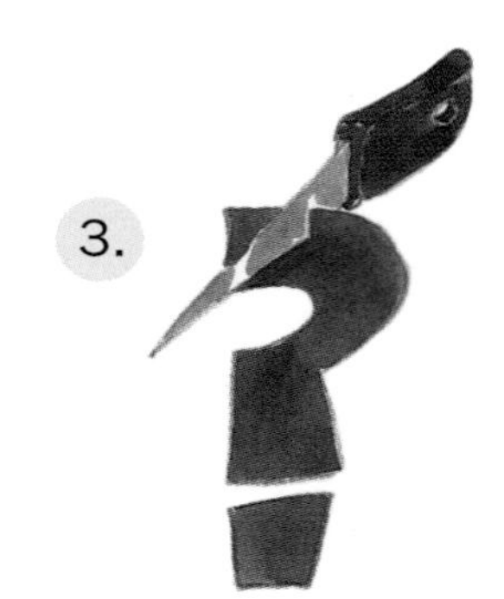

4. 

5. 

6. 

7. Pour chacune des séries suivantes, trouve un mot qui peut compléter les quatre énoncés.

Ex. : J'ai mangé une **bonne** tarte aux fraises.

Ta blague est vraiment **bonne**.

Ta réponse est **bonne**.

Tu es **bonne** pour moi.

Série 1

- Mon père trouve que les légumes sont plus ___ au marché.
- Le vent est ___ ce matin.
- Je préfère le pain ___.
- Mets ton sandwich au ___.

Série 2

- J'ai reçu un puzzle de cent ___.
- Nous préparons une ___ de théâtre.
- Je n'ai plus une seule ___ de monnaie.
- Vous devez présenter une ___ d'identité.

Série 3

- J'aime qu'on me donne l'heure ___.
- Ce pantalon est rendu trop ___ pour moi.
- Mon professeur est sévère, mais il est ___ envers nous tous.
- Quand j'écris, j'aime trouver le mot ___.

Série 4

- Ce gâteau a un ___ goût de brûlé.
- Ton sac est ___ comme une plume.
- Ce midi, je vais manger ___.
- Mon père a le sommeil ___ : il se réveille facilement.

EN PRIME

- Examiner à tête reposée, jouer les gros bras, casser les oreilles : décidément, le corps humain est à l'origine de plusieurs expressions de sens figuré. Trouve le sens de quelques-unes de ces expressions dans la fiche 60.
- Si tu aimes rigoler, choisis des expressions de sens figuré parmi celles proposées dans la fiche 60 et illustre-les à la manière de Christine Battuz.

RETENIR SA LANGUE

LES DIFFÉRENTS SENS D'UN MOT

La plupart des mots ont plusieurs sens.

Ex. : *Le lion **dévore** sa proie.* → *mange en déchirant avec ses dents*

*Ma sœur **dévore** les romans policiers.* → *lit avec avidité*

*Les flammes **dévoraient** le vieux château.* → *détruisaient*

1 Le sens d'un mot change selon le contexte, c'est-à-dire selon les mots qui l'entourent.

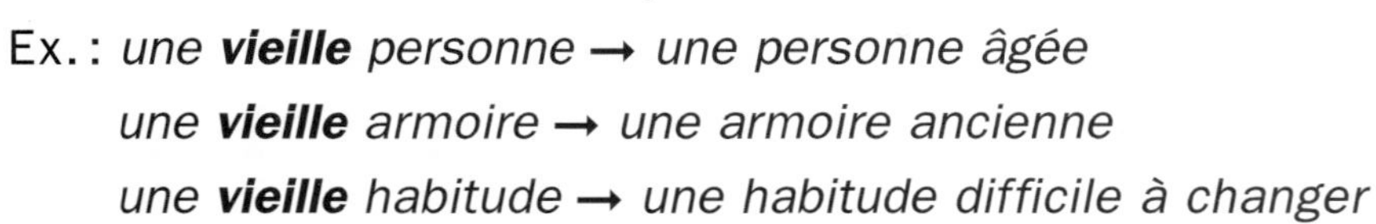

Ex. : *une **vieille** personne* → *une personne âgée*

*une **vieille** armoire* → *une armoire ancienne*

*une **vieille** habitude* → *une habitude difficile à changer*

2 Chaque mot possède un **sens propre**, qui :

- correspond au sens le plus courant du mot ;
- est généralement la première définition du mot.

Ex. : *Briser une vitre* → *casser une vitre, la mettre en morceaux.*

3 Un mot peut présenter un **sens figuré**, ou plusieurs, qui :

- correspond à l'emploi imagé d'un mot ;
- est généralement signalé dans le dictionnaire par l'abréviation FIG.

Ex. : *Briser le cœur de quelqu'un* → *lui causer une très grande peine.*

4 La connaissance des différents sens d'un mot facilite la recherche de synonymes.

Ex. : *Mon père **fait** des maisons.* → *construit*

*J'ai **fait** un poème.* → *composé*

*Elle **fait** jeune pour son âge.* → *paraît*

Plus un mot a de sens différents, plus sa définition est longue dans le dictionnaire.

ORTHOGRAPHE GRAMMATICALE

Leur sans heurt

LEUR, DÉTERMINANT OU PRONOM

C'est l'heure de déjouer les leurres !

1. Comment distingues-tu le déterminant *leur* du pronom *leur* ?
2. Vérifie l'efficacité de tes méthodes dans la fiche **61**.

EN PRIME

- Écris-tu toujours le mot *leur* correctement ? Tu le sauras en faisant l'exercice de la fiche **62**.

RETENIR SA LANGUE

LEUR, DÉTERMINANT OU PRONOM

Le mot **leur** peut être un déterminant ou un pronom.

1 Le déterminant **leur** :

- accompagne toujours un nom ;

  Ex. : *Sophie et Catherine adorent **leur** mère.* (N : mère)

- s'accorde en nombre avec le nom auquel il se rapporte.

  Ex. : *Ces enseignants invitent **leurs** élèves à faire **leur** part.*

2 Le pronom **leur** :

- est un pronom personnel de la 3e personne du pluriel ;
- est invariable ;
- exerce la fonction de complément indirect (CI) du verbe ;
- est toujours placé avant le verbe qu'il complète, sauf dans une phrase impérative de forme positive.

  Ex. : *Je **leur** demande d'utiliser du papier recyclé.* (V : demande)

  *Demande-**leur** d'éteindre la lumière avant de sortir.* (V : Demande)

SECTION GRAMMATICALE

Offre d'emploi

LA CONJUGAISON DES VERBES DU TYPE *EMPLOYER*

Voici ton emploi du temps : découvrir les caractéristiques des verbes du type *employer*.

1. Examine le tableau de conjugaison du verbe *employer*.

   a) Quels sont les radicaux du verbe *employer* ?

   b) Surligne dans ton tableau les terminaisons précédées du radical *emploi-*.

   c) Qu'est-ce que ces terminaisons ont en commun ?

2. Détermine les principaux verbes du type *employer* à partir de mots de la même famille que ces verbes.

   Ex. : bégaiement → bégayer

   a) aboiement
   b) appui
   c) balai
   d) broyeur
   e) déblayage
   f) débrayage
   g) effrayante
   h) ennui
   i) essai
   j) essuie-tout
   k) foudroyant
   l) monnaie
   m) nettoyage
   n) noyade
   o) payant
   p) rayure
   q) tutoiement
   r) vouvoiement

3. Ajoute un radical et un pronom aux terminaisons suivantes en te servant des verbes que tu as trouvés au n° 2.

   Ex. : *-ais* → j'employais, tu employais

   a) -a
   b) -aient
   c) -ait
   d) -ent
   e) -erai
   f) -eraient
   g) -èrent
   h) -erons
   i) -es
   j) -ez
   k) -iez
   l) -ions

4. Conjugue des verbes du type *employer* dans la fiche 63.

5. Fais le point sur les verbes en *-er*.

   - Quels sont les verbes modèles en *-er* que tu connais ?
   - Qu'est-ce que ces verbes ont en commun ?
   - Qu'ont-ils de particulier ?

EN PRIME

- Es-tu capable d'associer facilement un verbe à son modèle de conjugaison ? Tu le sauras en remplissant la fiche 64.

RETENIR SA LANGUE

LES VERBES DU TYPE *EMPLOYER*

Nombre de verbes qui se conjuguent sur ce modèle	environ 75
Terminaisons	identiques à celles du verbe *aimer*
Radicaux	• *employ-* • *emploi-* avec un **i** devant une terminaison commençant par un **e** muet Ex. : *elles em**ploi**ent*
Mots de la même famille	On peut trouver la trace des deux radicaux dans les mots de la même famille. Ex. : *balayer* → ***balai, balay**euse*

Les verbes *envoyer* et *renvoyer* se conjuguent comme *employer,* sauf au futur simple et au conditionnel présent. À ces temps, ils se conjuguent comme le verbe *voir.*

Mots sans maux

La dictée en coopération

Amateurs de mots recherchés pour faire une dictée.

1. Forme une équipe avec deux élèves. Répartissez-vous le texte de la dictée qui se trouve dans la fiche 65.
2. Quelles difficultés avez-vous éprouvées? Comment les avez-vous surmontées?

Signer la paix

SUPPLÉMENT

TEXTES ADDITIONNELS ET ACTIVITÉS DE LECTURE AU CHOIX

Sous-thématique 1 : Le tour du monde en couleurs

Sous-thématique 2 : Bâtir le monde

Au bout du monde

Abel va rejoindre son grand-père Léo en Inde.
Très vite, il découvre que le mode de vie de ces habitants est bien différent du sien.
Fais un bout de chemin avec lui.

Après quelques zigzags et plusieurs coups de frein, le *rickshaw* finit par stopper. Nous sommes arrivés à destination. Mammouth quitte la banquette sans oublier de me donner un solide coup de queue sur les doigts. Aïe ! Léo remet une poignée de roupies au conducteur et nous descendons dans la rue. Aaaatchoummm… Ces satanés poils de chien, j'en ai plein le nez !

À peine ai-je mis le pied sur le sol qu'une balle vient heurter la semelle de ma sandale. Une belle balle rouge ! Je me penche. Elle est dure comme une balle de baseball mais un peu plus grosse.

— Grand-papa ! As-tu vu ce que j'ai… BROOOMMM ! gronde le *rickshaw* dans mon dos. Je me retourne. Rempli à pleine capacité, le véhicule repart déjà. De l'autre côté de la rue, des garçons s'amusent dans un terrain vague. À vrai dire, ils ont plutôt l'air de chercher quelque chose. Le plus grand de la bande m'aperçoit alors. Il va parler à ses copains en me montrant du doigt. D'un pas souple, il s'avance vers moi. Oh ! je pense que j'ai compris. La belle balle rouge doit lui appartenir.

Je me prépare à la lui lancer quand Mammouth referme sa gueule sur ma main et me vole la balle ! Le monstre s'assoit, les crocs bien en évidence. Le garçon n'ose plus bouger. Ses amis l'entourent, résignés. Je ne fais ni une ni deux. Je prends une poignée de vieux biscuits dans mon sac et l'offre à la bête. Du coup, Mammouth laisse tomber son butin pour s'empiffrer. Je récupère la balle. Yeurk! Elle est dégoulinante de bave. Vite, je l'essuie sur mon pantalon et la lance au jeune Indien. Il l'attrape, le visage radieux. Aussitôt, ses amis repartent à la course vers le centre du terrain. Il les suit en relevant son bras gauche pour me saluer. La manche de sa chemise glisse. Son bras est coupé. Il n'a qu'un moignon à la hauteur du coude... Pauvre lui! Je ne voudrais pas être à sa place.

— Regarde comme ils ont du plaisir! s'exclame grand-papa. Ils ont de vieilles battes, mais rien ne peut les empêcher de jouer au cricket.

J'observe un moment et je réplique:

— Ils ont vraiment une drôle de façon de jouer au croquet.

— Au cri-cket, Abel! C'est le sport national. Le jeu ressemble un peu à notre baseball. Il y a un lanceur, mais deux frappeurs. La batte est plate et on frappe vers le bas, comme avec un bâton de golf. Le lanceur doit atteindre les trois petits bâtons plantés dans le sol, là-bas, au centre. Comme une flèche sur sa cible!

Le baseball, le golf, le tir à l'arc... Je n'y comprends rien! Sauf que j'aimerais bien aller courir avec eux. J'apprendrais sûrement les règles très vite.

Grand-papa fait rouler ses épaules. Il s'étire en déclarant:

— Champion, dès que nous aurons une minute, nous irons assister à une vraie partie. Promis! Bon... passons aux choses sérieuses! J'ai une faim de loup. Et toi?

— Une faim GIGANTESQUE!

— Tant mieux! Partons de ce pas à la recherche de notre gueuleton!

Léo cale son chapeau de cow-boy sur sa tête et s'éloigne à grandes enjambées. Je trottine derrière lui pour le rattraper.

— Tu vois ces chariots devant les petits commerces? Eh bien, ce sont des cuisines ambulantes!

Nous passons devant un chariot sur lequel trône un chaudron fumant. Un homme avec une grosse moustache est en train de façonner des boulettes.

À toute vitesse, grand-papa me fournit ces explications:

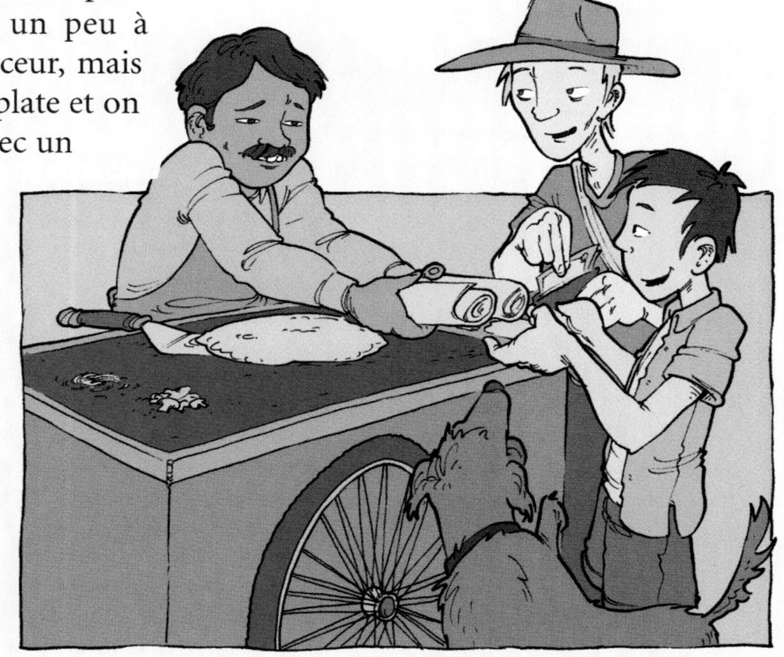

— Ici, tu peux manger un *batata wada.* Boulette panée de patates jaunes frite dans l'huile et placée dans un pain. C'est le hamburger indien !

Il fait un demi-tour sur lui-même.

— En face, des *pâkoras* et ses délicieuses tranches de légumes panées. Les favoris de Bapou ! Là, du *pav badji.* Une sauce à base de choux-fleurs, carottes et patates… une merveille ! Et un peu plus loin, mon plat préféré, les magnifiques *dosas* !

Étourdi par tant de mots nouveaux, je dévisage Léo avec de grands yeux. Moi qui ne sais même pas ce qu'il y a dans un pâté chinois…

Finalement, j'opte pour les *dosas.* Quand grand-papa en parle, ses yeux font des étincelles. Nous nous approchons du chariot tant convoité. Dans la ruelle, il y a des hommes, des femmes, des mobylettes et… une vache ! Pas une de nos grosses vaches blanches et noires avec des pis roses. Non ! Une petite vache beige toute maigre qui fouille dans les déchets qui traînent par terre. Je n'en reviens pas ! Elle se promène comme si de rien n'était, sans déranger personne. Il paraît que les Indiens aiment beaucoup les vaches. Peut-être que oui… Mais ils devraient penser à les nourrir plus souvent !

Le vendeur de *dosas* est très occupé. Sur une plaque chauffante, il prépare de larges crêpes. Il travaille avec rapidité et précision. Après avoir tourné la crêpe, le garçon dépose au centre une purée consistante d'un beau jaune doré.

— De bonnes et nourrissantes patates ! me précise grand-papa. Dans les petites cantines, on en utilise constamment parce que ça ne coûte pas cher.

Le jeune cuisinier roule la crêpe et l'enveloppe dans un morceau de papier journal. Si maman était là, elle dirait que ce n'est pas très hy-gi-é-ni-que ! Il répète l'opération pour un deuxième *dosa.* Il nous remet enfin notre goûter en remerciant grand-papa. Mammouth me dévore des yeux, les babines frémissantes. Sans attendre, je prends une grosse bouchée de crêpe. *Wow !* C'est croustillant, salé, et cent fois meilleur qu'un *pérou* vert.

Malgré mon appétit, je n'arrive pas à tout manger. Le *dosa* est ÉNORME. Mammouth salive. Il se dandine, il trépigne en fixant mon dernier morceau. Je l'agite sous son nez. Il lance un WOUF ! Je bondis. En trois enjambées, je me retrouve devant la vache. Je tends la main et elle engloutit avec bonheur ma crêpe dorée. Je caresse sa tête, j'admire ses cornes peinturlurées. Puis je reviens auprès de grand-papa. Les yeux rivés sur Mammouth, je me lèche les doigts, un par un. Je savoure ma revanche. Vaincu, le gros chien soupire et regarde ailleurs.

Léo m'entraîne vers une autre cuisine ambulante. Il m'offre de partager un thé avec lui, mais je refuse. J'ai l'impression que ma tête s'est transformée en cocotte-minute ! Il fait tellement chaud sous mon chapeau.

— Prends cette bouteille d'eau, Abel, me conseille-t-il en la sortant de son sac en bandoulière. Tu dois boire souvent pour ne pas te déshydrater.

J'avale aussitôt trois longues gorgées. L'eau tiède me rafraîchit : un sang neuf semble couler dans mes veines. Avant de verser le thé de grand-papa, le vieux vendeur essuie un petit verre avec un linge crasseux. Beurk! Je n'aurais pas du tout envie de boire dans ce verre-là.

Les yeux plissés, Léo déguste son thé au lait. Quelque chose attire alors mon attention: j'entends une clameur. Au bout de la rue, j'aperçois une foule, une foule qui grandit à vue d'œil.

—Allons voir! me propose mon grand chef en vidant son verre.

Nous nous dirigeons vers l'attroupement. En chemin, Léo obtient des informations d'un passant. Il m'explique:

—C'est Hritik, l'acteur le plus populaire du pays. Il tourne un film dans le coin. Dépêchons-nous! En Inde, les gens sont fous de cinéma. Vite, vite, marche, il ne faut pas le rater!

J'accélère le pas. Bientôt, la foule n'est plus devant moi mais tout autour de moi. Je saute sur place pour essayer de voir par-dessus les têtes. Quelqu'un me bouscule, un autre me marche sur le pied, je trébuche et me rattrape. Je joue des coudes pour progresser. J'ai chaud, ça sent la sueur, je suis entouré de bras, de mains, d'épaules. À l'aéroport, la foule m'avait impressionné. Mais je n'avais rien vu encore. Aujourd'hui, on dirait que le monde entier s'est rassemblé dans une seule petite rue. Je me déplace sans même marcher, porté par le flot des corps qui avancent. Soudain, la foule s'écrie:

—HRITIK!

Je reçois une tape sur le menton et mes dents claquent. D'un seul bloc, tous ont

levé la main très haut pour saluer leur idole. Moi, je ne vois absolument rien. La clameur finit par diminuer. La foule se disperse peu à peu. Je respire mieux, enfin... Franchement! C'était tout un spectacle!

—As-tu vu quelque chose, grand-papa? demandé-je en me retournant.

Hein? Je regarde à droite... Je pivote... Pas là non plus! Où est-il? Je grimpe sur une caisse de bois. OÙ est mon grand-père? Je hurle:

—GRAND-PAPAAAAA?

Mais le cri de mon appel meurt sous les coups de klaxon et les pétarades des *rickshaws*.

Bergeron, Lucie, *Sur la piste de l'étoile*, Éditions Québec Amérique (Coll. Bilbo), 2002.

EN PRIME

- Rassemble les découvertes d'Abel en sol indien dans la fiche **66**.

LES FÊTES D'ICI ET D'AILLEURS

Tu connais les fêtes d'ici : la fête de Noël, la fête de Pâques, l'Halloween, etc. Mais que sais-tu des fêtes célébrées ailleurs dans le monde ? Voici l'occasion de faire un tour du monde festif.

Dans les grandes villes, partout dans le monde, se côtoient des gens de culture et de religion différentes. Certains ont leurs propres coutumes, mais la plupart participe aux fêtes traditionnelles [...].

Pour vivre en bonne harmonie, il faut respecter les coutumes des uns et des autres. Il existe de nombreuses différences entre les traditions culturelles et religieuses, mais aussi beaucoup de ressemblances. Dans le monde entier, l'échange de cadeaux et de cartes est un symbole d'unité. Le partage de la nourriture, dans les repas de fête, symbolise la communion, l'égalité. Certains mets ont une signification particulière. [...]

UN AIR DE FÊTE

Fête du Cerf-volant

Les cerfs-volants furent inventés en Chine, il y a trois mille ans. Ils étaient en papier et avaient la forme d'oiseaux, de poissons ou d'insectes. Le neuvième jour du neuvième mois se tient la fête du Cerf-volant, ou fête de Celui-qui-grimpe-haut, en référence à un personnage de légende qui gagna les hauteurs pour échapper à un désastre.

Au Japon, la fête du Cerf-volant a lieu le jour de Kodomo-no-hi, la fête des petits garçons. J'aime regarder les cerfs-volants monter dans le ciel, et voir les adultes se jouer des tours et s'affronter

VÊTEMENTS

Certaines fêtes requièrent des tenues spéciales. Dans les mariages hindous, sikhs ou musulmans, la robe de la mariée est rouge et or. Le rouge porte bonheur, surtout en Chine. Les mariées juives et chrétiennes sont en blanc, symbole de pureté. En Afrique du Sud, les mariées ndebele couvrent leur robe de perles blanches. Mais en Inde et au Japon, le blanc est la couleur du deuil.

dans de véritables combats aériens ! Nos cerfs-volants sont en forme de carpe, un poisson qui nage contre le courant et symbolise la lutte pour la vie.

Kodomo-no-hi

Le 5 mai est un jour particulier pour tous les jeunes garçons. Ils jouent avec des figurines de guerriers, ou *samouraïs*, symbolisant la force. Ils prennent un bain de feuilles d'iris puis revêtent le costume traditionnel, ou *hakama*, et se régalent de gâteaux de riz.

Poisson d'avril

Le 1er avril est un jour traditionnellement consacré aux farces. Par exemple, sur une chaîne de télévision italienne, on put voir une fois ce jour-là un reportage sur la récolte des spaghettis ! Bien sûr, les spaghettis ne poussent pas sur les arbres, mais on raconte que certaines personnes s'y laissèrent prendre. En France, on fait des « poissons d'avril » et l'on essaie d'épingler des poissons de papier dans le dos des gens sans qu'ils s'en aperçoivent.

Thanksgiving (novembre)

Le quatrième jeudi de novembre, les Américains célèbrent le jour d'Action de Grâce. Ils s'attablent devant une dinde rôtie et une tarte au potiron pour commémorer la première récolte effectuée par les colons anglais en 1621, un an après leur débarquement sur les côtes de la Nouvelle-Angleterre. Les « Pères Pèlerins » partagèrent alors leur repas avec les Indiens, pour les remercier de leur avoir appris à capturer des dindons sauvages et à cultiver maïs, patates douces, potirons et airelles.

Trung Thu (automne)

Au Vietnam, la fête de la Lune a lieu le quinzième jour du huitième mois lunaire, lors de la pleine lune. Le soir, les enfants défilent en portant des masques et des lanternes en forme d'étoile, à l'intérieur desquelles brûle une bougie.

Duan Yang (juin)

La fête chinoise des Bateaux-Dragons commémore l'histoire de Qu Yuan, un poète qui vivait il y a 2500 ans. Il voulait sauver les pauvres, mais n'y parvenant pas, il se noya. Des pêcheurs voulurent le secourir dans leur bateau-dragon, mais en vain. Ils jetèrent alors des boulettes de riz dans l'eau pour empêcher dragons et démons de dévorer le corps du poète.

Depuis, on perpétue la tradition en mangeant des boulettes de riz lors de la fête de Duan Yang.

1er mai

Chez les Celtes d'Irlande et d'Écosse, la fête de Beltane, en mai, marquait le retour du soleil et le début de l'été. Ils décoraient les arbres et allumaient des feux de joie. Les Romains célébraient Flore, divinité du printemps, en ornant les arbres de fleurs. Au Moyen Âge, on dansait autour de l'arbre de mai et l'on caracolait sur des chevaux de bois.

En France, aujourd'hui encore, on offre des brins de muguet le 1er mai.

POINTS COMMUNS

Dans presque toutes les religions, il existe une fête de la lumière, car le feu et la lumière sont des symboles d'espoir. Aujourd'hui, en Europe, la plupart des gens envoient des cartes de Noël à leurs amis, même s'ils ne sont pas chrétiens. Et quand les Hindous célèbrent Divali, ils invitent tous leurs voisins. Partout, les fêtes permettent un rapprochement entre les diverses communautés. Les vieilles traditions se meurent, mais de nouvelles les remplacent.

Fête des cerisiers en fleur (avril)

La première semaine d'avril, les cerisiers fleurissent partout au Japon. Dans chaque région, on célèbre une fête pour l'apparition des fleurs, symbole d'espoir et de renouveau. Les plus beaux cerisiers se trouvent près des temples shinto et des montagnes sacrées. Les Japonais viennent y pique-niquer en famille et boire de l'alcool de riz.

Carnaval de Notting Hill

Au mois d'août, pendant tout un week-end, les rues de Notting Hill, à Londres, vibrent au rythme du calypso, une musique jamaïcaine. Le carnaval a vu le jour en 1966, à l'initiative d'immigrés venus de la Trinité. Aussi colorée que les carnavals célébrés dans les Antilles à l'occasion du Mardi gras, cette manifestation est vite devenue très populaire. Danseurs costumés et chars défilent dans les rues au son du *steel band.*

Les enfants sont de la fête, dans des déguisements chamarrés.

ROBSON, Pam. *Les fêtes du monde entier*, Paris, © Hachette Livre/Deux Coqs d'Or, 2001.

EN PRIME

- Dans la fiche 67, relève les différences et les ressemblances entre les traditions culturelles et les fêtes célébrées dans le monde entier.

ENFANTS DE MÉDITERRANÉE

Partage l'expérience de jeunes de ton âge qui ont eu la chance de participer à une aventure extraordinaire. À bord d'un voilier baptisé Fleur de Lampaul, *ils ont parcouru la Méditerranée à la découverte de différentes façons de vivre.*

[...] ***Fleur*** *de Lampaul* nous a menés à la rencontre de nombreux peuples. Premiers contacts, premiers partages, premiers sourires, mais aussi premiers déboires, incompréhensions, malentendus... tous ces petits riens jalonnent l'aventure humaine qu'est la découverte d'autres cultures. Une aventure humaine où l'on apprend la tolérance, le respect, où l'on découvre l'hospitalité, le combat entre tradition et modernité, où l'on construit, parfois, l'amitié. [...]

LE SOURIRE

Dans presque tous les pays que nous avons visités nous avons eu du mal à nous faire comprendre. La technique pour s'exprimer était différente pour chaque endroit. Nous avons utilisé les gestes, l'anglais, les dessins, les dictionnaires, les interprètes ou les cinq à la fois! Quand j'arrivais dans une famille, je ne savais jamais vraiment comment nouer les premiers liens, alors je souriais. Le sourire a la même signification partout, c'est un signe magique. Peu importe la culture des gens, si tu souris, tu es compris. Les gens te rendent ton sourire et le reste se fait tout seul.

Sophie

BARRIÈRE?

On croit qu'il y a une barrière: la langue, la culture. Mais on apprend à sauter par-dessus et même à ouvrir le portail. Je sais maintenant que je peux communiquer avec n'importe qui sur cette planète.

Tuk

HOSPITALITÉ

L'escale aux Maldives aura été pour moi l'une des plus belles de l'expédition. Elle m'a vraiment marquée car je n'avais jamais rencontré auparavant des gens aussi accueillants, curieux et sympathiques… J'ai eu l'impression d'être tout de suite intégrée dans ma famille, dans le village. Cela a donné naissance à des moments forts, comme quand «ma mère» maldivienne a dit à son bébé, en parlant de moi: «Regarde, c'est ta grande sœur».

Elsa

S'APPRIVOISER

Au début, on se regarde, on est un peu méfiant: stade d'observation! Dans ces moments-là, on se sent vraiment étrangers, parfois un peu mal à l'aise: trop différents, trop riches aussi. Puis on s'apprivoise. On se rend compte qu'à part la manière de vivre, on n'est pas si différent que cela. À chaque escale, je me suis rendu compte que les gens semblent très contents de nous accueillir… Mais souvent, ils font beaucoup d'efforts pour mieux nous recevoir, ils ne comprennent pas que nous puissions vouloir vivre exactement comme eux: manger les mêmes choses, faire les mêmes travaux. Il faut insister. Et même si on ne reste jamais très longtemps, de vraies relations se créent. C'est toujours difficile de se quitter.

Marion

L'ART

La plupart du temps une sorte d'appréhension s'installe dès le premier pas à terre! Quand on rencontre des gens d'une culture totalement différente de la sienne on ne sait pas comment établir le contact. Une chose est sûre: grâce au voyage, je crée des liens plus vite car je sais que je ne suis pas là pour longtemps. Je pense que si l'on s'imprègne d'une culture et que les gens voient que l'on s'intéresse à eux, le courant passe beaucoup mieux. En Australie, les Tiwi étaient méfiants au début. Mais ils ont vu que je m'intéressais à ce qui les touche le plus: l'art. J'ai rencontré Nicky, peintre aborigène. Il m'a appris son art et son histoire, et le courant est passé comme jamais. Et j'ai enfin compris ma mère qui me dit souvent: «l'art est universel».

Jon

POINTS COMMUNS

Lorsqu'un enfant naît, que ce soit au Vanuatu, à Bali ou ailleurs, c'est simplement un enfant qui rit, qui pleure et qui a besoin d'amour pour grandir. À ce moment-là, il pourrait vivre partout, s'habituer à n'importe quel mode de vie. Mais l'éducation qu'il reçoit lui donne un mode de pensée, une manière de vivre : une culture. Cependant, des points communs restent entre les hommes, comme la nécessité de connaître ses origines. Au Vanuatu, à Tanna, chez un peuple qui semble vivre hors du temps ou en Australie, aux Tiwi, alors qu'Internet est déjà là, les gens se soucient de perpétuer leurs traditions, de les enseigner aux plus jeunes : danse, art, légende ou coutume, la nécessité de se perpétuer est toujours là, quelle que soit la culture. [...]

Marion

MILLE ET UNE CULTURES

Où que nous soyons allés, les peuples que nous avons rencontrés ont tous eu des contacts, plus ou moins importants, avec la culture occidentale. Et souvent, nous avons observé chez eux, en eux, un double mouvement. Le premier, c'est une sorte de fascination pour les richesses et les biens produits par notre monde. Mais l'autre mouvement, c'est une volonté de protéger sa culture, de retrouver ou perpétuer ses coutumes, ses traditions, son histoire. Alors même si l'on peut s'inquiéter de voir partout les mêmes produits, les mêmes marques, on peut se réjouir aussi de voir que les peuples du monde ont conscience de la richesse que représente leur culture. Partout, nous avons rencontré des gens fiers d'être ce qu'ils sont. Bien sûr, comme nous, ils évoluent. La vie même veut que nous changions. Mais nous rentrons de notre tour du monde emplis d'espoir pour l'avenir des humains : la richesse, la variété, la vitalité de notre monde n'est pas prête de disparaître !

Enfants de Méditerranée, Fleur de Lampaul ©, Gallimard Jeunesse, 2001.

EN PRIME

- Utilise la fiche 68 pour rassembler tes découvertes sur la formidable aventure entreprise par des jeunes de ton âge.

MERVEILLES DU MONDE

Que dirais-tu de partir en voyage pour découvrir cinq des plus grandes merveilles du monde ? De la préhistoire à nos jours, les êtres humains ont fait preuve d'audace et d'imagination afin de nous offrir des œuvres grandioses.

LA GRANDE MURAILLE DE CHINE

Avec ses 5 000 kilomètres de long, la Grande Muraille de Chine est l'une des plus monumentales constructions humaines. L'édification de cet immense ouvrage fut entreprise par Shihuangdi, le premier empereur de Chine, au IIIe siècle avant notre ère. Pour protéger son pays des invasions, il ordonna de relier entre elles des fortifications qui existaient déjà afin de constituer une muraille continue le long de la frontière.

Cette grandiose réalisation, abandonnée à sa mort mais plus ou moins entretenue au cours des siècles, fut reprise quelque 1 800 ans plus tard par les empereurs Ming. Tout au long du 15e et du 16e siècle, des milliers d'hommes travaillèrent à ce fameux mur de fortification. Cette seconde muraille, construite en briques cimentées de terre glaise et de gravier, se révéla beaucoup plus solide que la première muraille, constituée de remblais de terre et de rochers.

Serpentant tout au long de la frontière, la muraille crénelée épouse les configurations du terrain. Trop longue pour être invulnérable, elle se révéla finalement incapable d'arrêter l'ennemi. Elle est devenue un haut lieu de promenade pour les touristes étrangers et chinois.

Mur de fortification élevé le long de la frontière chinoise.
Longueur : quelque 5 000 kilomètres. Largeur : jusqu'à 6 mètres.
Hauteur : jusqu'à 15 mètres. Plus de 20 000 tours de guet.

Cité bâtie sur un groupe d'îlots, dans une lagune. Lieu : Italie.

VENISE

Formée d'une centaine d'îlots reliés les uns aux autres par près de 400 ponts, Venise est un véritable labyrinthe de ruelles et de canaux étroits. Au Moyen Âge et pendant la Renaissance, cette cité formait la république de Venise, qui fut pendant un temps le plus puissant État d'Italie. La richesse de ses habitants était telle qu'elle s'est couverte de palais et d'églises d'une beauté incomparable. La plupart d'entre eux s'élèvent le long du Grand Canal, qui traverse la ville en serpentant, encombré de « vaporetti », les bateaux motorisés qui servent de bus aux Vénitiens, et des célèbres gondoles.

D'innombrables artistes italiens, architectes, sculpteurs et peintres ont travaillé à Venise. Grâce à eux, elle est devenue l'une des villes du monde les plus riches en œuvres d'art.

Venise est aujourd'hui en péril. La cité, construite sur pilotis, est régulièrement inondée ; l'eau saumâtre ronge les fondations des palais. Les plus grands spécialistes s'efforcent de sauver cette ville unique au monde.

MACHU PICCHU, LA FORTERESSE DES INCAS

Difficile d'imaginer un site plus sauvage que celui de Machu Picchu… Cette cité construite par les Incas voilà quelque 500 ans se dresse en effet dans la cordillère des Andes, l'une des plus hautes chaînes de montagnes du monde. Surplombée de deux immenses pics, elle occupe une terrasse dominant des gorges vertigineuses, au fond desquelles s'engouffre le fleuve Urubamba.

Là, dans cet endroit isolé, les Incas ont édifié des palais, des temples, des couvents, des casernes et des quartiers d'habitation dont il ne subsiste aujourd'hui que les murs de pierre. Des escaliers, reliant les places et les terrasses, permettent d'accéder à tous les recoins de la cité. L'eau, captée dans les rivières et les torrents, arrivait autrefois jusqu'aux

Ville-forteresse édifiée par les Incas. Lieu : à une centaine de kilomètres de Cuzco, au Pérou. Altitude : 2000 mètres. Matériau : blocs de pierre taillés et assemblés sans mortier.

maisons grâce à un réseau très perfectionné de rigoles, parfois taillées directement dans la roche.

Machu Picchu est située à 130 kilomètres au nord de Cuzco, l'ancienne capitale de l'Empire inca. Elle a probablement servi de forteresse et de refuge aux derniers Incas lors de la conquête du Pérou par les Espagnols, au début du XVIe siècle.

LE TÀDJ MAHALL, UN MAUSOLÉE À L'AMOUR

À la mort de son épouse favorite Mumtàz Mahall, l'empereur Chàh Djahàn voulut lui faire édifier, en gage de son amour, le plus beau tombeau qui ait jamais été construit. Ainsi naquit à Agrà, au bord de la Yamuna, le Tàdj Mahall.

Construit sur une terrasse recouverte de marbre blanc, entouré d'un merveilleux jardin, il élève gracieusement vers le ciel ses coupoles, ses tourelles et ses minarets. De loin, sa silhouette évoque celle des mosquées musulmanes, mais les motifs décoratifs et les matériaux sont, quant à eux, spécifiquement indiens.

Tombeau édifié par l'empereur Chàh Djahàn pour son épouse. Lieu : Agrà, en Inde. Matériau : marbre blanc incrusté de pierres semi-précieuses.

Le monument est réalisé en marbre blanc incrusté de pierres semi-précieuses, lapis-lazuli, jaspe, agate et turquoise. Il prend sous le soleil une couleur rose.

L'empereur voulait se faire construire, de l'autre côté du fleuve, un mausolée de marbre noir, réplique exacte du Tàdj Mahall. Mais il mourut sans avoir eu le temps de réaliser son projet et repose aujourd'hui auprès de son épouse.

LA TOUR EIFFEL

Avec ses quatre pieds curieusement incurvés, la tour Eiffel est – certains le regrettent ! – le monument parisien le plus universellement connu. C'est Gustave Eiffel, un spécialiste de la construction métallique, qui a édifié cette gigantesque tour à l'occasion de la grande Exposition universelle du centenaire de la Révolution française en 1889. Il voulait ainsi témoigner des vertus du fer en architecture.

Tour métallique édifiée par Gustave Eiffel.
Lieu : Paris, France.
Hauteur : 300 mètres à l'origine, 320,75 mètres aujourd'hui.
Trois plates-formes à 57, 116 et 276 mètres.
Poids : 7 000 tonnes.
Matériau : 12 000 pièces de fer assemblées par plus de 2 millions de rivets.
Plus de 3,5 millions de visiteurs par an.

Comme toute nouveauté, le projet de construction de cette grande flèche métallique ne plaisait pas à tout le monde. Elle devait être démolie après l'Exposition et des pétitions réclamèrent l'abandon définitif du projet... Mais une fois achevée, la tour Eiffel s'imposa par l'audace et la légèreté de sa structure et elle devint le « clou » de l'Exposition.

En son temps, avec ses 300 mètres de haut, c'était l'édifice le plus élevé du monde. Depuis, nombre de gratte-ciel l'ont dépassée, même si l'antenne de télévision installée à son sommet lui a donné 20 mètres supplémentaires. Elle est aujourd'hui le plus visité des monuments parisiens. Constamment entretenue, elle est repeinte régulièrement, ce qui ne nécessite pas moins de 52 tonnes de peinture chaque fois.

Extrait de *Trente merveilles du monde*.
Texte de Nathalie Bailleux, illustrations de Éric Albert, Paris, Éditions Nathan, 1990.

EN PRIME

- Que retiens-tu de ces merveilles du monde? Teste tes connaissances dans la fiche 69.

LES MAISONS DU MONDE

L'architecture des maisons est souvent liée au climat, aux traditions et aux ressources naturelles des régions où elles sont construites. Voici l'occasion de visiter quelques maisons du monde.

LA CHINE

Avant notre ère, l'apparition du fer permet la production d'outils et donc le travail du bois. Les Chinois entreprennent très tôt la construction de superbes charpentes. Celles-ci évolueront mais resteront le fait le plus remarquable de leur architecture.

Les maisons sont en général construites autour d'une cour intérieure dans les villes et au milieu d'un jardin clos de murs dans les campagnes. Le rôle de la végétation, le soin porté à chaque plante, l'importance des fleurs et des jardins font partie de l'habitat chinois.

Les classes dominantes se font construire de vastes résidences au milieu de jardins, véritables paysages artificiels. Les villas, peintes de couleurs raffinées, sont constituées de plusieurs ailes couvertes de longues toitures de tuile vernissée.

Plusieurs toits sont parfois superposés afin d'assurer une meilleure protection contre la chaleur et les pluies qui peuvent être très abondantes. Le nombre de toits indique également la richesse du propriétaire et même, dit-on, empêche les mauvais esprits d'entrer dans la maison.

LE JAPON

La maison japonaise traditionnelle est faite exclusivement de bois et de papier. Ce mode de construction est parfaitement adapté à un pays où les tremblements de terre sont toujours fréquents et meurtriers; en cas de séisme, il permet à la maison de se déformer, de se démanteler, de s'écrouler à la rigueur, mais

la légèreté des matériaux atténue les conséquences dramatiques.

La maison se compose de deux parties. La première, appelée cour intérieure dont le sol est en terre battue, comprend l'entrée, la cuisine, le bain, le puits et divers arrangements. La seconde, surélevée par un plancher recouvert de nattes, constitue la partie noble de l'habitation. On s'y déplace sans chaussures, on y dort à même le sol et on y mange assis en tailleur. C'est l'espace habitable proprement dit où chaque pièce n'ayant pas de mobilier propre constitue un espace transformable à volonté à l'aide de cloisons coulissantes en papier.

Aujourd'hui, la construction de bois a cédé la place aux logements préfabriqués et aux immeubles en béton, mais les grandes caractéristiques de la vie quotidienne ont peu changé. On se déchausse toujours dans l'entrée (genkan) et on s'assied sur des coussins (zabuton) posés sur des tatamis de paille de riz recouverts d'une natte de jonc pour boire le thé vert. Les baignoires sont encore souvent de bois de hinaki (variété du cèdre).

L'OCÉANIE

L'habitat des îles est dispersé. Les constructions les plus spectaculaires sont sans doute les grandes maisons collectives de forme hexagonale ou rectangulaire. Leurs façades triangulaires, parfois hautes de plus de 20 mètres, sont abritées par de grands toits de palmes. Les murs alternent panneaux de bois sculptés et peints de motifs mythologiques et panneaux de vannerie colorée.

Pour communiquer entre elles, les *maisonnées*, unités domestiques regroupant les nombreux habitants d'une même maison, utilisent sur terre des sentiers souvent pavés.

L'AFRIQUE NOIRE

Les matériaux de construction utilisés en Afrique noire sont le bois, l'argile, la terre et les végétaux (les palmes). On ne se sert de la pierre, difficile à extraire, que pour les murs d'enceinte des villages.

Il existe 3 types de maisons:

– les maisons quadrangulaires, avec un toit à deux pentes ou en terrasse de bois,
– les maisons de berger (de simples tentes),
– et enfin, les maisons rondes ou rectangulaires, couvertes de chaume ou d'un toit en terrasse.

Les maisons sont souvent disposées en *concession*: ensemble de plusieurs cases reliées par un muret et formant l'habitat des membres d'une même famille. Les cases sont toutes disposées autour d'une même cour intérieure n'ayant qu'une seule ouverture sur l'extérieur. Elles sont indépendantes les unes des autres et ont une fonction bien définie: l'une est la chambre du mari, l'autre celle de la femme, une sert de cuisine, l'autre de poulailler, une autre encore sert de grenier à grains...

Pour construire une case, on utilise de la terre malaxée avec de l'eau et foulée au pied. Une fois ce mélange obtenu, on modèle un socle sur lequel on entasse des boulettes de terre pour monter les murs.

Les greniers, servant de réserves, sont surélevés afin d'être à l'abri des fortes pluies d'orage. Les murs extérieurs sont recouverts d'un enduit peint de motifs aux couleurs vives.

LE YÉMEN

À la limite du désert, les pierres sont rares et les maisons de terre montées à même le sol sans véritables fondations.

Tout en hauteur, se serrant les unes contre les autres, elles comptent souvent cinq étages, desservis par un escalier de bois.

De petites fenêtres, peu nombreuses, limitant l'entrée du soleil et de la chaleur, s'ouvrent sur les façades; les plus hautes sont surmontées d'un percement en demi-cercle orné d'un vitrail. Encadrées de plâtre blanc, elles constituent le seul élément décoratif extérieur.

LES ÎLES DE LA MÉDITERRANÉE

Les Cyclades sont une multitude d'îles et d'îlots de la mer Égée (Grèce). Le mot *Cyclades* à lui seul évoque la mer, les ports écrasés de soleil, la silhouette des villages escarpés, les maisons blanches accrochées au flanc des collines et imbriquées les unes dans les autres, une profusion de basilic, de jasmin et de chèvrefeuille, les églises et leurs clochers, les ruelles étroites couvertes d'un pavage de schiste ou de pierre et les petites places plantées d'orangers. La chaleur des mois d'été est atténuée par un vent du nord, le melthème, qui rafraîchit l'archipel et fait tourner les ailes des nombreux moulins qui jalonnent les îles.

Les maisons sont cubiques et recouvertes de terrasses. Pour tempérer les effets des températures excessives, celles-ci sont peintes à la chaux blanche, l'été, et repeintes en gris avant l'hiver afin, cette fois, de capter au maximum les rayons du soleil. Étant donné l'étroitesse des fenêtres, l'intérieur des habitations est toujours peint en blanc.

Comme l'eau douce manque dans ces îles qui ne possèdent souvent ni source ni puits, chaque terrasse est aménagée de façon à recueillir l'eau de pluie dans de vastes citernes.

Théodore KALOPISSIS, *Le livre des maisons du monde*,

EN PRIME

• Retrace les principales caractéristiques de quelques maisons du monde dans la fiche **70**.

DES ENFANTS SAUVENT UNE FORÊT TROPICALE

Même si un nombre croissant de mesures sont prises pour préserver notre environnement, il y a encore du travail à faire. Au Costa Rica, une idée toute simple visant à sauver une forêt a vu le jour...

Connais-tu le quetzal, aux longues plumes vertes et rouges magnifiques? ou l'araponga, dont le cri est le plus fort au monde? Ces oiseaux rares vivent dans une forêt merveilleuse du Costa Rica, un petit pays d'Amérique Centrale.

UN PARADIS POUR NATURALISTES

La forêt tropicale humide de Monteverde est située très haut – tout près des nuages – dans les montagnes Tilaran. Elle contient un nombre extraordinaire d'espèces végétales et animales. Des milliers de fougères et de mousses minuscules se collent à des fleurs géantes et à des arbres immenses. Dans ces tunnels de verdure se cachent des jaguars, des singes-araignées, des papillons de toutes sortes, des centaines d'espèces d'oiseaux, des millions d'insectes.

Si les naturalistes n'avaient pas découvert la richesse biologique de cette forêt, ces animaux et ces plantes n'existeraient probablement plus. En effet, il y a quelques années, on y coupait les arbres à un rythme rapide. Pourquoi? En défrichant la forêt, on libérait de l'espace pour en faire des champs et des pâturages, dont les Costaricains ont besoin. Pour certains, le bois est le seul combustible à la portée de leur bourse.

UN CRAPAUD TRÈS IMPORTANT

Un jour, un garçon de 13 ans se promène dans la forêt de Monteverde. Il trouve par terre un crapaud. Émerveillé par sa couleur, il l'apporte à un expert américain qui, étonné, croit que le jeune garçon l'a peint en orange. En fait, ce crapaud n'existe nulle part ailleurs. Les naturalistes ont alors compris que la forêt était exceptionnelle.

On sait maintenant qu'au Costa Rica, un pays tout petit, il y a une plus grande variété de plantes et d'animaux qu'aux États-Unis et au Canada réunis. En plus, plusieurs oiseaux migrateurs du Canada vont y passer l'hiver.

Mais le Costa Rica n'est pas riche; le café qu'il exporte ne rapporte pas beaucoup d'argent; le pays a peu de terres cultivables et sa population a beaucoup grossi. Où trouver l'argent nécessaire pour préserver un des trésors de notre planète?

UNE SOLUTION TOUTE SIMPLE

Les habitants de Monteverde et des biologistes et naturalistes de tous les pays ont eu une idée toute simple: pourquoi ne pas demander aux habitants des pays riches d'acheter graduellement des morceaux de forêt pour la conserver? Le Canada et plusieurs autres pays ont participé avec enthousiasme. Une grande partie de la forêt est devenue un parc national que les touristes visitent. La population costaricaine participe aux activités de préservation et de tourisme; cela lui permet de mieux vivre.

LA FORÊT ÉTERNELLE DES ENFANTS

Les enfants de plusieurs pays ont ramassé beaucoup d'argent pour conserver la forêt. On a pu acheter une forêt à laquelle on a donné leur nom: *El Bosque Eterno De Los Niños* (la forêt éternelle des enfants). [...]

UN CADEAU DE FÊTE PAS COMME LES AUTRES

Tous les moyens sont bons pour recueillir de l'argent: collecte de canettes, vente de biscuits faits avec des produits tropicaux... Certains demandent un acre de forêt comme cadeau de Noël. D'autres l'offrent comme cadeau de fête, comme l'a fait une infirmière de Montréal pour ses parents. La forêt éternelle des enfants comprend maintenant 7 000 hectares environ. Elle continue à s'agrandir – l'an dernier la somme d'argent recueillie par les enfants a été d'un million de dollars!

On va construire un centre pour les enfants du monde entier dans cette forêt éternelle. Un jour, tu iras peut-être y étudier l'environnement avec des enfants du Costa Rica et de partout dans le monde!

Céline Williams, « Une planète débrouillarde: des solutions aux défis du tiers monde », © *Les Débrouillards*, n° 117, octobre 1992.

EN PRIME

- Demande la fiche **71** pour mieux comprendre comment tous les habitants de la Terre peuvent contribuer à préserver un des trésors de notre planète.

FAIRE REVIVRE LA FORÊT

Avec l'aide de leur professeur, des élèves français ont décidé de faire un geste concret pour bâtir le monde de demain. Ensemble, ils reboisent un terrain abandonné.

Nous avons décidé de reboiser un terrain vague!

Il nous a fallu rêver un peu pour imaginer ce que pourrait devenir un jour ce terrain vague; alors nous avons fermé les yeux, et pensé à tous les petits coins de nature que nous connaissons tous. Ici, demain, enfin dans quelques années, ce sera un petit bois où, au printemps, mésanges et sittelles feront entendre leurs cris. Là, il y aura une mare où grenouilles et tritons auront élu domicile... Mais avant de rêver, je vais vous raconter comment tout a démarré.

Nous avions décidé, avec notre classe et notre maître, de faire cette année une action pour la nature. Mathias a fait allusion à l'opération *Chico Mendes* et aux classes qui plantent des arbres pour recréer des bois et des espaces de nature. C'est alors que Denis nous a parlé de ce terrain vague. Et, un matin, nous sommes tous allés le voir. Il était tout près d'une route, bordé par un champ et une rivière: exactement ce qu'il nous fallait! Mais, d'abord, nous avons dû nous assurer que nos arbres auraient le temps de pousser et que personne ne viendrait à nouveau dégrader ce site.

UN TERRAIN BIEN SITUÉ, LAISSÉ À L'ABANDON...

Au cadastre de la mairie, nous avons cherché le nom du propriétaire: c'était la direction de l'équipement qui avait abandonné ce terrain après la construction de la nouvelle route. Nous leur avons écrit en leur demandant de nous louer le terrain gratuitement pour 99 ans. La réponse nous est parvenue quelques jours plus tard: nous pouvions alors nous mettre au travail.

AULNES, PEUPLIERS, NOISETIERS ET LAPINS...

La première étape a consisté à établir un plan du site, puis nous avons appris à déterminer les principales plantes qui poussaient spontanément: le sureau et le cornouiller. Cela nous a donné quelques indications sur la nature du sol, calcaire. Nous avons aussi repéré

une petite dépression humide grâce aux joncs et au carex qui s'étaient déjà installés et noté la présence de lapins. Puis, nous avons choisi les espèces à planter. Pour cela, nous sommes d'abord allés visiter Éric, un botaniste [...] des bois voisins pour reconnaître les différentes espèces d'arbres qui poussent ici. Il nous a appris que les aulnes, les peupliers et les saules aiment les endroits humides et que le noisetier se trouve à peu près partout.

TOUT EST PRÊT, L'AVENTURE COMMENCE

Enfin, notre projet commence à prendre forme. Nous avons ainsi comptabilisé le nombre et les espèces d'arbres que nous aurons à planter : environ cinq cents arbres et arbustes. Nous pouvions passer commande au pépiniériste. Mais auparavant, il fallait préparer le terrain. Nous nous sommes occupés d'enlever les déchets et un tracteur de la commune est venu labourer le terrain là où nous devions creuser la mare.

LA PLANTATION S'EST DÉROULÉE SUR PLUSIEURS JOURS, EN NOVEMBRE

Un matin nous sommes tous arrivés sur le terrain avec nos bêches et nos sécateurs. Éric était là et il nous a bien expliqué comment procéder : d'abord tailler un peu les racines puis les praliner, c'est-à-dire les tremper dans un mélange de terre, d'eau et de fumier. Mieux protégées, elles conserveront plus longtemps l'humidité et développeront plus rapidement de nouvelles racines. Ensuite, il nous a appris à faire le trou correctement, en donnant quelques coups de bêche pour bien affiner la terre : ses dimensions doivent être d'environ 40 cm de côté sur 40 cm de profondeur. Il ne restait plus qu'à suivre notre plan, sans se tromper d'espèces. Au pied de chaque arbre, nous avons disposé un carton spécial pour empêcher que les herbes étouffent le plant et qui permettra cet été de conserver l'humidité. Enfin, il ne fallait pas oublier de mettre un petit filet pour éviter que les lapins viennent manger nos arbres !

FORÊTS, BOSQUETS, HAIES : REBOISER AUJOURD'HUI

Les raisons de reboiser sont aujourd'hui nombreuses, parfois urgentes : augmenter la production de bois, valoriser des terres abandonnées par l'agriculture, améliorer la qualité de l'air, stabiliser les sols sensibles à l'érosion en montagne, améliorer les ressources en eau, favoriser la venue de nouvelles espèces animales et végétales, embellir le paysage... La population devenant de plus en plus citadine, il est important de bien protéger les forêts proches des villes ou d'en créer de nouvelles. Mais le reboisement ne concerne pas que la forêt: ainsi, dans les zones très agricoles, il est judicieux de replanter des haies, qui produisent du bois, protègent les cultures et les animaux d'élevage en réduisant le vent, en apportant de l'ombre l'été, et en attirant une faune auxiliaire qui limite les insectes ravageurs des cultures.

DES ARBRES DANS LE MONDE ENTIER...

Partout dans le monde des solutions originales ont été trouvées pour sauvegarder la forêt. Ainsi en Inde, un puissant mouvement se bat contre l'abattage des arbres. Il s'appelle Chipko (qui signifie « entourer de ses bras ») en souvenir de villageois qui, en 1630, défendirent leur forêt contre les bûcherons du maharadjah en entourant les arbres de leurs bras. En Indonésie, une partie de l'agriculture s'est construite sur un système original: l'agro-forêt. Sur une même parcelle se combinent arbres et lianes, plantes cultivées et spontanées, cultures et ressources collectées: rotin, caoutchouc, bambou, fruits, épices, condiments, café, résine mais aussi bois de feu et bois de construction... Quant à la culture du palmier-dattier, elle fait vivre, dans les oasis, environ 10 millions de personnes!

MODE D'EMPLOI

Pour faire pousser des graines d'arbres et obtenir un jeune plant: coupez une bouteille de plastique au cinquième anneau en partant du bas.

Enfoncez le goulot rempli de papier, sans son bouchon, dans la partie découpée.

Remplissez la bouteille de bonne terre mélangée à du compost ; déposez votre graine après avoir vérifié qu'elle n'est pas colonisée par un insecte. Le bas de la bouteille servira de trop-plein d'eau, le haut fera effet de serre et facilitera la pousse de la graine.

À l'automne, fendez la bouteille, enlevez-la et mettez en terre le jeune plant.

Ce reportage a été réalisé avec la participation de l'école Bracke Desrousseaux, à St-Amand-les-Eaux, et le concours de l'association *Chico Mendes*.

EN PRIME

• Dans la fiche **72**, retrace les différentes étapes qui permettent de reboiser un terrain vague.

S.O.S. ! ANIMAUX EN PÉRIL

Qu'ont en commun le chevalier cuivré, la marmotte de l'île de Vancouver et le pluvier siffleur ? Ce sont tous des animaux en voie de disparition. En lisant le texte qui suit, tu découvriras ce qu'on peut faire pour assurer leur survie.

Un pygargue à tête blanche frôle la surface de l'eau à la recherche de sa proie. Et hop ! Avec ses serres robustes, l'aigle capture le poisson. Il le dévore avidement. Hélas, son repas contribuera à sa perte.

La chair du poisson est en effet contaminée par des pesticides. Or, les pesticides s'accumulent dans la chair du rapace. Les femelles pondent des œufs aux coquilles si fragiles qu'elles se brisent. Bientôt, il n'y aura plus d'oisillons…

Au Canada, il y a 368 espèces de plantes et d'animaux menacées. Ces espèces sont :

- empoisonnées par les pesticides ou autres substances toxiques provenant des usines, etc. ;
- chassées ou cueillies à l'excès ;
- ou encore, délogées de leurs abris. En effet, en abattant des forêts pour construire des maisons, nous détruisons l'habitat de plusieurs espèces sauvages.

OUI À LA DIVERSITÉ

La biodiversité, c'est la grande variété d'espèces vivant sur la Terre. La biodiversité est une richesse inestimable pour la planète. Chaque plante ou créature, petite ou grande, joue un rôle vital dans la nature. Lorsqu'un animal ou une plante disparaît, cela peut avoir des conséquences sérieuses pour les autres et même pour les humains.

Pour sauver les animaux et les plantes, nous devons protéger leur habitat et cesser de polluer leur territoire. Voici des exemples.

LE COMBATTANT DES EAUX DOUCES

Le chevalier cuivré est unique au Québec. Ce poisson n'existe nulle part ailleurs dans le monde. On le trouve dans quelques rivières du sud de la province, comme le Richelieu. Hélas, cette population diminue sans cesse. La cause de son déclin : la pollution des eaux par les rejets agricoles, les barrages et la détérioration de l'habitat où il se reproduit.

Le chevalier cuivré est protégé par une « armure » faite de grandes écailles.

Dorénavant, il est interdit de pêcher dans son secteur tous les poissons qui lui ressemblent, meuniers ou autres chevaliers. Une passe migratoire a également été construite le long du Richelieu. De cette façon, les chevaliers cuivrés pourront accéder plus facilement aux frayères, là où les femelles déposent leurs œufs pour qu'ils éclosent.

Ce n'est pas tout ! Bientôt, les rapides de Chambly seront classifiés refuge faunique. Pas question de toucher à ceux qui y vivent !

SEULE AU MONDE...

La marmotte de l'île de Vancouver est l'un des mammifères les plus rares au monde. Il n'en reste que 70 ! On la retrouve seulement sur cette île. Les marmottes vivent dans les pentes abruptes. Elles y creusent des terriers où elles hivernent sept mois par année.

Les jeunes marmottes sont très curieuses. Elles sont attirées par les zones défrichées comme les forêts où il y a eu des coupes d'arbres. Or, ces endroits découverts ne fournissent pas tous les végétaux dont elles ont besoin. Les marmottes deviennent alors plus vulnérables aux maladies et aux prédateurs, comme le couguar et l'aigle à tête blanche.

ADOPTONS UNE MARMOTTE !

Il y a quelques années, une fondation pour la sauvegarde de la marmotte [...] a mis sur pied un club d'adoption des marmottes. En joignant le club, les membres aident la fondation à recueillir des fonds pour élever des marmottes et les réintroduire dans les prairies.

Il est interdit de capturer, de harceler, d'abattre ou de faire le commerce de la marmotte de Vancouver.

IL SIFFLE ET IL COURT

Le pluvier siffleur est un résidant des plages des Îles-de-la-Madeleine. Il siffle, oui, mais il court surtout ! Il faut le voir arpenter les rives à la recherche de nourriture !

Hélas, ses œufs fragiles ne sont pas à l'abri des prédateurs, des marées ou des humains. Le piétinement des promeneurs, mais surtout les véhicules touts terrains [...] qui circulent sur les plages détruisent les nids des pluviers. Il n'en reste plus qu'une quarantaine de couples au Québec. Dans les provinces maritimes et ailleurs au Canada, le nombre de pluviers diminue sans cesse.

Le renard véloce est rapide (d'où son nom). Il atteint plus de 60 km/h.

ON PEUT LES SAUVER !

Le renard véloce avait disparu des Prairies canadiennes. On le croyait dangereux, alors on l'a piégé ou empoisonné. La transformation des prairies en terres agricoles lui fait également beaucoup de tort.

Il y a quelques années, des biologistes ont remis en liberté des renards élevés en captivité et des renards sauvages provenant des États-Unis.

La population a pris du mieux! Bien qu'il soit toujours considéré comme une espèce en voie de disparition, le renard véloce est redevenu une espèce canadienne.

OÙ ES-TU CARIBOU ?

Le caribou du parc de la Gaspésie habite les hauts sommets et les forêts de conifères. Aujourd'hui, il reste à peine 250 caribous au Québec. Le développement de l'agriculture et la coupe de bois ont détruit une partie de son habitat.

Aujourd'hui, la chasse au caribou est interdite dans le parc de la Gaspésie. Les sentiers de randonnée sont même fermés durant la saison des naissances.

De plus, de nombreux coyotes, trop gourmands pour les faons, ont été capturés pour les écarter du territoire des caribous.

PAS D'EAU, PAS DE TÊTARDS

La rainette faux-grillon de l'Ouest est une petite grenouille de la taille d'une pièce de 25 cents. Elle a de longs doigts munis de petites ventouses. La rainette pond ses œufs dans des étangs où se développeront ses têtards. Mais avec le développement des villes, les terres sont drainées et du coup, les étangs sont asséchés. Adieu les têtards.

Emmanuelle Bergeron, « S.O.S ! Animaux »,

EN PRIME

• Dans la fiche 73, fais le point sur la situation de certains animaux en voie de disparition.

Le panda abandonné

Accompagnée de son père et de son meilleur ami James, Cathy se rend en Chine. Elle va rejoindre sa mère partie étudier les grands pandas pour une organisation internationale de protection des animaux. Retrouve-les le jour de leur arrivée dans la province du Sichuan.

— **Q**uel paysage magnifique ! dit Cathy en étouffant un bâillement. Mais je n'ai pas vraiment l'impression de me trouver en Chine.

La Jeep suivait les routes sinueuses des montagnes de la province du Sichuan, au sud-ouest de la Chine. Dans la douce lumière de l'après-midi, les sommets paraissaient plus bleus encore que le ciel hivernal qui les surplombait, et le brun des rizières se fondait dans le sol. Où étaient donc les prés verts luxuriants et les forêts de bambous que Cathy avait tant admirés dans les guides touristiques avant son départ ?

— En tout cas, ce n'est pas Welford ! plaisanta James Hunter, le meilleur ami de Cathy.

C'était vrai : ici, les couleurs étaient plus vives que dans le Welfordshire, et les montagnes bien plus hautes que les collines des landes anglaises. Le cœur de Cathy s'emballa lorsqu'elle aperçut un grand oiseau prendre son envol et s'éloigner vers le soleil couchant.

James, Cathy et son père, Adam Hope, étaient arrivés le matin même en Chine, où ils devaient retrouver Emily Hope. Cette dernière avait passé deux mois à étudier les pandas géants pour une organisation internationale de protection des animaux. Depuis toujours, les pandas fascinaient la mère de Cathy et, quand on lui avait proposé de les étudier, elle avait accepté sans hésiter. Adam Hope avait trouvé un remplaçant pour la clinique et avait rejoint sa femme avec Cathy et James.

Les enfants trépignaient d'impatience de voir un grand panda. Avant leur départ, ils avaient emprunté des ouvrages à la bibliothèque et consulté des sites Internet pour piocher des renseignements utiles à leur voyage. Ils se rendaient à la station de recherche des monts Qinling. Là-bas, Emily travaillait avec le Dr Yun, une zoologiste chinoise célèbre pour ses travaux sur les grands pandas vivant à l'état sauvage. La chercheuse avait demandé à Emily de l'aider à transférer les pandas vivant en liberté dans la montagne vers la réserve, située à Wolong. Cathy vit que son père aussi réprimait des bâillements.

— C'est encore loin, Monsieur Chang? demanda-t-elle au chercheur venu les accueillir à l'aéroport.

— Non, nous serons bientôt à la station!

— Est-ce qu'on va voir des pandas sur la route? demanda James, plein d'espoir.

— Je ne crois pas, répondit M. Chang avec un sourire. Les pandas préfèrent se tenir à l'écart des voitures.

— Combien de pandas habitent dans votre montagne? s'enquit Cathy, qui savait qu'une poignée d'entre eux demeuraient en liberté.

— Quatre adultes, dit M. Chang.

— Pas assez pour qu'ils puissent survivre seuls, commenta M. Hope.

— C'est pourquoi nous sommes en train de construire un « couloir à pandas », expliqua M. Chang. Nous voulons les inciter à descendre des montagnes par ce couloir, et les réunir dans la réserve, qui ressemble à un gigantesque parc naturel. Ainsi, les pandas se trouveront dans un cadre proche de leur ancien habitat, et il nous sera plus facile de les étudier. Et puis, ça augmente leurs chances de trouver un compagnon!

— En somme, vous voulez créer une agence matrimoniale pour pandas ! lança James.

— Y a-t-il des bébés parmi vos pandas ? demanda Cathy.

— Deux sont nés cette année. C'est plutôt rare, dans la nature, vous savez !

Au fur et à mesure que la Jeep grimpait, le paysage se modifiait. Des troncs de bambous épars surgissaient sur les versants arides. Cathy contemplait les tiges effilées, qui portaient un riche feuillage vert.

— Quand j'étais enfant, tout ceci était une vaste forêt de bambous, dit M. Chang. Ils cachaient même les sommets des montagnes.

— Que s'est-il passé ? demanda Cathy.

— Il y a quelques années, on a tout déboisé, dit-il en haussant les épaules. L'exportation du bambou a apporté beaucoup de profit à la Chine, à une époque.

— Voilà qui nous fera réfléchir à deux fois avant de vendre nos framboisiers anglais, fit M. Hope.

Cathy sourit en pensant au jardin splendide que son grand-père entretenait avec amour derrière sa maison, le cottage des Lilas.

— Aujourd'hui, le département des Forêts a décidé d'établir des réserves partout dans le Sichuan, continua M. Chang. Les déboisements ont donc cessé. Mais les pandas sont gourmands. Savez-vous qu'un panda adulte peut manger jusqu'à quatorze kilos de pousses de bambou par jour ?

— Y a-t-il assez de bambous pour eux dans les environs ? s'inquiéta Cathy.

— Pour quatre adultes et leurs petits, sans aucun doute. Mais ce n'est pas suffisant pour assurer une alimentation saine à une population importante. C'est la raison pour laquelle il faut qu'ils déménagent.

Cathy cligna des yeux, tandis que le visage de James s'assombrissait. Remarquant leurs mines attristées, M. Chang ajouta :

— Ne vous faites pas de souci : chaque année, des bébés naissent dans les zoos et les réserves de par le monde. Bientôt, toutes les réserves de pandas seront reliées entre elles par des couloirs.

— Nous avons lu des choses au sujet de ces couloirs sur Internet ; mais de quoi s'agit-il exactement ?

— L'idée est de relier les réserves entre elles en faisant des routes bordées de bambous pour attirer les pandas. Ils pourraient avancer tout en mangeant.

— C'est comme une autoroute pour pandas ! s'exclama James.

— Avec des stations bambous pour faire le plein ! ajouta Cathy en s'esclaffant.

Adam Hope se tourna vers les enfants et précisa :

— Si le Dr Yun parvient à mettre son projet à exécution, l'espèce s'en portera beaucoup mieux.

— Rick McGinley va nous donner un coup de main, ajouta M. Chang. Il poursuivra les pandas jusqu'à Wolong tout au long du couloir pour activer leur mouvement.

Cathy et James sourirent à l'idée de cet homme courant derrière des pandas.

— Vous voyez, les enfants, dit M. Chang, les pandas géants ne vont pas disparaître.

La Jeep avançait à présent au milieu de bambous plus touffus. M. Chang s'engagea dans une route boueuse montant à pic. Le moteur gargouilla.

— Quel voyage ! dit Adam Hope tandis que les roues du véhicule patinaient sur le sentier qui zigzaguait.

Soudain, la vive clarté du soleil déchira la couche de nuages, éclairant le sentier étroit sur lequel ils progressaient. De part et d'autre de la Jeep, les bambous étalaient leurs feuilles épaisses luisantes de gel.

Cathy et James scrutaient les alentours, émerveillés.

— C'est incroyable, s'écria Cathy.

— C'est ici qu'habitent les pandas ! souffla James.

Tout à coup, Cathy aperçut une tache de noir et blanc dans les buissons feuillus. Elle regarda de nouveau, si excitée qu'elle en oublia sa fatigue. Là, pointant son museau derrière un rideau de bambous, surgit la petite tête d'un panda. Une seconde plus tard, il disparaissait. Cathy empoigna le bras de James et cria :

— Tu as vu ?

— Oui ! répondit James, les yeux brillant d'enthousiasme.

Le panda abandonné, Lucy Daniels, Bayard Éditions Jeunesse, 2000.

EN PRIME

- Demande la fiche **74** et refais le voyage avec Cathy dans l'univers des grands pandas.

QUELQUES BONNES NOUVELLES

Savais-tu qu'en protégeant une seule espèce animale la survie de plusieurs autres espèces est assurée ? Voici l'occasion de prendre connaissance de quelques événements heureux au sujet de la protection des animaux.

L'alligator d'Amérique est un cas typique. Gravement menacé en raison de l'engouement pour les articles en cuir – notamment chaussures et maroquinerie –, l'alligator ne doit son salut qu'au vote d'une loi de protection dans les années 1970. [...]

LA SAUVEGARDE DES ÉCOSYSTÈMES

La présence d'un gros prédateur comme l'alligator permet la survie de dizaines d'animaux de taille plus modeste. Dans les trous creusés par les reptiles s'installe une communauté biologique comprenant des poissons, des tortues, des serpents, des grenouilles et des escargots. Non loin de ces trous on trouve des hérons, des ibis, des aigrettes, assurés de trouver suffisamment de nourriture s'ils restent près des crocodiliens. Les ratons laveurs, les rats musqués, les sangliers ainsi que d'autres mammifères font de même. Tant que l'alligator laisse son trou ouvert et dégagé des herbes, la communauté entière vit dans des conditions optimales.

La protection d'un gros animal permet par conséquent de sauvegarder des écosystèmes entiers. En protégeant un habitat, nous aidons tous les animaux qui y vivent.

Pour secourir l'éléphant d'Afrique, il est donc nécessaire de protéger tous les animaux de l'immense plaine Serengeti qui, s'étendant sur 8 000 kilomètres carrés, abrite plus de 400 espèces d'oiseaux, 50 espèces de mammifères et des dizaines de milliers d'insectes et autres invertébrés.

DES MESURES DE SAUVEGARDE, DES EFFORTS GOUVERNEMENTAUX

Une autre bonne nouvelle provient des zoos et des réserves d'animaux sauvages. Environ 90 % des mammifères et 75 % des oiseaux habitant les zoos américains sont nés en captivité.

La capture de tigres ou de singes au cours d'expéditions dans la jungle est dorénavant interdite. De même, une autorisation gouvernementale est nécessaire pour capturer un dauphin en pleine mer, que ce soit pour des spectacles ou les besoins de la recherche.

Nombre de dauphins, phoques et tortues de mer se retrouvent malgré tout prisonniers de filets de pêche traînant sur des kilomètres à l'arrière des navires de pêche commerciale. Des efforts sont faits à l'heure actuelle pour concevoir des filets moins dangereux qui laisseraient aux tortues et aux mammifères marins la possibilité de s'échapper. Des mesures visant à contraindre les navires de relever leurs filets plus souvent sont aussi à l'étude. Ce simple geste pourrait sauver de la noyade de nombreux gros animaux.

L'ÉVOLUTION DES ZOOS

On ne peut que se réjouir de l'évolution des zoos. Conçus par le passé comme des prisons en béton fermées par des barreaux de fer, la plupart des zoos tentent aujourd'hui de présenter des animaux dans des vastes espaces plus proches de leur habitat naturel. De nombreux animaux rares se sont reproduits et élèvent leurs petits dans l'enceinte des zoos, mais cela n'est pas toujours simple.

Les bébés pandas sont très rares à l'état naturel et encore plus rares dans les zoos. La Chine et le Tibet, pays dont ils sont originaires, ne comptent plus que mille spécimens, et seulement cent vivent dans les zoos du monde entier. Trois zoos en dehors de la Chine, ceux de Mexico, Madrid et Tokyo, ont élevé des bébés pandas. Lingling, un panda du National Zoo de Washington DC, a donné naissance à plusieurs petits, mais aucun n'a survécu plus de quelques heures en dépit de soins vétérinaires attentifs.

LA RÉINTRODUCTION D'ANIMAUX DANS LEUR ENVIRONNEMENT NATUREL

Pour beaucoup de spécialistes de la vie sauvage, le principal objectif aujourd'hui est de faire naître des animaux en captivité, puis de les réintroduire dans leur environnement naturel. Cela ne va pas sans difficultés. Beaucoup s'imaginent sûrement qu'il suffit d'ouvrir la cage pour faire comprendre à l'animal qu'il est libre. Cela ne fonctionne pas toujours.

Une équipe d'un centre indonésien de réadaptation a essayé de reconduire dans la jungle des orangs-outans ayant vécu en captivité. Beaucoup refusaient. Lorsque les membres de l'équipe les prenaient par la main pour les conduire dans la jungle, certains se mettaient à

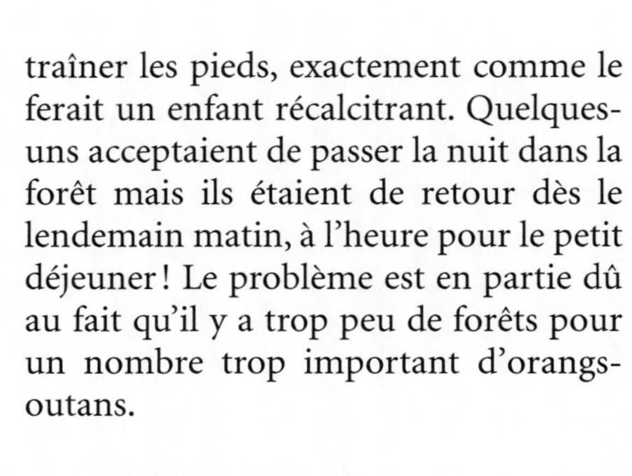

traîner les pieds, exactement comme le ferait un enfant récalcitrant. Quelques-uns acceptaient de passer la nuit dans la forêt mais ils étaient de retour dès le lendemain matin, à l'heure pour le petit déjeuner ! Le problème est en partie dû au fait qu'il y a trop peu de forêts pour un nombre trop important d'orangs-outans.

MOBILISONS-NOUS !
DES ANIMAUX OUBLIÉS

Cousin éloigné de l'éléphant, même s'il est vrai qu'il ressemble davantage à un croisement entre un phoque et un bébé hippopotame, le lamantin peut atteindre trois mètres de long pour un poids de cinq cents kilos. Ce mammifère marin timide et craintif, qui vivait autrefois paisiblement dans les voies fluviales de Floride, est en train de disparaître dans l'indifférence générale, évincé de son habitat par des centaines de milliers de petits bateaux à moteur. On a même dit que le lamantin quittait la Terre pour la même raison que les émissions de télévision disparaissent des écrans – par manque de commanditaires. Qui donc va parrainer le doux lamantin et tous les autres animaux incapables de plaider eux-mêmes leur cause ?

Autant il est facile de sensibiliser le public sur le sort des pandas et des bébés phoques, ou sur celui d'animaux majestueux, tels le tigre ou la panthère, autant il est difficile de plaider la cause d'un joli papillon ou d'un minuscule poisson. Faut-il aussi sauver ces animaux-là ? Doit-on s'affliger de ce que le dernier moineau brun se soit éteint en 1989 ?

PRÉSERVER L'ENVIRONNEMENT

Nous avons tendance à oublier que nous sommes les seules créatures sur Terre capables de faire des choix et de prendre des décisions. Nous ne sommes pas contraints de nous adapter à notre environnement, nous pouvons, dans une certaine mesure, le modifier. Lorsque nous avons froid, nous mettons des vêtements chauds ou augmentons le chauffage. Le réfrigérateur est vide ? Nos supermarchés regorgent de nourriture. Nous avons les moyens de modifier les règles du jeu. Nous sommes des animaux doués d'imagination et de pouvoir.

Toutes les créatures – grandes ou petites – ont le droit de vivre parce qu'elles partagent la planète avec nous. Si nous sommes impuissants devant les moyens adoptés par les animaux pour s'adapter aux modifications survenant dans leur environnement, nous sommes en mesure d'agir sur la façon dont l'environnement change. Nous pouvons garder la Terre propre, arrêter de polluer et de détruire les habitats des autres êtres vivants. Nous pouvons surtout tirer les leçons du passé et commencer à prévoir l'avenir.

EN PRIME

- Les efforts pour la sauvegarde des animaux donnent des résultats. Dresse l'inventaire de ces résultats dans la fiche **75**.

mordicus

Volume 4, numéro 12

DOSSIER
Faire la fête

Voyages en mots et en images

Jouer les poètes

Multimédia

Entrer dans la légende

Section grammaticale

À fond la révision !

Sommaire

Volume 4, numéro 12

SECTION GRAMMATICALE

Boîte aux lettres

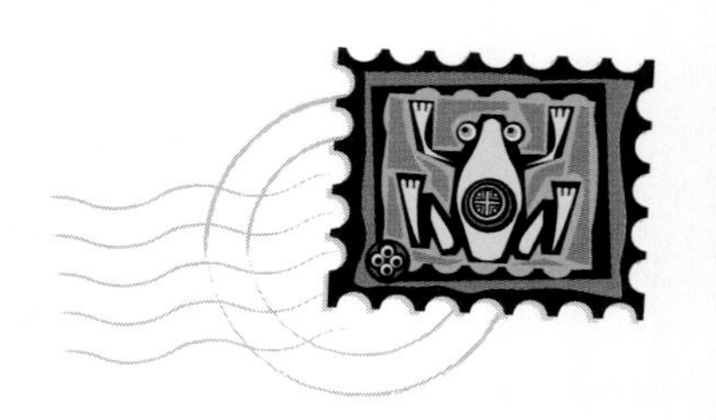

Réel ou imaginaire ?

Après la lecture du texte *L'homme qui plantait des arbres*, nous avons eu un débat autour de la question « Elzéard Bouffier a-t-il réellement existé ? » Je croyais que ce personnage était réel. Tout est devenu clair en lisant la lettre de Jean Giono. L'autre lettre, celle des quatre enfants, m'a aidée à mieux saisir la personnalité d'Elzéard Bouffier. Grâce à ces deux lettres, j'ai mieux compris la nouvelle de Jean Giono et davantage apprécié les talents de cet écrivain.

Charlotte

Se faire entendre

Depuis quelque temps, mon père est très occupé. Partant de l'idée de la sous-thématique *Bâtir le monde*, où vous suggériez d'écrire un texte pour se faire entendre, j'ai décidé d'écrire à mon père pour lui demander de passer plus de temps avec moi. Ça a marché : on a passé un super beau week-end. Merci pour l'idée.

Samuel

Félicitations pour ton initiative, Samuel.

Chacun son style

En lisant les commentaires des pros sur leur manière d'écrire leurs textes, j'ai pensé faire un sondage pour voir ce que la majorité des élèves préféraient : écrire à la main ou à l'ordinateur. Moi, je préfère écrire mes textes à la main. Les résultats du sondage ont montré que les avis sont partagés.

Sarah

Quelle bonne idée d'avoir fait un sondage sur cette question ! Ton enquête montre bien, Sarah, qu'il existe différentes façons de faire les choses et que l'important, c'est de trouver celle qui nous convient le mieux.

Et toi, que retiens-tu du numéro 11 ? Quelles activités t'ont plu ? Pourquoi ? Y a-t-il des sujets pour lesquels tu as montré particulièrement d'intérêt ? Qu'as-tu appris ?

Avant d'entreprendre le numéro 12, fais le point sur tes apprentissages.

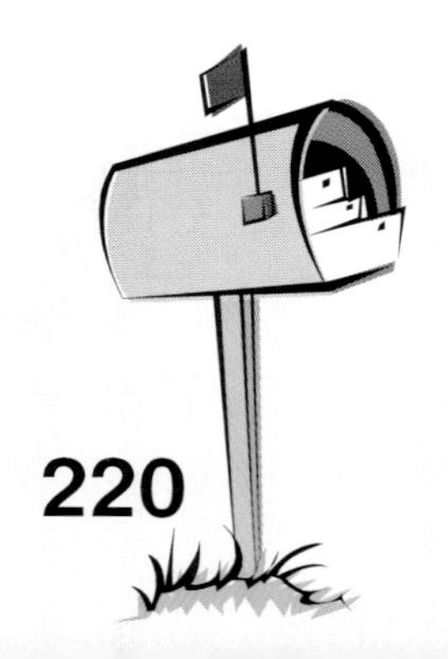

Éditorial

Objet : **Boucler la boucle**

Date : Un beau jour de juin

À : Tous les garçons et les filles qui ont travaillé avec Mordicus
De : La rédactrice en chef
Copies à : Leurs enseignants

Bonjour,

Bientôt, ce sera le temps de se dire au revoir, salut, bye-bye, tchao ! Maintenant, c'est le moment de vous dire que ce fut pour nous un privilège d'avoir pu vous accompagner cette année.

Mais l'année n'est pas finie ! Alors, place à la poésie, à la fête, aux jeux… et à la réflexion aussi.

Terminez cette année en beauté et profitez pleinement de l'été.
À un de ces jours, peut-être…

La rédactrice en chef, au nom de toute l'équipe

Envoyer

FAITES VOS JEUX !

Que dirais-tu de faire le plein d'idées de jeux à faire cet été en auto ou au bord de l'eau, sous la tente ou chez ta tante, sur ton balcon ou dans l'avion ?

1. Prends connaissance des quatre jeux présentés à la page suivante.
2. D'ici la fin des classes, joue à ces jeux en solo, en duo, en trio... Cet été, tu y joueras en maillot !
3. Pour plus de plaisir, tu peux fixer des règles, comme une limite de temps, pour réaliser le jeu.
4. Quel jeu as-tu préféré ? Pourquoi ?
5. À quelles occasions penses-tu jouer à ces jeux ?
6. Que retiens-tu des activités que tu as faites dans *Lettre ouverte* ?

Jeu 1

AVONS BIEN RI STOP

Invente un télégramme à partir du mot de ton choix. Les premières lettres des mots de ton télégramme doivent former ton mot de départ.

Ex. : vacances → **V**oudrions **a**ller **c**hez **A**ntoine. **N**ous **c**onfirmer **e**ntente **s**amedi.

ballon → **B**elle **a**ctivité **l**ecture. **L**undi **o**ccasion **n**atation.

Jeu 2

ÉTUDES DE LETTRES

À partir d'une lettre de ton choix, crée une phrase qui comporte le maximum de mots commençant par cette lettre.

Ex. : C → **C**harlot, **c**e **c**henapan de **c**hat **c**aramel, **c**hasse dans le **c**hamp pour **c**hasser **c**es **c**hères **c**hauves-souris.

Jeu 3

PAPIER À LETTRES

Sur une feuille, écris six catégories de mots (ex. : ville, métier, prénom, animal). Ensuite, choisis une lettre de l'alphabet (ex. : s), puis essaie de trouver un mot de chaque catégorie qui commence par cette lettre.

Ex. :

Pays	**Ville**
Suisse	Saguenay
Métier	**Prénom**
scientifique	Sandrine
Animal	**Vêtement**
souris	short

Jeu 4

RIME SUBLIME

Cherche le plus grand nombre de mots qui riment avec un mot qui sonne bien à tes oreilles.

Ex. : libellule → bidule, bulle, canicule, capsule, majuscule, nulle, ridicule, véhicule

Compose un court poème en y intégrant le plus de rimes que tu peux.

Ex. : Une libellule
Se pose sur une bulle
Un jour de canicule
La libellule pique la bulle
Avec son bidule
Geste ridicule
Erreur majuscule

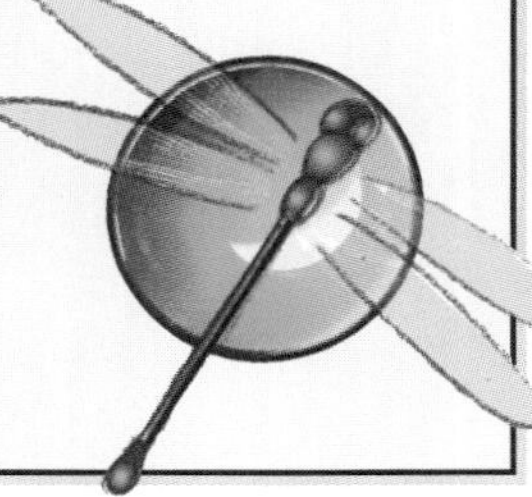

ESPRIT D'ÉQUIPE

Cette année, tu as fait équipe avec différents camarades pour réaliser une foule d'activités, mener à bien des projets, partager des idées, etc. Voici l'occasion de leur dire ce que tu as apprécié chez eux.

1. Prends connaissance de la liste des comportements coopératifs sur la fiche **76**. Écris dans chaque case le nom d'un ou d'une élève à qui tu reconnais ce comportement.
2. Au signal donné par ton enseignant ou ton enseignante :

   a) Avance-toi vers un ou une élève dont le nom apparaît sur ta fiche pour lui communiquer le ou les comportements que tu lui reconnais.

   b) Demande-lui de signer son nom dans la ou les cases appropriées.

   c) Assure-toi de voir toutes les personnes dont le nom apparaît sur ta fiche.
3. Sur ta fiche, trace un crochet ✓ en dessous des comportements que tes camarades t'attribuent.
4. Participe à la mise en commun.
   - Quels comportements t'ont été le plus souvent reconnus ? Qu'est-ce que cela t'apprend sur toi ?
   - Quels comportements coopératifs aimerais-tu développer ou améliorer ?
   - Au terme de l'année, quel bilan fais-tu du travail coopératif ?

EN PRIME

- Rédige un acrostiche à l'intention d'un ou d'une de tes camarades avec qui tu as aimé travailler cette année.

Ex. : **H**abile et débrouillard
Unanimement aimé
Gentil et sensible
Original et inoubliable

Je vous *le* recommande

Que dirais-tu d'établir avec tes camarades le palmarès des livres de l'année ?

1. Sélectionne tes deux meilleurs **titres** de l'année. Pour te rappeler quelques bons livres, parcours ton carnet de lecture, repense aux cercles de lecture auxquels tu as participé et remémore-toi tes lectures personnelles.
2. Donne ton appréciation de tes deux livres sur la fiche **77**.
3. Remets la fiche 77 à ton enseignant ou à ton enseignante.
4. Avant la fin des classes, consulte le palmarès constitué par les élèves de la classe.
   a) Dans ton carnet de lecture, prends en note les titres que tu aimerais lire et le nom des élèves qui en suggèrent la lecture.
   b) Si tu veux en savoir un peu plus sur les œuvres que tu as retenues, interroge les élèves qui les recommandent.
5. En vue de dresser le bilan de tes expériences de lecture, remplis la fiche **78**.
   - Quelles habitudes de lecture as-tu développées cette année ?
   - Quels genres de livres as-tu découverts ?
   - Considères-tu que tu es désormais un meilleur lecteur ou une meilleure lectrice ? Pourquoi ?

TITRE n.m. – Nom donné à un livre, un film, une chanson, un poème, etc. *Quel est le titre du roman que tu lis ?*

Dictionnaire Super Major – 9 / 12 ans
© Larousse-Bordas, 1997.

EN PRIME

- Savais-tu qu'il existe des clubs de lecture dans les bibliothèques municipales et dans Internet ? Inscris-toi à l'un de ces clubs cet été pour partager avec d'autres tes impressions de lecture.

Projets d'avenir

Passer les belles journées d'été devant son ordi, ça donne un teint gris ! Par contre, se servir de l'ordi les jours de pluie pourrait bien ensoleiller ces journées ! Voici donc l'occasion de faire le plein d'activités à réaliser !

1. Fais équipe avec deux de tes camarades.
2. Dressez l'inventaire de tout ce que vous savez faire avec les outils informatiques.
3. À partir de votre inventaire, imaginez trois activités à faire cet été. Au besoin, inspirez-vous des suggestions ci-dessous.
   - Créer une base de données pour répertorier les objets de sa collection préférée.
   - Faire des recherches dans Internet pour réaliser l'arbre généalogique de sa famille.
   - Fabriquer des diplômes, à remettre lors d'une fête, à l'aide d'un logiciel de dessins vectoriels.
   - Produire des dessins, pour agrémenter son carnet de poésie, à l'aide d'un éditeur d'images.
4. Faites un compte rendu à la classe en prenant soin de préciser :
   - les outils utiles pour réaliser ces activités ;
   - les principales fonctions des logiciels utilisés ;
   - des conseils de sécurité à respecter.
5. Prends en note les activités que tu aimerais réaliser cet été.
6. Quelles activités de la rubrique *Tac Tic* as-tu le plus aimées ?

EN PRIME

- Pour tester quelques-unes de tes connaissances, demande la fiche **79**.

SOUS-THÉMATIQUE

Voyages en mots et en images

L'été approche ! Rêves-tu de voyager pendant tes vacances ? Tu sais qu'il existe plusieurs façons de voyager : s'envoler dans des contrées exotiques, se transporter en imagination dans des pays fantastiques, explorer virtuellement des univers magiques...

Nous te proposons de voyager en classe poétique ! Ton moyen de transport : les mots et les images. Ta destination : l'univers poétique. Tes activités : explorer la poésie et jouer avec les mots, les rimes, les rythmes et les silences.

Lire un poème,
c'est l'imaginer,
le faire sien,
se l'incorporer.

Georges Jean, poète

EN VOYAGE 1

Lire des poèmes en vue de choisir son poème préféré. L A

Lire son poème préféré à voix haute. O A

EN VOYAGE 2

Fabriquer un carnet de poésie. É

Présenter un poème de manière fantaisiste. É

EN VOYAGE 1

Lire un poème à voix haute, c'est donner vie à ses sonorités, à son rythme, à ses images. C'est goûter le plaisir de voyager dans l'univers du poète.

1. Avant de lire les poèmes (p. 230-232), lis les conseils de Jean-Pierre Siméon.

CONSEILS POUR LIRE DES POÈMES

Lire le poème, ce n'est pas aller d'un point à un autre, c'est vagabonder, deux pas en avant, trois pas en arrière, deux pas sur le côté, c'est tenter tous les chemins, même ceux qui vont en sens contraire, c'est revenir sur ses pas, même, surtout, quand on croit avoir compris, c'est demeurer une éternité dans un mot, une image, un vers, si ça vous chante, c'est « rêver autour », comme disait Aragon, ce roi des poètes, c'est l'oublier et le revoir longtemps après avec un nouveau visage, c'est le dire à voix basse, à voix haute, pour soi ou pour les autres, c'est en recopier des bouts, le réécrire de sa main, le réinventer dans son souvenir.

Jean-Pierre Siméon, *Aïe ! Un poète*, (© Coédition Seuil-Crapule, 2003), 2003.

Ô temps, suspends ton vol...

2. Choisis le poème que tu préfères.
3. De quelle façon les conseils de Jean-Pierre Siméon ont-ils influencé ta lecture ?
4. Qu'est-ce qui te plaît dans ce poème ?
   - le sujet du poème, le message du poète ?
   - le choix des mots, les images comme les comparaisons ou les métaphores ?
   - la répétition de certains sons, les rimes, le rythme ?

5. Joins-toi à quelques élèves qui ont choisi le même poème que toi.

6. Ensemble, cherchez une façon originale de lire votre poème à la classe. Au besoin, inspirez-vous des idées suivantes :

   - faire une lecture à plusieurs voix : un membre de l'équipe commence la lecture, un autre continue et ainsi de suite ;
   - faire une lecture en chœur : tous les membres de l'équipe lisent ensemble le poème ;
   - faire une lecture avec des accessoires : un chapeau, un foulard, une baguette, etc.

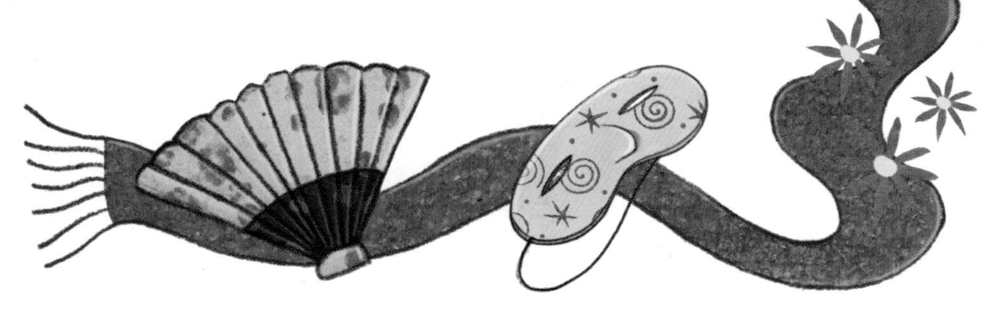

7. Pour faire une lecture expressive, puisez des idées dans l'encadré suivant.

L'intensité de la voix

- Lisez tout le poème avec la même intensité en employant une voix douce, forte, faible ou basse.
- Lisez le poème en variant l'intensité de votre voix. Par exemple, augmentez l'intensité ou diminuez-la à chaque strophe.
- Augmentez l'intensité sur un son, un mot ou un groupe de mots.
- Mettez l'accent sur des sons, des rimes ou des mots qui sont liés entre eux par le sens.

Les silences

- Insérez des silences en faisant une légère pause à la fin d'un vers ; gardez un silence plus long entre deux strophes ; faites de courtes pauses après la virgule et d'autres un peu plus longues après le point.
- Créez un petit suspense en faisant une pause juste avant un mot que vous voulez mettre en relief.

L'expression du visage

- Choisissez l'expression qui convient le mieux au texte choisi.

Rêverie...

J'étais un nuage
et j'avais la forme d'un chat
J'étais un nuage
parti en voyage

Suis allée au-dessus d'un lac
m'abreuver et faire trempette
J'ai chevauché une forêt
Puis j'ai grimpé sur une montagne
pour gratter mon dos à son sommet
Ron ron
Ron ron les nuages

Suis allée au pays des neiges
croyant y trouver du lait
J'ai croisé un nuage gris
que j'ai pris pour une souris
Gris gris
Gris gris les souris

Puis le vent m'a ramenée
malgré mes miaulements
malgré mes griffes acérées
Il m'a tant et tant poussée
que j'ai pris la forme d'un oreiller
Et je me suis réveillée.

Jasmine Dubé

Voyage

J'aimerais glisser dans les airs
Et traverser la stratosphère
Pour découvrir tout l'univers
À cent millions d'années-lumière

J'explorerais le bleu du ciel
En glissant sur un arc-en-ciel
Je dirais bonjour aux nuages
Suivant les oiseaux en voyage

Je contournerais les planètes
En chevauchant une comète
Je dirais bonsoir à la Lune
Comptant les étoiles une à une

Pierre Roy

Partir

Partir !
Aller n'importe où,
vers le ciel
ou vers la mer,
vers la montagne
ou vers la plaine !
Partir !
Aller n'importe où,
vers le travail,
vers la beauté
ou vers l'amour !
Mais que ce soit avec une âme pleine
de rêves et de lumières,
avec une âme pleine
de bonté, de force et de pardon !

S'habiller de courage et d'espoir,
et partir,
malgré les matins glacés,
les midis de feu,
les soirs sans étoiles.
Raccommoder, s'il le faut,
nos cœurs
comme des voiles trouées,
arrachées
au mât des bateaux.
Mais partir !
Aller n'importe où
et malgré tout !

Mais accomplir une œuvre !
Et que l'œuvre choisie
soit belle,
et qu'on y mette tout son cœur,
et qu'on lui donne toute sa vie.

Cécile Chabot

Cécile Chabot, «Partir», tiré de *Poésie manège d'étoiles*, Centre de psychologie et de pédagogie, Montréal.

Sensation

Par les soirs bleus d'été, j'irai dans les sentiers,
Picoté par les blés, fouler l'herbe menue :
Rêveur, j'en sentirai la fraîcheur à mes pieds.
Je laisserai le vent baigner ma tête nue.

Je ne parlerai pas, je ne penserai rien :
Mais l'amour infini me montera dans l'âme,
Et j'irai loin, bien loin, comme un bohémien,
Par la Nature, – heureux comme avec une femme.

Arthur Rimbaud

Les pas

Sur un chemin battu à la semelle
Hier, mes deux pieds sont partis.
Tôt le matin, peu avant le soleil.
Ils iront loin sur les routes pierreuses…
Reviendront-ils ? Je n'en sais rien.
Ils n'ont point fait de bruit
Et sont partis tout seuls
Sans demander chaussure.

Et c'est à mes souliers de ville
Que je serai forcé de demander mon chemin,
Aujourd'hui et demain.
Ils me le donneront volontiers.
Pourtant,
J'aurai regret de mes pieds véritables,
De leur façon d'écraser le destin
Mais tous les pas qu'ils m'ont appris :
Le pas du matelot
Celui du bûcheron
Celui de l'acrobate
Et le pas du marcheur
Et le pas du poète
Et le pas du trappeur

Tous ces pas sont perdus
Si mes pieds ne reviennent pas.
Ah ! J'aurais dû savoir
Que les trottoirs des villes…

Mais c'est trop tard,
Mes deux pieds sont partis
Sans adieu ni merci,
Sans avis, sans bruit.

Gilles Vigneault

Gilles Vigneault, « Les Pas », tiré du recueil *Silences*, Nouvelles Éditions de l'Arc, 1979, p. 65-66.

EN VOYAGE 2

Que dirais-tu de confectionner un carnet dans lequel tu pourrais exprimer ta poésie avec des mots, mais aussi avec des dessins, des collages ou des photos ?

1. Assemble des feuilles pour fabriquer ton carnet. Donne-lui une forme insolite : un chat, un soulier, un nuage, un cœur, une fleur.
2. Inspire-toi des idées suggérées dans l'encadré ci-dessous et des exemples de la page 234 pour déterminer le contenu de ton carnet.

IDÉES POUR LE CARNET DE POÉSIE

- Recopie de ta plus belle écriture un poème que tu aimes.
- Recopie des extraits d'un poème que tu aimes.
- Recopie un poème et remplace les mots par des dessins ou des collages.
- Reproduis un poème avec des lettres découpées dans un magazine ou un journal.
- Reproduis un poème sous forme de bande dessinée.
- Écris un poème *à la manière de…*
- Écris des mots que tu trouves beaux et qui riment.
- Décris d'une manière poétique un objet ou une personne que tu aimes.
- Écris une phrase poétique pour décrire une photo de vacances.
- Écris un poème en employant des **onomatopées**.

ONOMATOPÉE n. f. – Création d'un mot dont le son imite la chose qu'il dénomme. *Cliquetis, glouglou, clapoter, crac, boum sont des onomatopées.*

Dictionnaire CEC intermédiaire, Les Éditions CEC inc., 1999.

Reproduire un poème avec
des lettres découpées
dans un magazine ou un journal.

Écrire un poème en employant
des onomatopées.

Vroum vroum

Boum boum

Badaboum

Atchoum !

Hé ! la belle flopée

d'onomatopées !

Remplacer les mots par des dessins.

Écrire une phrase poétique
pour décrire une photo
de vacances.

(suite de la p. 233)

3. Choisis de quelle façon tu veux inaugurer ton carnet de poésie.

   Ex. : • En recopiant une strophe, un vers ou quelques mots d'un poème que tu aimes.
   • En écrivant un court texte et en jouant avec les mots.

4. Ton carnet de poésie doit être attrayant et agréable à regarder.

   a) Applique-toi si tu recopies l'extrait d'un poème. Compare-le à l'original pour t'assurer que les deux textes sont identiques.

   b) Rédige une première version de ton texte original. Relis-le. Quand il te semble satisfaisant et exempt d'erreurs, recopie-le dans ton carnet.

   c) Pour que ton texte soit présenté de manière fantaisiste et attrayante, joue avec les couleurs, la taille des lettres, les caractères.

5. Lis une dernière fois ton texte dans ton carnet. Si tu repères des erreurs, masque-les par un dessin ou un collage.

6. Qu'est-ce qui rend la présentation de ton texte fantaisiste, attrayante ?

7. Présente ta création à tes amis.

8. Conserve ton carnet pour continuer de le remplir cet été.

En panne d'idées pour écrire ton texte ? Rappelle-toi tous les procédés que tu connais pour jouer avec les mots : le mot dessiné, l'anagramme, l'acrostiche, le mot-valise, l'hyperbole, le rébus, le virelangue.

EN PRIME

• Transcris les vers de différents poèmes sur des bandes de papier. Place-les dans une boîte. Pour créer un poème, tire au hasard des bandes et mets-les bout à bout.

DOSSIER

Faire la fête

Il existe des tas d'occasions de faire la fête. Toi, tu as une occasion en or : la fin de ton cours primaire.

Dans ce dossier, nous te proposons de participer à l'organisation d'une fête pour souligner cet événement important. Il faudra penser à fabriquer les décors, préparer un goûter, organiser des jeux, présenter un petit spectacle, etc. Ce sera l'occasion pour tes camarades et toi de mettre à contribution vos talents et vos habiletés. Alors, que les préparatifs commencent !

Tour de piste

- Exprimer ses idées sur les tâches à exécuter pour organiser la fête.
- Choisir une tâche et former une équipe.

Chacun son rôle

- Préciser ce qu'il faut faire pour exécuter la tâche.
- Partager les responsabilités entre les membres de l'équipe.
- Rassembler l'information et le matériel nécessaires.

Mise en scène

- Planifier la participation de l'équipe à la fête.
- Planifier ce qui doit être fait avant la fête.

Le lever du rideau

- Faire la fête et exécuter sa tâche.
- Évaluer la démarche et les résultats.

Tour de piste

1. Pour commencer, précisez le jour et le lieu de votre fête.
2. Inspirez-vous de l'encadré pour choisir le thème.

> **IDÉES DE THÈMES**
>
> - Une couleur : mettez une couleur en vedette dans le décor, les vêtements et le maquillage.
> - Les jeux olympiques : organisez des jeux loufoques, décernez des médailles.
> - Les métiers : portez des accessoires qui rappellent le métier de vos rêves.
> - La magie : préparez des tours de magie, des décors ensorcelants.
> - L'espace : donnez des formes d'inspiration spatiale à vos décors, vos sandwichs.

3. À quel endroit tiendrez-vous cette fête ?
4. Déterminez collectivement les tâches à accomplir.
5. Comment collaboreras-tu à cette grande fête ? Parmi les tâches retenues, laquelle correspond le plus à tes intérêts ? Laquelle mettrait en valeur tes talents ?
6. Joins-toi aux élèves qui ont fait le même choix que toi.
7. Revoyez les défis personnels que vous vous êtes fixés dans le dernier contrat de projet. Trouvez ensemble des moyens pour les relever dans ce projet-ci.

Chacun son rôle

1. Pour trouver des idées en vue d'exécuter votre tâche, lisez les textes des pages 239 à 244 et observez les illustrations.
2. Planifiez l'exécution de votre tâche avant et pendant la fête en vous servant de la fiche 80.
3. Comment ta participation au sein de l'équipe a-t-elle facilité la planification de la tâche ?
4. Nommez un ou une porte-parole pour faire le point à la réunion de toutes les équipes de la classe.

Pour trouver d'autres idées, consulte des livres ou des sites Internet qui traitent de ton sujet : décors, jeux, recettes, musique, etc.

Mise en scène

1. Planifiez ce qui doit être fait avant la fête. Si vous avez retenu une idée parmi celles proposées aux pages 239 à 244, suivez les directives du texte correspondant.
2. Comment ta participation au sein de l'équipe contribuera-t-elle à l'exécution de votre tâche commune ?
3. Participez à la mise en commun avec les autres équipes. Revoyez la participation de votre équipe à la fête.

STRATÉGIE

L

Pour lire un texte qui donne des directives :

- lis le texte une première fois pour le comprendre globalement ;
- vérifie que tu as tout le matériel en main pour exécuter la tâche ;
- relis attentivement chaque directive ;
- consulte au besoin les images ou les exemples qui complètent l'information du texte.

POUR RÉUSSIR UNE FÊTE

DÉCORS DE FÊTE, DÉCORS EN FÊTE

Pour mettre les participants dans l'ambiance, soignez le décor. Égayez la pièce où se tiendra la fête avec des guirlandes, des banderoles, des ballons, des masques, etc.

FABRIQUER UNE GUIRLANDE

Matériel nécessaire

- Papier
- Crayon
- Ciseaux
- Crayons ou papier de couleur

Marche à suivre

1. Plie en accordéon une bande de papier aussi régulièrement que possible.
2. Dessine sur l'une des deux faces le motif de ton choix.
3. Découpe soigneusement les contours du motif en évitant de découper un des côtés.
4. Ouvre la guirlande en la maniant soigneusement.
5. Décore ta guirlande avec des crayons ou du papier de couleur.

FAÇONNER UN MASQUE

Matériel nécessaire

- Papier cartonné
- Colle
- Papier de couleur
- Ciseaux

Marche à suivre

1. Découpe soigneusement la forme d'un masque sur du papier cartonné.
2. Dessine sur du papier de couleur les éléments du masque : yeux, bouche, nez, etc.
3. Colle-les sur le masque.

LA LA LA… L'ANIMATION MUSICALE

Pour animer la fête, choisissez des pièces musicales qui s'harmonisent avec votre thème. Vous pouvez faire jouer de la musique d'ambiance durant le goûter, de la musique de danse ou proposer des jeux musicaux comme le **karaoké**. N'oubliez pas d'apporter un lecteur de cassettes ou de disques compacts.

KARAOKÉ n. m. – Divertissement collectif consistant à chanter sur une musique préenregistrée.

Le Petit Larousse Illustré 2003
© Larousse/HER 2002.

RÉDIGER DES REMERCIEMENTS POUR DES PERSONNES QUI LES MÉRITENT

Préparez des remerciements pour vanter les mérites de certaines personnes : un enseignant ou une enseignante, le directeur ou la directrice, un parent, un ou une élève de la classe. Soulignez un beau geste, une action d'éclat, un acte généreux, un comportement sympathique. Pour votre témoignage, vous pouvez transformer les paroles d'une chanson, composer un acrostiche ou un court poème. Lisez votre texte et remettez un document écrit en souvenir à la personne concernée.

MINI SPECTACLE

Imaginez un numéro qui soulignera la fin de l'année scolaire tout en étant lié au thème de la fête. Vous pouvez chanter, réciter de la poésie, jouer un extrait d'une pièce de théâtre ou une improvisation, exécuter un tour de magie, présenter l'album de fin d'année, etc. Avec un brin de mise en scène, quelques accessoires et la participation du public, votre prestation sera assurément le clou de la fête.

MODIFIER UNE CHANSON

À partir d'un air que tu aimes, écris de nouvelles paroles liées au thème de la fête.

1. Choisis une chanson que tu aimes.
2. Mesure le rythme de chaque phrase en comptant les syllabes de chaque vers.
3. Change les paroles en conservant le même nombre de syllabes par vers.

FAIRE UNE LECTURE PUBLIQUE

En équipe, faites une lecture expressive et dramatique d'un texte lié au thème de la fête.

1. Choisissez un texte comprenant beaucoup de dialogues.
2. Choisissez un narrateur ou une narratrice qui complétera les dialogues.
3. Ajoutez des accessoires simples, comme des masques.
4. Faites une répétition en prêtant attention aux indications de l'auteur ou de l'auteure sur la manière dont les dialogues doivent être dits.

UN GOÛTER GOÛTEUX

Votre petite fête mérite sûrement quelques gourmandises. Présentez à vos invités quelque chose d'amusant, de coloré et de simple à préparer.

1. Avant de commencer à cuisiner, lave-toi les mains. Tu peux mettre un tablier pour ne pas tacher tes vêtements.
2. Si tu utilises des couteaux, tiens toujours la pointe en bas.
3. Utilise une planche pour découper les aliments.
4. Sèche tes mains avant de brancher ou de débrancher un appareil électrique.
5. Si tu renverses quelque chose, essuie tout de suite les dégâts.
6. Lave tes ustensiles au fur et à mesure. Lorsque tu as terminé, range-les et laisse la cuisine en ordre.

PRÉPARER DES BROCHETTES DE FRUITS

Ingrédients

- Fruits de ton choix : fraise, raisin, pêche, melon, ananas, etc.

Marche à suivre

1. Découpe les fruits en dés.
2. Enfile les dés sur une brochette en alternant les fruits.
3. Continue jusqu'à ce que la brochette soit pleine. Laisse un peu de place aux extrémités pour pouvoir les tenir.
4. Place les brochettes sur un plat ou pique-les dans une base en styromousse pour obtenir un effet « hérisson ».

Variante

- Tu peux composer toutes sortes de brochettes avec des légumes, du fromage, des saucisses, des olives, etc.

DES JEUX JOYEUX

Pour satisfaire tout le monde à la fête, prévoyez des jeux variés: jeux de mots, jeux d'adresse, jeux actifs, paisibles, etc.

FAIRE LE MIME

1. Écris un certain nombre d'actions à mimer sur un bout de papier: monter une tente, allumer un feu de camp, pagayer, etc.
2. Mets les papiers dans une boîte.
3. Fais tirer un papier par un joueur ou une joueuse qui doit mimer l'action.
4. Les participants doivent deviner l'action mimée en posant des questions fermées (auxquelles on ne peut répondre que par *oui* ou par *non*).
5. Accorde deux à trois minutes pour chaque mime.
6. Tu peux attribuer des points aux personnes qui trouvent les actions mimées.

JOUER AU JEU *JE PARS EN VOYAGE ET JE METS DANS MA VALISE...*

1. Fais asseoir les participants en cercle.
2. La personne qui commence le jeu dit ce qu'elle emporte dans sa valise ; le mot doit commencer par un *a*: « Je pars en voyage et je mets dans ma valise un atlas. »
3. La personne suivante répète ce qui vient d'être dit avant de nommer un objet qui commence par un *b*: « Je pars en voyage et je mets dans ma valise un atlas et un boa. »
4. La troisième personne continue avec la lettre *c*, et ainsi de suite.
5. Celui ou celle qui oublie un des mots est éliminé.

DES PETITS CADEAUX, DES PETITES ATTENTIONS

Les gagnants des jeux aimeront sûrement recevoir des petits cadeaux. Vous pouvez aussi trouver d'autres raisons pour offrir des cadeaux: attribuer des prix par exemple à la personne la plus serviable, la plus calme ou la plus drôle.

BRICOLER UNE PHOTO-SOUVENIR

Matériel nécessaire

- Photos ou images
- Ciseaux
- Colle blanche à papier
- Feuilles de papier

Marche à suivre

1. Découpe une photo ou une image en plusieurs bandes de même largeur.
2. Recolle les bandes sur une feuille en respectant le même espace entre chacune d'elles.

Astuces

- Pour faire des effets surprenants, découpe ta photo en faisant des ondulations ou en la déchirant soigneusement.
- Tu peux aussi découper plusieurs photos et les recoller ensemble en les alternant.

FABRIQUER UN PRESSE-PAPIERS

Matériel nécessaire

- Cailloux plats ou ronds
- Un crayon
- Peinture
- Un pinceau

Marche à suivre

1. Fais un dessin sur un caillou.
2. Colorie-le.

Le lever du rideau

Avant la fête

1 Revoyez le déroulement des festivités et ce que vous avez à faire durant la fête.

2 Vous êtes prêts ? Alors, que la fête commence !

Après la fête

1. Fais part aux membres de ton équipe de ton appréciation du travail collectif.

   - Quelle a été la principale force de votre équipe ?
   - En quoi le travail coopératif a-t-il facilité l'exécution de votre tâche ?

2. Évalue ta propre participation à la tâche commune.

   - As-tu aidé tes coéquipiers à relever leurs défis personnels ? As-tu demandé leur aide pour relever le tien ?
   - Comment ton attitude et ton comportement ont-ils contribué à la réalisation de la tâche commune ?

3. Quel bilan fais-tu du travail en projet ?

   - Quels apprentissages as-tu faits au cours de l'année dans les différents projets ?
   - Comment as-tu réussi à mieux travailler en équipe dans ces projets ?
   - Quel a été ton projet préféré ? Pourquoi ?

EN BONNE COMPAGNIE

Fabiola voudrait un animal de compagnie, mais ses parents hésitent à acquiescer à sa demande.

Nous avons remis sa lettre à Michèle, une vétérinaire spécialisée dans le soin des animaux domestiques.

Bonjour,

Ça fait longtemps que je souhaite avoir un chat ou un chien. J'ai pensé que si j'en avais un cet été, j'aurais le temps de bien m'occuper de lui. J'en ai (encore !) parlé à mes parents qui m'ont rappelé (de nouveau !) que c'était une décision très importante à prendre. Pour bien y réfléchir, ils m'ont proposé d'écrire sur une feuille les avantages et les inconvénients qu'il y a d'adopter un animal de compagnie. Après, m'ont-ils dit, nous en reparlerons ensemble. J'ai trouvé que c'était une bonne idée, mais je ne suis pas sûre de pouvoir dresser cette liste toute seule. Pouvez-vous m'aider ?

Fabiola

Bonjour Fabiola,

Tes parents ont tout à fait raison de te demander de prendre le temps de réfléchir avant d'adopter un chat ou un chien. Savais-tu que chaque année, plus de 500 000 chiens et chats sont abandonnés, surtout au début de juillet, pendant la période des déménagements, et à la fin août, avant la rentrée scolaire ? Nombre d'entre eux meurent de faim, de froid ou de maladie. L'adoption d'un animal est une décision à ne pas prendre à la légère, Fabiola, car ton histoire d'amour avec ton chat ou ton chien durera longtemps. De nos jours, l'espérance de vie d'un chien peut atteindre 15 ans et celle d'un chat, 20 ans ! En adoptant un animal de compagnie, tu signes un contrat de confiance et d'engagement pour de nombreuses années.

De plus, ton animal, comme tout être vivant, aura besoin de ton amour et de ton affection, mais il exigera surtout que tu t'occupes de lui jour après jour, et pas seulement cet été. Par exemple, il faudra changer régulièrement la litière de ton chat, promener quotidiennement ton chien, le nourrir, le brosser, l'accompagner chez le ou la vétérinaire. Et quand toute la famille décidera de partir en vacances, il faudra trouver une pension à ton chien ou ton chat. Sa présence causera aussi quelques inconvénients : des poils sur tes vêtements, des jouets déchiquetés, des plantes renversées...

Si tu trouves que ce sont là de trop lourdes responsabilités, ne prends pas d'animal, ce sera mieux pour toi et pour lui. Si tu es toujours décidée à adopter un animal de compagnie, je te conseille de demander à tes parents de le faire stériliser. Cela empêche de nombreux pitous et minous d'être abandonnés ou euthanasiés. Je suis sûre, Fabiola, que tu examineras soigneusement le pour et le contre de la question et que tu prendras une sage décision avec tes parents.

Michèle Paré, vétérinaire

Que dirais-tu d'encourager les élèves de ton école à réfléchir avant d'adopter un animal ? Voici l'occasion de promouvoir cette idée sur une affiche.

1. En t'appuyant sur tes connaissances et sur la réponse de la vétérinaire, dresse la liste des plaisirs et des responsabilités liés à la prise en charge d'un animal de compagnie.

Plaisirs	Responsabilités

2. Fais équipe avec deux élèves.
   a) Fais part de tes réponses aux membres de ton équipe.
   b) Complète ton tableau avec les éléments intéressants que t'apportent tes coéquipiers.

3. De quelle façon le partage de l'information t'a-t-il permis d'enrichir ton tableau ?

4. Organisez le contenu de votre affiche à l'aide de la fiche 81.

5. Placardez votre affiche dans un endroit stratégique de l'école.

Une photo vaut mille mots

Dans les journaux, la photo et sa légende forment un duo indissociable. La photo livre une information visuelle et la **légende** fournit les mots pour interpréter correctement l'image. Voici l'occasion de t'initier à la lecture des photos de presse.

LÉGENDE n. f. – Petit texte explicatif placé sous une photo ou un dessin.

1. Au cours de la semaine, parcours des articles de journaux et de magazines.
   a) Choisis quatre photos qui attirent ton attention. Numérote chaque photo et sa légende.
   b) Découpe les photos et les légendes en les séparant les unes des autres.
   c) Mets les photos et leur légende dans une enveloppe et apporte-les en classe.
2. Pour mesurer ton habileté et celle de tes camarades à interpréter correctement une photo, nous te proposons un jeu d'associations. Les règles du jeu se trouvent sur la fiche 82.
3. Qu'est-ce qui t'a aidé ou aidée à associer les légendes et leurs photos ?
4. En vous appuyant sur le texte de la page suivante, précisez le rôle de vos photos et la forme de leurs légendes.
   - Quels types de photos ont le plus attiré votre attention ?
   - Quelle forme de légende est la plus utilisée ?
5. Présentez vos observations à la classe.
6. Au cours de l'année, quels apprentissages as-tu faits grâce à la rubrique *Multimédia* ? De quelle façon as-tu développé ton sens critique à l'égard des médias ?

EN PRIME

- Modifie les légendes des photos que tu as trouvées. Par exemple, transforme une légende informative en légende incitative.
- Crée un album de photos de tes meilleurs moments de l'été et accompagne-les de légendes de ton cru.

LE RÔLE DES PHOTOS DE PRESSE

- **La photo expressive :** La photo permet d'exprimer une émotion ; elle communique instantanément un sentiment, ce que le texte ne peut faire aussi rapidement. Par exemple, la photo d'un ou d'une athlète qui pleure de joie en recevant une médaille olympique permet aux lecteurs de saisir sur-le-champ son émotion.
- **La photo informative :** L'image renseigne, décrit ; elle complète l'information du texte en fournissant des indices sur le lieu ou le temps ou en donnant des détails. Par exemple, si le texte décrit un nouveau vêtement protégeant des flammes, le lecteur sera plus impressionné si la photo montre un personnage revêtu de cette combinaison se promenant dans un brasier.
- **La photo symbolique :** L'image renvoie à une idée plutôt qu'à une réalité tangible. Par exemple, la photo d'un goéland aux ailes alourdies par la marée noire symbolise universellement la pollution.

Les différentes légendes

- La légende informative résume l'information illustrée par la photo ou précise ce qui n'est pas sur la photo (le nom des personnes photographiées, par exemple).
- La légende explicative fournit une interprétation de la photo.
- La légende incitative vise à créer un effet, à piquer la curiosité des lecteurs pour susciter leur intérêt.

LA RÉVISION DE A À Z

Matériel

- Une grande feuille divisée en quatre avec le mot *GRAMMAIRE* écrit au centre
- Quatre crayons de couleurs différentes
- Volumes 3 et 4 de *Mordicus*
- Trousses à outils
- Quatre têtes remplies de connaissances

Fin du primaire rime avec récapitulation des connaissances en grammaire.

1. Avec quelques camarades, rappelle-toi ce que tu as appris en grammaire cette année.

   a) Dans un coin de la feuille, note les sujets que tu as abordés en grammaire cette année. Pour te rafraîchir la mémoire, feuillette tes deux manuels scolaires et ta trousse à outils.

   b) Au signal, fais pivoter la feuille d'un quart de tour (tes notes se retrouveront devant l'élève qui est à ta gauche).

   c) Lis ce que ton coéquipier ou ta coéquipière a noté.

   - Inscris tes initiales à côté des points que tu as aussi notés.
   - Si d'autres sujets te viennent en tête, ajoute-les sur sa partie.

   d) Au signal suivant, procédez de la même façon jusqu'à ce que vous ayez pris connaissance des notes de tous les membres de l'équipe.

   e) Relisez ensuite tout ce qui est écrit sur la feuille.

   - Relevez les éléments communs.
   - Précisez ce que vous avez retenu à propos de chaque sujet. Au besoin, feuilletez la section grammaticale de chaque numéro de *Mordicus*.

2. Participe à la mise en commun.

   a) Que retiens-tu des activités que tu as faites :

      - en orthographe d'usage ?
      - en syntaxe ?
      - sur le vocabulaire ?
      - en orthographe grammaticale ?

   b) Qu'as-tu aimé le plus faire ? Qu'as-tu aimé le moins faire ?

   c) Que sais-tu bien faire ?

   d) À quoi devras-tu continuer de faire attention ?

ORTHOGRAPHE D'USAGE

1. Récris les expressions suivantes en remplaçant chaque mot en caractère gras par le bon homophone.

   Ex. : Être **mètre** à bord → Être **maître** à bord

   a) Faire comme **ci**

   b) Se ressembler comme deux gouttes d'**haut**

   c) Faire la **par** des choses

   d) Être **cette** à table

   e) Des meubles en **pain**

   f) Un ananas bien **mur**

   g) Travailler **trot** vite

   h) N'importe **ou**

   i) Vivre à **sans** à l'heure

   j) À **trait** bientôt

2. Montre le sens correct de chaque mot en gras présenté au n° 1 (p. 251) à l'aide d'une expression de ton choix. S'il y a lieu, accorde le mot.

   Ex. : mètre → courir le cent **mètres**

3. Réunis les lettres d'une même couleur et découvre six activités que tu peux faire l'été.

Pour t'aider, recopie les lettres d'une même couleur sur une feuille ou retire ces lettres d'un jeu de scrabble.

Ex. : I A N P T

Dispose les lettres de différentes façons jusqu'à ce que tu puisses former le nom d'une activité estivale.

EN PRIME

- D'autres activités t'attendent dans la fiche 83.
- Si tu as envie de relever un défi, demande les derniers mots croisés de l'année (fiche 84).

4. Trouve le mot qui correspond à chacune des définitions. Un indice : dans chaque cas, les deux mots à trouver ne diffèrent que par une seule lettre.

   Ex. : Définitions : pièce de la maison / d'après
   Mots à trouver : salon / selon

   a) sert à respirer/propre

   b) abri de toile/sœur du père ou de la mère

   c) herbe séchée/antonyme de *près*

   d) synonyme de *maman*/petite étendue d'eau

   e) antonyme de *plein*/antonyme de *lent*

   f) antonyme de *mâle*/dessous de la chaussure

   g) début de la journée/masculin de *maligne*

   h) certains la préfèrent au bain/insecte

   i) nom de la famille de *doucement*/nom de la famille de *douloureux*

   j) récit imaginaire/homophone de *compte*

   k) nom de la famille de *gracieuse*/nom de la famille de *glaciale*

   l) au milieu de/homophone de *partie*

SYNTAXE

1. Que dirais-tu d'écrire un mot gentil à quelqu'un qui a été très important pour toi au primaire ? Ton défi : intégrer au moins une phrase de chaque type dans ton texte.

   Ex. : Chère madame Patenaude,

   Savez-vous ce que j'ai aimé chez vous ? → phrase interrogative
   J'ai aimé votre douceur et votre rigueur. → phrase déclarative
   Ne changez jamais. → phrase impérative
   Qu'ils sont chanceux vos prochains élèves ! → phrase exclamative

   Rémi

2. Voici des verbes conjugués pour parler de tes projets d'été.

ferai	irai	jouerai
m'entraînerai	m'envolerai	mangerai
me baladerai	me rendrai	partirai

a) Compose une phrase à partir de chaque verbe. Tu peux décrire des activités que tu feras véritablement ou t'inventer des occupations et des destinations.

b) Surligne le sujet en bleu, le prédicat en jaune et, s'il y a lieu, le ou les compléments de phrase en rose.

Ex. : Je ferai des pique-niques exotiques avec mon cousin Éric à l'ombre du grand saule au parc municipal.

VOCABULAIRE

1. Complète les expressions suivantes en remplaçant les illustrations par le mot correspondant.

a) Dormir à  fermés.

b) Mettre le 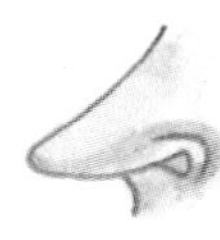 dehors.

c) Donner sa langue au .

d) Avoir le  sur la main.

e) Avoir la  verte.

f) Ne pas savoir sur quel 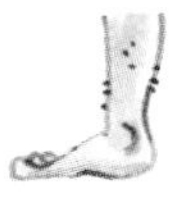 danser.

EN PRIME

• Synonyme, antonyme, mot de la même famille, mot générique, mot spécifique... Pour te remémorer les principales relations de sens entre les mots, demande la fiche **85**.

2. Que dirais-tu de chercher les bons mots pour dire des choses gentilles à tes camarades de classe ?

   a) Écris le nom de chaque élève de la classe sur un petit bout de papier.

   b) À côté de chaque nom, note deux qualités que tu reconnais à cet ou à cette élève. Tu peux choisir des noms ou des adjectifs. Si tu aimes les défis, cherche des mots qui riment avec son prénom.

      Ex. : Laurence → intelligence et patience

      Éric → énergique et comique

   c) Distribue tes papiers aux élèves de la classe.

   d) Lis les papiers que tes camarades t'ont remis. Quelle qualité te fait le plus plaisir dans celles qu'on te reconnaît ?

ORTHOGRAPHE GRAMMATICALE

Connais-tu la dernière... la dernière dictée en coopération du primaire ? Elle se trouve dans la fiche 86. En la faisant, tu découvriras quelques idées d'activités estivales.

Les professeurs

Maria nous apprend à lire
Et à écrire
C'est un travail plutôt difficile
Pour des élèves bien dociles

Claire nous a appris la grammaire
En nous donnant de précieux trucs pour bien retenir les exceptions
Elle ne voulait pas jouer à la mère
Mais voulait tellement pour ses petits péchés mignons

Suzanne nous a appris, en mathématiques, les fractions
Et les nombres à virgule
Tandis qu'en science on a fait toutes sortes de bidules
Et elle a fait de nous des champions

Avec Nicole, on a découvert qu'elle aimait bien nous poser des colles
Mais ce n'était pas pour mal faire
Mais bien pour nous demander de refaire
À la fin du primaire, on fait une bonne révision de tout ce qu'on a appris
Pour aller plus loin dans la vie
Donc, à toi, Nicole, un gros merci

Il y en a d'autres professeurs
Mais ceux que je viens de nommer sont les miens bien à moi
Ceux que j'ai tant aimés
Et que je garde en mémoire

D'après le texte *Les professeurs*, texte de Marie-Christine Gourde, 6e année, École l'Arc-en-Ciel, Saint-Narcisse-de-Beaurivage, *Les plus beaux poèmes des enfants du Québec*, l'Hexagone et VLB éditeur, 2002

SUPPLÉMENT

TEXTES ADDITIONNELS ET ACTIVITÉS DE LECTURE AU CHOIX

Sous-thématique : Voyages en mots et en images

Une odeur de mystère

Pour les vacances, Camille se rend chez sa grand-mère en France. Elle se sent bien dans cette maison où flottent des odeurs agréables et où sont rassemblés des objets auxquels elle est attachée.

Une odeur de café au lait, de chocolat, de pain, de confiture et d'humidité me chatouille les narines. Comme ça sent bon ! Ça y est, je suis chez Marguerite.

Je me retourne dans mon lit pour profiter des derniers petits recoins de chaleur avant de mettre les pieds par terre et de commencer ma journée. Je repense à mon voyage Montréal-Paris, Paris-Périgueux. Premier voyage seule en avion, je n'ai jamais eu l'impression d'être aussi grande de ma vie. Traverser l'Atlantique en solitaire… ou presque. J'ai vu un ciel avec des couleurs que je n'avais encore jamais imaginées. Elles se fondaient pour donner une autre palette. J'ai guetté toute la nuit les étoiles, la lune et les nuages. Tout ce voyage s'est terminé par le sourire de ma grand-mère qui m'attendait.

Je ne résiste pas plus longtemps à l'odeur du chocolat, je descends dans la cuisine la rejoindre, elle, son rouge-gorge, ses canaris, sa colombe et ses chats.

Comme d'habitude, la table est mise, tout est à sa place, les fleurs dans le vase en sucre d'orge, les grands bols bleus dans lesquels on disparaît en buvant, et la collection de pots de confiture. Un déjeuner de ma grand-mère vaut toutes les délices du monde.

— Camille, ma chérie, encore un peu de chocolat ?

Sa voix douce me fait ronronner. Je resterais des heures près d'elle à l'écouter. Quel bonheur d'être là. À nous les doux moments dont elle a le secret, à nous les rires et les fous rires, à nous le printemps !

Rassasiée, je saute de mon tabouret et je pars pour la millième fois à la découverte de la maison.

D'un coup d'œil, je retrouve tous les objets dont ma grand-mère sait me parler indéfiniment. J'imagine les pirates de la mer de Chine rapportant la lampe du salon, une princesse serrant sur son cœur le petit poisson d'argent, [...] Et cette bouilloire en forme de cheminée qui a rempli des tasses et des tasses de thé, c'est mon grand-père qui l'a ramenée de Russie. Le seul objet qu'il ait emporté.

Lui, c'était son samovar qu'il aimait par-dessus tout ! Moi, ce serait la petite boule de verre suspendue à la fenêtre de ma chambre que je ne quitterais jamais. Elle transforme les rayons du soleil en un splendide opéra de couleurs, et la grisaille, en lumière.

Une grande respiration. Je m'étire de plaisir à l'idée d'aller redécouvrir les odeurs de la maison. Je marche les yeux fermés. Je reconnais la chambre bleue avec le fauteuil de tante Cécile et son parfum de myosotis, la chambre de l'oncle Albert et son odeur de cannelle.

Ici, la salle de bains avec sa baignoire sabot et la coiffeuse dont le miroir me dit chaque fois que je suis la plus belle.

Je sens. Je sens encore. Je ferme les yeux pour mieux profiter de chaque odeur, la poudre de riz, l'eau de Cologne, le rouge à lèvres, la lavande. C'est ça l'odeur de la salle de bains : des parfums entremêlés. [...]

*

Tout à l'heure, dans le jardin, ma grand-mère parlait avec « monsieur le jardinier qui vient l'aider à entretenir son jardin ». Je ne le connais pas et elle ne me l'a pas présenté. Étrange.

Le jardin de ma grand-mère est un rêve tellement il y a de plantes et de fleurs de toutes sortes. C'est une explosion de couleurs et un bouquet d'arômes. Des coquelicots, des jonquilles, des clématites, du chèvrefeuille, des roses, de l'angélique, des pervenches, des groseillers, des framboisiers...

Son jardin est tout petit, mais il donne sur un immense champ, avec un étang et un sous-bois plein d'ombres, d'arbres à cabanes, et de sentiers. C'est le champ de Marguerite.

À cet endroit, avec mes amis du village, pendant les vacances, j'organise des parties de cache-cache, des batailles de corsaires, des pique-niques. On a même déjà dormi à la belle étoile. Mais aujourd'hui, je marche dans le jardin, je cueille des fleurs et je caresse les chats qui se prélassent au soleil en guettant les souris d'un œil vagabond.

Froissart Bénédicte, *Une Odeur de mystère*, Québec Amérique, Coll. Bilbo, 1994.

EN PRIME

- Dans la fiche **87**, fais le tour des odeurs et des objets qui font le bonheur de Camille dans la maison de sa grand-mère.

Le huard au bec brisé

En vacances chez son cousin Joé, Olivia reçoit une pièce d'un dollar en cadeau qui a un défaut: le bec du huard est brisé. Olivia, Joé et leur ami Charles entreprennent des recherches pour découvrir la valeur de cette pièce. Comment s'y prendront ces collectionneurs en herbe pour en savoir un peu plus sur ce petit dollar?

— **P**uisque je te dis que cette pièce est unique! s'exclame Joé.

— Et moi, je te dis qu'il faut aller chez un collectionneur pour la faire évaluer! répond Charles.

Joé tourne en rond comme un lion en cage. Il ne tient plus en place tellement cette histoire de dollar le rend nerveux.

— Charles a raison. Je crois qu'il serait bon de voir un professionnel de la question.

— Voyez-vous ça! Un «professionnel de la question»! Et on va le trouver où, ce «professionnel de la question», mademoiselle-je-sais-tout?

Mon cousin cherche la querelle. Il est vert de jalousie, c'est évident. S'il croit qu'il m'impressionne au point où je vais me laisser faire, il se trompe royalement!

— Je n'en sais rien, moi! Je n'habite pas cette ville. Et puis ZUT! Cette pièce est À MOI. C'est donc À MOI de prendre la décision. Et c'est À MOI…

— À MOI, À MOI, À MOI! coupe Joé en imitant le ton de ma voix. On a compris! On n'est pas sourds!

— Peut-être un peu dur d'oreille, par exemple?

C'est Charles qui vient de répliquer. Enfin quelqu'un qui prend ma défense!

Joé demeure interdit. Charles nous regarde tour à tour et pouffe de rire.

— Vous ne vous voyez pas la binette, tous les deux ! De vrais chiens enragés ! J'espère que ce n'est pas sérieux, votre querelle ? Hein ? Parce que sinon, je vous avertis, moi, je m'en vais !

Joé baisse la tête. Je fais de même.

C'est vrai que c'est stupide de se quereller comme ça. On ne sait même pas si la pièce a de la valeur. Et même si elle en avait ! Qu'est-ce que ça changerait entre nous ?

— Alors ?... lance Charles en levant les sourcils.

Je lève les yeux vers mon cousin qui fixe obstinément le bout de ses chaussures.

— D'accord ? Plus de dispute ? hasardé-je d'une toute petite voix.

Joé relève lentement la tête et nous regarde tous les deux.

— D'accord.

— Super ! s'exclame Charles. Bon ! Maintenant, si vous le voulez bien, je vais prendre en main les opérations. Tout d'abord, nous devons faire des recherches dans tous les livres numismatiques que nous pourrons dénicher.

— Y en a-t-il à la bibliothèque municipale ? demandé-je.

— Bien sûr. Mais d'abord nous allons vérifier dans ceux de mon père, qui se trouvent à la maison. Il faut essayer de découvrir la valeur de cette pièce de monnaie.

— À ton avis, combien peut-elle valoir ?

Charles prend bien son temps avant de répondre :

— Tu vois, Olivia, le huard de ta pièce de monnaie a un défaut. Un gros défaut.

— Son bec est brisé. Je sais, je l'ai vu ce matin. On dirait même que l'oiseau n'a pas de bec.

— C'est ça ! C'est un huard au bec brisé ! C'est fort probablement une erreur ; comme un mauvais coulage de la pièce ou encore une défectuosité dans le moule. Ça arrive parfois. Mon frère, qui collectionne les timbres, m'a déjà expliqué que certains timbres n'ont pas de dentelures ou encore qu'ils sont de la mauvaise couleur.

Il fait une pause et gratte le lobe de son oreille gauche avant d'enchaîner :

— Habituellement, des accidents de ce genre font grimper la valeur de l'objet.

Je m'approche lentement de Charles et m'empare de la pièce.

— J'ai bien hâte de savoir ce qu'il vaut, ce petit dollar. Peut-être deviendrai-je riche ? Très, très riche…

Nous fixons d'un air songeur la pièce de nickel qui brille dans un rayon de soleil taquin.

— Allons, ne perdons plus de temps, ordonne Charles qui se dirige sans attendre vers la porte ouverte. Au travail !

*

Dans la pièce, le silence est tel qu'on pourrait entendre voler une mouche. Depuis bientôt une heure, Joé, Charles et moi feuilletons des livres et des revues sans grand résultat.

Aucun indice sur mon huard handicapé.

— J'ai trouvé quelque chose! déclare soudain Charles en pointant de son index la page du livre ouvert sur ses genoux.

Nous nous précipitons à ses côtés.

— Quoi donc? interroge Joé.

— Voilà! C'est écrit ici que la pièce d'un dollar en nickel a été émise en 1987. Auparavant, il y avait un billet de un dollar. Il était vert. Cette pièce a remplacé le dollar de papier afin d'aider les handicapés visuels. C'était aussi plus facile à identifier pour les machines distributrices.

Il se tait soudain, mais, au mouvement que font ses lèvres, nous comprenons qu'il continue sa lecture en silence.

— Que dit-on encore? demande Joé.

— Rien de bien important si ce n'est que le portrait de la reine Élisabeth, sur l'une des faces, est l'œuvre d'un monsieur Machin...

— Quel drôle de nom! s'esclaffe mon cousin.

— Le dessin du huard, ajoute Charles, est l'œuvre de Robert Carmichael. Bon!

Il inspire profondément, comme s'il se préparait à affronter une situation difficile.

— Quelle est l'année inscrite sur ta pièce, Olivia? dit-il sans lever le nez de son livre.

J'examine avec attention la pièce de nickel. J'en scrute les reliefs que le temps a un peu effacés et je finis par déchiffrer:

— Mille... mille neuf cent... quatre-vingt... SEPT!

Charles relève la tête et s'empare de mon dollar.

— C'est donc une pièce qui a été frappée en petite quantité. Mais...

Charles referme le livre d'un coup sec et lève la tête vers son ami Joé. Ils se regardent un long moment en silence. Ils ont l'air bien piteux, les deux grands collectionneurs.

— Mais quoi ? demandé-je en roulant des yeux ronds.

— Je ne crois pas que tu deviendras millionnaire avec un petit oiseau comme celui-là ! termine enfin Charles.

— Mouais… cette pièce ne vaut rien de rien, renchérit Joé en faisant la moue.

Elle est bien bonne, celle-là ! MA pièce ne vaut rien, maintenant ! Mais pourquoi s'acharnait-il tant à vouloir se l'approprier, ce matin ? Et pourquoi avoir passé des heures à chercher dans tous ces bouquins ?

— Ce n'est pas vrai ! explosé-je.

Ça y est, je vais craquer ! Je sens mes yeux qui picotent et de grosses larmes gonflent mes paupières. Je ne veux surtout pas que Joé et Charles me voient pleurer.

Assis côte à côte, les deux copains me fixent d'un regard surpris. Comme s'ils me voyaient pour la première fois.

Je leur tire la langue et détourne la tête. Je serre bien fort le dollar dans ma main moite. Mon regard s'attarde un moment sur un des livres restés ouverts. J'y cherche un mot, ou une image, ou encore un chiffre qui me fera penser à autre chose. Qui me changera les idées, m'aidera à me ressaisir et surtout m'empêchera de fondre en larmes.

Je tends la main vers l'un d'eux et pose le bout des doigts sur une page noircie d'images et de mots que je tourne aussitôt pour tenter de garder contenance. Puis j'en tourne une autre. Et une autre encore. Le bruit des feuillets emplit la pièce, où le silence s'appesantit de plus en plus.

Soudain, comme sortant de sa cachette, un papier, dissimulé entre deux pages, glisse et volette dans les airs avant de retomber sur la table.

C'est une vieille coupure de journal. Le papier est tout jauni.

— Oh! m'exclamé-je, surprise.

— Tu as trouvé quelque chose? interroge Charles en s'approchant.

Joé est aussitôt derrière lui.

— C'est juste un vieux morceau de journal, constate-t-il.

Charles s'en empare et se met à lire en silence.

— J'ai trouvé! s'écrie-t-il soudain tout content.

Il brandit sous notre nez l'extrait de journal qui, pourtant, avait l'air bien insignifiant quelques secondes auparavant.

— Vous avez vu, il y a une adresse! jubile le copain.

En un tournemain, mon cousin s'empare du papier avant de lire à haute voix:

— *Expertise numismatique.*
Adélard Bégin, 56, rue Jolibois.

— Il faut aller chez ce monsieur Bégin. Lui, il saura certainement nous dire quelle est la vraie valeur du dollar d'Olivia, décide Charles en se dirigeant vers la porte.

Convaincue que cette découverte est un signe de chance, je cours chercher un bocal vide qui gît sur le comptoir. J'y laisse tomber la pièce avant de refermer le couvercle. Puis, sans plus attendre, je me dirige à mon tour vers la sortie.

— Allons-y vite! dis-je en disparaissant la première derrière la porte.

Josée Ouimet, *Le huard au bec brisé*, Éditions Pierre Tisseyre, 2000.

EN PRIME

- Dans la fiche **88**, revois ce que les trois jeunes entreprennent pour découvrir la valeur de la pièce d'Olivia. Qui sait, tu te découvriras peut-être un intérêt pour la recherche numismatique!

Châteaux de sable

Qui a dit qu'il fallait une multitude de jeux pour s'amuser durant les vacances ? Pour Simon Cormier et ses amis, il suffit d'un peu d'imagination et du sable à profusion.

En quelques minutes on répartit les tâches, on discute, on se chamaille un peu, puis, avec l'ardeur des grands bâtisseurs, on se met au travail.

— Regarde ma tour comme elle est haute. Il faudrait bien un drapeau, non ?

— Moi, je fais la palissade avec un pont-levis, comme dans les vrais châteaux !

— Et moi, ici, je vais faire la rampe de lancement pour les fusées ! s'écrie avec enthousiasme Daniel, le petit blond.

— Idiot ! fait Luc, le plus grand et le plus costaud. Il n'y avait pas de fusées dans ce temps-là.

— Quel temps ? dit l'interpellé d'un ton indigné.

— Le temps des châteaux-forts et des chevaliers, répond Luc très documenté par la lecture de romans d'aventures fantastiques.

Soudain, Simon qui creusait une douve autour de son bâtiment trouve une petite grille en plastique et il exulte :

— Hé ! les gars, regardez ça. Ça va faire la grille du cachot !

Aussitôt, les deux qui se chamaillaient oublient leur différend pour annoncer :

— Allons chercher des bois d'épave…

— … et des pinces de crabes… pour les toits.

— Et des plumes pour le drapeau !

Abandonnant leurs constructions, les gamins s'élancent dans toutes les directions. Le bord de mer offre un terrain idéal pour la cueillette de matériel de tout genre : cailloux, cordages,

carcasses de crustacés, casiers à homards désarticulés, filets, bouchons, éléments de la vie des pêcheurs que la vague crache sur les plages. Et ces enfants, aux yeux perçants et à l'imagination débordante, savent merveilleusement les utiliser, mélangeant allègrement le Moyen Âge, le *far-west* légendaire et le monde des voyages interplanétaires.

Ils s'éparpillent bruyamment sur la plage, sur les buttes et même dans l'eau jusqu'aux genoux, car quelqu'un a mentionné, un jour, que les galets les plus jolis, les plus colorés, certains même troués comme des fromages, se trouvent surtout au point de ressac. [...]

*

Au bout d'une heure, l'enthousiasme atteint son point culminant quand Luc pose sur le pignon de l'une des tours un étrange drapeau fait de plumes et d'un morceau de sac à déchets en plastique. Mais soudain, une voix les fait tous se retourner:

— La marée va engloutir votre château, fait Marjolaine qui s'est approchée.

En effet la marée montante lèche déjà la fameuse muraille au pont-levis. Mais les enfants des îles ne s'indignent pas, au contraire. Ils ont l'habitude. La mer a coutume d'ensabler leurs baies sans demander la permission, de gruger lentement leurs falaises, de jouer avec la géographie même de leurs îles. Peut-être savent-ils aussi qu'il ne sert à rien de se battre en un combat inégal contre une ennemie aussi vorace et insaisissable que la mer.

Daniel, qui s'était tant appliqué à la construction de son observatoire céleste avec dôme et télescope (une vieille balle de caoutchouc et un bout de tuyau), proteste tout de même un peu.

— Ah ! non. Pas tout de suite ! fait-il. J'ai pas fini !

Mais Simon, exprimant sans le savoir le désir de tous, propose :

— Allons ! On encercle le camp des ennemis ! Le campement du désert est découvert ! À l'attaque…

Au signal donné, les participants se ruent sur les constructions fragiles. Sans manifester de regret, ils aplatissent et détruisent les châteaux, s'amusent tout autant que de les construire en voyant s'affaisser les murs et les toits parsemés de coquillages.

Marjolaine est venue les rejoindre. Sans se faire remarquer, elle assiste à la démolition du chantier. Quand le chef-d'œuvre n'est plus qu'un amas de sable piétiné, l'un des cinq lance un cri :

— À la mer ! Les prisonniers à la mer !

Et en riant, chacun saisit un bois d'épave, un coquillage ou un caillou pour les précipiter dans les vagues toutes proches. Cette fois, Marjolaine participe à l'action de bon cœur, les garçons n'ayant pas protesté contre sa présence. En s'éclaboussant et en criant beaucoup, les participants modifient leur jeu encore une fois. Simon lance :

— La tempête déferle ! Un vent nordet de soixante nœuds !

Les prisonniers sont automatiquement transformés en bateaux imaginaires et chacun essaie de son mieux de simuler la tempête en mer et de faire couler les pauvres épaves. Ils sont devenus de véritables comédiens prêtant leurs voix aux capitaines de bateaux en détresse, personnifiant les vents sifflant lugubrement et la mer déchaînée.

Cécile Gagnon, *Châteaux de sable*, Éditions Pierre Tisseyre (Coll. Conquêtes), 1988.

EN PRIME

• Tu as aimé les jeux de Simon et ses amis ? Pousse plus loin ta compréhension de leur univers dans la fiche **89**.

Surprise !

Megan est bien décidée à découvrir ce que mijotent ses parents. Leurs cachotteries auraient-elles un lien avec les vacances d'été qui approchent?

Megan planta son crayon dans le trou de sa règle et fit tournoyer celle-ci. C'était un jour de « préécriture », comme disait M. Mostyn. Il leur demandait d'écrire une histoire par semaine, et les lundis matin étaient consacrés à la préécriture. Pendant un mois, il leur avait appris à « tisser une toile ». Cela consistait à jeter des idées en petits tas un peu partout sur une feuille puis à les relier au moyen de traits qui rappelaient une toile d'araignée. Pendant un autre mois, il leur avait enseigné à « dresser une carte », autrement dit à dessiner une route puis à disposer leurs idées le long de cette route. Il leur avait aussi montré la technique du « remue-méninges », qui consistait à faire jaillir des idées le plus rapidement possible. Megan aimait bien la préécriture. C'était comme de rêver tout éveillé, et il n'était pas nécessaire de remettre quoi que ce soit à la fin de la période. Ce jour-là, toutefois, son esprit ne cessait de fuir les toiles et les routes, un peu comme Bumper qui tentait désespérément d'éviter sa laisse lorsqu'il était temps de quitter le parc et de rentrer à la maison.

Mais qu'est-ce qui se passait avec ses parents ? Cela avait sûrement un lien avec le bout de papier qu'ils examinaient, le fameux soir du canapé. C'était ce soir-là que les bizarreries avaient commencé. Megan retira son crayon de sa règle et inscrivit le mot « Indices » en haut de sa feuille de préécriture.

1. Maman qui demande : « Et si ça ne marche pas ? »
2. Papa qui dit que tout comporte une part de risque.
3. Une feuille de papier blanc de format standard.
4. Les plans de vacances tout chamboulés.

Megan entoura d'un enchevêtrement de traits l'indice numéro 3. Voilà d'où elle devait partir. Elle traça ensuite une ligne courbe entre l'enchevêtrement de traits et le milieu de la page, où elle écrivit « À TROUVER » en lettres majuscules. Puis, tout en ombrant les lettres pour leur donner une allure tridimensionnelle, elle réfléchit à son projet. Quand pourrait-elle le mettre à exécution ? Tard le soir, quand tout le monde était endormi ? Trop banal. Son estomac gargouilla. Mais oui ! Pendant la période du dîner. Parfait. Betsy et elle apportaient toujours leur goûter à l'école, mais elle pouvait aller à la maison et en revenir, et avoir suffisamment de temps pour chercher le papier, à condition de courir. Son père était en ville, ce jour-là, aussi aurait-elle la maison à elle. C'était aujourd'hui ou jamais.

Megan griffonna un message.

Chère Erin,

Pas possible de manger ici aujourd'hui. Vais à la maison. Pas un mot à Betsy si tu la vois.

Megan plia le papier et, du bout du pied, le poussa de l'autre côté de l'allée. Erin ne se rendit compte de rien. La tête penchée vers la feuille, elle écrivait furieusement. Megan fixa les yeux sur elle, le plus intensément possible. *Mes yeux se fraient un chemin jusqu'à ton cerveau.* Aucune réaction. Erin était vraiment très concentrée sur sa préécriture. Toux discrète. Erin ne broncha pas. De son ongle, Megan sectionna un bout de gomme à effacer, qu'elle projeta vers la tête d'Erin au moyen de sa règle. Victoire. Erin releva la tête d'un air indigné. Megan pointa un doigt vers le sol. Lueur de compréhension dans le regard d'Erin. Message reçu.

*

Bumper jugea qu'en venant dîner à la maison Megan avait eu la meilleure idée de sa vie. Il aboya, bondit de joie et déclara à Megan, en langue chien, qu'elle était la créature la plus gentille, la plus géniale, la plus belle et la plus étincelante de l'univers connu et inconnu et qu'il l'aimait de toutes les fibres de son être. Il retira une bonne part de ces compliments lorsqu'il comprit qu'il n'irait pas se promener et qu'il n'aurait rien à manger.

Megan trouvait étrange d'être seule à la maison, avec Bumper pour unique compagnie. Elle se sentait comme une cambrioleuse, une cambrioleuse plutôt nerveuse. Elle sursauta lorsque, avec un petit clic, le moteur du réfrigérateur cessa de ronronner. Bon. Plan de bataille. Une feuille, sur laquelle il y avait quelque chose d'écrit ou d'imprimé, pliée en trois. La table basse du salon était sans doute trop évidente, mais Holmes avait parfois du succès avec les évidences. Pas cette fois. Revues, dépliants, la lettre concernant le camp des Brownies. Essayons plutôt le bureau de maman dans la cuisine.

Megan ouvrit le tiroir du classeur. Les dossiers de couleur étaient clairement identifiés. « Maison – hypothèque », « Maths 115 », « Médecin », « Megan ». Il y en avait beaucoup trop. Le dossier le plus épais attira son attention. « À classer. » Megan l'extirpa du classeur et l'ouvrit sur la table de la cuisine. Elle commença à en trier rapidement le contenu. Papier glacé, mauvais format, papier coloré. Elle empila les feuilles qui semblaient prometteuses. Horaire de la piscine, photocopie d'une recette de biscuits au lait de poule, formulaire de demande pour un prêt étudiant, brochure ornée d'une photo d'un grand voilier à l'ancienne – « Les grands voiliers, une expérience unique ».

Megan s'apprêtait à remettre la brochure dans le dossier. Un instant !

Au dos de la brochure, une photo montrait une bande de jeunes suspendus au gréement du voilier. « Destiné aux jeunes de 12 à 16 ans. Sillonnez les mers sur la réplique d'un grand voilier… une expérience éducative unique… Découvrez l'art de la navigation, l'autonomie, la coopération… Du 7 au 28 juillet. » Voyons, voyons. Qui allait avoir douze ans dans quelques semaines, le vendredi saint plus précisément ? Et qui avait peut-être « quelque chose de prévu » en juillet ?

Elle examina la brochure de plus près. « Expérience de voile souhaitable. » Qui avait suivi un cours d'initiation à la voile l'été précédent avec son cousin John ? Megan sentit une bouffée d'excitation lui serrer la gorge. « Voir le formulaire ci-inclus. » Elle examina soigneusement les piles de papier. Pas de formulaire. Ils l'avaient déjà posté. Ils avaient décidé de l'inscrire, *elle* !

Megan se souvint d'Emily, sa gardienne, qui, avec sa chorale, avait fait une tournée en Angleterre lorsqu'elle était en onzième année. À l'époque, sa mère avait dit que c'était une occasion exceptionnelle et qu'elle espérait que Megan et Betsy auraient, elles aussi, la possibilité de voyager beaucoup. Trois semaines ! Cet été même ! Megan observa plus attentivement la photo des adolescents accrochés au gréement. *Bien sûr* que sa mère trouvait cela risqué. Mais son père, lui, la jugeait capable de se débrouiller. Il avait raison. Megan s'imagina dans le nid-de-pie, en train de saluer de la main. Son père et sa mère étaient les meilleurs parents du monde.

Ce stage devait coûter cher, cependant. Comment pouvaient-ils se le permettre ? Depuis que sa mère avait quitté son emploi pour retourner aux études, ses parents passaient leur temps à répéter que l'hypothèque bouffait tout leur argent. Oh, et puis, qui sait ? Megan se mit à faire des pirouettes dans la cuisine jusqu'à ce que Bumper aboie à n'en plus finir et qu'il se jette sur elle. Peut-être qu'ils avaient gagné en secret à la loterie ? Argent secret, projets secrets, « le secret de l'été mystérieux ».

Dormirait-elle dans un hamac ? Il fallait qu'elle en sache davantage sur les vieux bateaux. Pouvait-elle passer par la bibliothèque avant une heure ? Elle leva les yeux vers l'horloge de la cuisine. Pas question. Elle avait à peine le temps de retourner à l'école. Elle jeta un dernier regard à la brochure, remit le dossier dans le tiroir et attrapa une orange avant de donner deux biscuits à Bumper ainsi qu'un gros baiser bruyant sur le museau. La vie était parfaite. La vie était méga-parfaite.

Ellis, Sarah, *Surprise !*, Éditions Québec Amérique Jeunesse (Coll. Titan) 1998.

EN PRIME

- Dans la fiche **90**, résume les moments forts de l'enquête de Megan pour élucider le mystère entourant ses parents.

INDEX

Section grammaticale : Retenir sa langue

Définition d'un mot

Stratégies et connaissances

SOURCES ICONOGRAPHIQUES

H: Haut **B:** Bas **G:** Gauche **D:** Droite **C:** Centre

Numéro 10

6 Photo de J. Burny © Fondation Maurice Carême. Tous droits réservés. **11** © Photos.com **20** © Fondation Mira **28** © Goldner/Sipa Press/PONOPRESSE **29 H** © Organisation internationale de la francophonie (OIF) **39** © Royalty-Free/CORBIS/MAGMA **46 G** © LWA-Dann Tardif/CORBIS/MAGMA **D** © Royalty-Free/CORBIS /MAGMA **51** Photo de Céline Lalonde **86-88** © Photos.com **93-94** © Photos.com **96** © Jim Zuckerman /CORBIS/MAGMA **110-112** © Photos.com

Ordinateur (rubrique *Tac Tic*) : © Artville
Micro (rubrique *Moi et les autres*) : © PhotoDisc
Radar (rubrique *Multimédia*) : © Artville
Trombones (partout dans le manuel) : © Artville
Drapeaux : Antonio Silva

Numéro 11

123 © Don Hammond/CORBIS/MAGMA **130-131** © ArtToday **132** © Artville **134** Sarah Perreault, *Les Débrouillards* **139** © Claude Deschênes **140** © Photos.com **141** © ITTEL J.F./CORBIS SYGMA /MAGMA **143** © CORBIS SYGMA/MAGMA **144** © Marine Nationale **147** © Lucidio Studio Inc./CORBIS /MAGMA **150** © Michel Rouette, photographe, secteur décors et arts graphiques. Société Radio-Canada. **151** © Association des amis de Jean Giono **152** © PhotoDisc **160** © Digital Vision **162 H** © La fondation Nobel **BG** Trippett/Sipa Press/ PONOPRESSE **BC** Institut Pasteur **BD** © La fondation Nobel **188-193** © Photos.com **194** © PAGANI FLAVIO/ CORBIS SYGMA/MAGMA **195-197** © Photos.com **202-203** © Photos.com **207** BERNATCHEZ, L. et M. Giroux, 2000. *Les poissons d'eau douce du Québec et leur répartition dans l'est du Canada.* Éditions Broquet, 350p. **208** © Bill Scholtz **209** © Valley zoo, Ville d'Edmonton **214-215** © Photos.com

Numéro 12

224 © Digital Vision **227** © Jack Gunter/CORBIS /MAGMA **234** © ArtToday **239** © Élyse Guévremont **240 H** © Artville **241** © Photos.com **242** Flexidée **243 H** © Comstock IMAGES Royalty Free Division **B** © Photos.com **244 H** © PhotoDisc **B** © Élyse Guévremont **246-247** © PhotoDisc **249** © Photos.com **255** © Photos.com